J. Doroschinskaja, W. Krutschina-Bogdanow

LENINGRAD
UND UMGEBUNG

REISEFÜHRER

Verlag Progreß
Moskau 1980

J. Doroschinskaja, W. Krutschina-Bogdanow

LENINGRAD
und Umgebung

Reiseführer

Елена Дорошинская, Вадим Кручина-Богданов

Ленинград и его окрестности
Путеводитель. На немецком языке

Редакция литературы по спорту и туризму

Aus dem Russischen von V. Nowak und W. Grigorjewa
Lektor: I. Rachmanina
Redaktion des deutschen Textes: J. Seliwanowa, M. Sharowa
Gestaltung: M. Sanegin
Graphiker: N. Schtscherbakowa
Kartenredaktion: W. Sokolow
Hersteller: W. Palenzewa

Best.-Nr.: 298 283 1

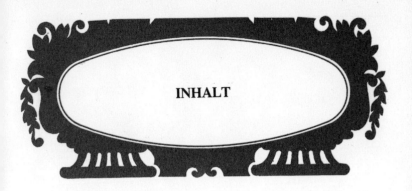

INHALT

Verehrte Gäste!

Nehmen Sie einen beliebigen Führer durch Leningrad zur Hand, ganz gleich, wo er herausgegeben wurde — in der Sowjetunion oder im Ausland —, und Sie werden darin eine und dieselbe Feststellung finden: „Leningrad ist eine der schönsten Städte der Welt." Wir hoffen, daß Sie sich selbst davon werden überzeugen können.

An der Weltgeschichte gemessen, ist die Stadt noch jung, sind es doch weniger als drei Jahrhunderte, daß an den Newa-Ufern die ersten Bauten aufgeführt wurden. Sie werden hier keine Denkmäler grauer Vorzeit finden, und doch werden Sie von vielem überrascht und bezaubert sein.

Haben Sie z. B. gewußt, daß die Stadt häufig das „Venedig des Nordens" genannt wird? Jeder Besucher erblickt in Leningrad, wohin er sich auch begibt, Wasserglanz, denn die Stadt liegt auf vielen Inseln. Einmal sind es die stillen Kanäle mit ihrem ruhigen Wasser und ihren romantischen Brücken, ein andermal die kleinen Flüsse, auf denen Flußtrams und Ruderboote dahingleiten, oder die Weite der stets unruhigen Newa und schließlich der Finnische Meerbusen, an den Leningrad dicht herangerückt ist. Leningrad dehnt sich in die Weite. Seine zahlreichen Plätze sind großräumig, die Straßen — so breit und gerade, daß man den Eindruck gewinnt, unsere Ahnen hätten vorausgesehen, daß der Verkehr in der Stadt einmal sehr dicht sein wird. Die Gärten und Parks erfreuen das Auge auch bei heißestem Wetter mit ihrem frischen Laub, was dem feuchten Meeresklima zu verdanken ist.

Kenner der Geschichte nennen die Stadt das nördliche Palmyra. Diesen in der Ferne der Jahrhunderte wurzelnden Namen bewahrt die Menschheit im Gedächtnis als Sinnbild großartiger Baudenkmäler.

Leningrad ist ein einziges großes Museum der Architektur. Seine berühmten Bauensembles wirken durch ihre gewaltigen Ausmaße auch heute phantastisch. Immer wieder kann man die strengen, plastischen Bauformen von Anfang des 18. Jahrhunderts bewundern. In dekorativer Pracht bieten sich uns heute die festlich schmucken, im russischen Barockstil erbauten Paläste dar. Seine glänzende Verkörperung fand an den Newa-Ufern der russische Klassizismus, der die Prinzipien der antiken Baukunst mit dem weiterentwickelten nationalen baukünstlerischen Erbe in sich vereinigte. Die Errungenschaften des modernen Städtebaus wurden in den nach Entwürfen sowjetischer Architekten aufgeführten Gebäuden verwertet.

Sein eigenartiges Gepräge verdankt die Stadt der untrennbaren Verschmelzung zweier Künste: der Architektur und der Plastik. Paläste und Wohnhäuser, Triumphbögen, Brücken, Parks und Straßen sind mit Bildwerken geschmückt.

Denkmäler auf den Plätzen und Straßen, in den Gärten und Grünanlagen Leningrads ehren das Andenken hervorragender Staatsmänner, Revolutionäre, Feldherren, Gelehrter, Schriftsteller, Komponisten und Künstler und sind eine Zierde der Stadt geworden. Aus den Denkmälern von Leningrad spricht nicht nur das Leben des Landes, sondern auch die Weltgeschichte des menschlichen Genies. Hier können Sie Descartes und Darwin, Lomonossow und Metschnikow, Pasteur und Röntgen „begegnen".

Leningrad ist auch ein Brückenmuseum, denn es zählt rund 400 Flußüberführungen, und ein Museum der Einfriedungen und Geländer, die einen Schmuck der Ufer, Straßen, Gärten, Kathedralen und Brücken bilden.

Nicht zuletzt sind es auch die Leuchten der Straßen und Parks, die Wetterfahnen, ja selbst die Ketten der Gitter und Umzäunungen — große und kleine Verse jenes unnachahmlichen Poems, das Leningrad heißt.

Leningrad ist aber nicht nur eine Schatzkammer der Kunst der Vergangenheit und der neuesten Zeit, nicht eine

Stadt schlechthin, mit der wir die Anfänge und die wichtigsten Entwicklungsetappen der russischen Wissenschaft, Industrie und Kunst verknüpfen. Sie werden dieser Stadt die bedeutsamsten Kapitel der Geschichte des Landes, der Geschichte des Volkskampfes gegen die feudale Selbstherrschaft, gegen die soziale und nationale Unterdrückung in Rußland ablesen können. Die Geschichte der Newa-Stadt ist mit dem Wirken der Revolutionäre verschiedener Perioden der russischen Befreiungsbewegung aufs engste verbunden. Leningrad ist die Wiege der proletarischen Revolution.

Hier entfaltete sich an der Wende des 19. zum 20. Jahrhundert die revolutionäre Tätigkeit W. I. Lenins, der in den Arbeiterbezirken der Stadt marxistische Zirkel leitete und fortschrittliche Arbeiter zu Berufsrevolutionären erzog. Hier legte er den Grundstein der Kommunistischen Partei. Die Stadt an der Newa vernahm als erste Lenins historische Worte vom Sieg der sozialistischen Revolution und von der Entstehung des ersten Arbeiter-und-Bauern-Staates der Welt.

Hier verkündete W. I. Lenin die Friedenspolitik der Sowjetmacht, die heute von der Kommunistischen Partei und der Sowjetregierung unablässig und konsequent fortgesetzt wird.

Die Stadt, die anfänglich Sankt Petersburg hieß, wurde später in Petrograd umbenannt. Nach dem Tode des Führers der Revolution wurde ihr 1924 auf Wunsch der Petrograder Arbeiter der Name Leningrad verliehen.

Leningrad ist eine Stadt des revolutionären, des Arbeits- und Kampfruhmes des Sowjetvolkes.

Für die Heldentaten und Arbeitsleistungen seiner Einwohner erhielt Leningrad zwei Leninorden, einen Orden der Oktoberrevolution, einen Rotbannerorden sowie den Goldenen Stern einer Heldenstadt.

Im zweiten Weltkrieg trotzten die Leningrader und die Verteidiger der von den Hitlerfaschisten belagerten Stadt dem Feind 900 Tage lang unter der schwersten Blockade, und nie hat der Fuß des Feindes das Leningrader Pflaster betreten. Leningrad war die erste Stadt im Sowjetland, der der Ehrentitel Heldenstadt zuerkannt wurde.

Längst sind die vom Krieg geschlagenen Wunden verheilt. Die Stadt wächst und wird immer schöner. In die Chronik der Nachkriegszeit hat Leningrad bedeutsame Kapitel eingetragen: mit einzigartigen Maschinen seiner Betriebe, mit wissenschaftlichen Entdeckungen und mit einem großzügigen Wohnungsbau. Heute ist Leningrad einer der Hauptschwerpunkte des technischen Fortschritts und der Kultur des Sowjetlandes. Zu den Sehenswürdigkeiten Leningrads gehören heute nicht nur alte Denkmäler, sondern auch Gebäude von Produktionsvereinigungen, Instituten, Schulen und Krankenhäusern, neue Kulturpaläste, Sportanlagen und Wohnkomplexe.

Alles über Leningrad in einem einzigen Buch zu erzählen, ist unmöglich. Vor relativ kurzer Zeit erschienen sechs Folianten mit einem Umfang von jeweils fast 1000 Seiten, die den anspruchslosen Titel „Studien über die Geschichte Leningrads" tragen. Es besteht auch eine Leningrader Kunstchronik, die der Stadt gewidmete Gedichte und Prosawerke, Gemälde und Grafiken, Musikschöpfungen und andere Kunstwerke enthält, von denen viele in die Schatzkammer der sowjetischen Kultur eingegangen sind. Diese Chronik wird ständig durch neue Namen, Seiten, ja ganze Kapitel erweitert. Vor einigen Jahren entstand in Leningrad ein Klub der Stadtkenner, eine gesellschaftliche Organisation, deren Mitglieder die Geschichte der Stadt studieren. Die Bibliographie der schöngeistigen und wissenschaftlichen Literatur sowie der Nachschlagewerke über Leningrad ist unübersehbar.

Verehrte Gäste Leningrads! Wir hoffen, daß Sie unser Buch in Erwartung der Begegnung mit Leningrad oder beim Zurückdenken an die Stadt lesen werden. Unser Reiseführer soll Ihnen mit seinen praktischen Hinweisen auch während des Aufenthalts in der Stadt ein guter Helfer sein.

Und nun etwas ausführlicher über die Geschichte der Stadt.

AUS DER GESCHICHTE LENINGRADS

Vor über 1000 Jahren war die Gegend um das Newa-Delta, wo heute Leningrad mit seinen Vorstädten liegt, von slawischen Stämmen besiedelt, die im 10. Jahrhundert in den Bestand der Kiewer Rus eingingen (frühfeudaler Staat, der in Osteuropa an der Wende des 8. zum 9. Jahrhundert entstanden war). Der Newa-Strom, der in den Finnischen Meerbusen der Ostsee mündet, bildete seit eh und je einen Abschnitt des Handelsweges, der die Rus mit europäischen Ländern verband und ihr einen Zugang zum Meer sicherte.

Seit dem Ende des 12. Jahrhunderts unternahmen nördliche Nachbarn wiederholt Versuche, die an die Newa anliegenden Ländereien an sich zu reißen, jedoch erfolglos. Erst Anfang des 17. Jahrhunderts gelang dies dem Schwedischen Königreich. Die diplomatischen Verhandlungen über die Rückgabe der besetzten Gebiete an Rußland blieben ergebnislos. 1700 begann zwischen Rußland und Schweden ein Krieg, der in die Geschichte unter dem Namen Nordischer Krieg einging. In diesem Krieg brachte Rußland die ihm seit alters gehörenden Ländereien wieder in seinen Besitz und erhielt erneut Zugang zum Meer. Da der Krieg aber weiterging und die Gefahr eines Überfalls bestehen blieb, wurde auf Geheiß des Zaren Peter I. auf einer Insel im Newa-Delta mit dem Bau einer Festung begonnen. Am 16. Mai (27. Mai neuen Stils) 1703 wurde der Grundstein der Peter-und-Pauls-Festung gelegt. Dieser Tag gilt als Gründungstag der Stadt, die den Namen Sankt Petersburg erhielt. Ein Jahr später entstanden unter dem Schutz der Festungsbastionen die ersten Straßen der Stadt.

1712 ließ Peter I. die höchsten Regierungsämter aus Moskau an die Newa-Ufer verlegen. Petersburg wurde zur Hauptstadt Rußlands.

Petersburg. XVIII. Jahrhundert (Gravüre)

Der Bau der Stadt ging zügig voran, so daß sie es 20—30 Jahre später bereits mit den größten Städten Europas aufnehmen konnte.

Die riesige Metropole haben Hunderttausende Bauern, die zwangsweise in diese Gegend umgesiedelt wurden, in schwerer Arbeit errichtet.

Die Bebauung erfolgte von Anbeginn nach einem einheitlichen Plan. Vorgeschrieben waren nicht nur die Richtung und Breite der wichtigsten Straßen, sondern auch die architektonische Gestaltung der Häuser für Menschen unterschiedlicher sozialer Stellung und später auch die Häuserhöhe.

Unter Peter I. wurden die ersten Perspektivpläne, wie wir sie heute nennen, zur Entwicklung der neuen Stadt entworfen. Schon vom 18. Jahrhundert an bestanden hier Bauaufsichtsbehörden.

Im ersten Drittel des 19. Jahrhunderts erhielt Petersburg das Gepräge, von dem der große russische Dichter Alexander Puschkin schrieb:

> *Ich lieb' dich, Schöpfung Peters, deine*
> *Gestrenge, einheitliche Pracht,*
> *In dem granitenen Gesteine*
> *Der Newa königliche Macht...*

Von Anfang an entwickelte sich Petersburg als Hafenstadt und Industriezentrum. Gegen Ende der zwanziger Jahre des 18. Jahrhunderts erfolgte fast der gesamte Überseehandel Rußlands über Petersburg. Die ersten Industriebetriebe waren Werften, Ziegeleien, Waffenfabriken und Pulvermühlen sowie große Manufakturen.

Häuschen Peters I.　　　　　　　Hauptadmiralität

In der neuen Stadt liefen die ersten Druckereien an, eingeweiht
wurden die Marineakademie (1715), die Akademie der Wissenschaften
(1725), die Ingenieurschule (1719), das erste Museum (1719) und das
erste ständige öffentliche Theater (1756).

Um die Jahrhundertmitte bildete sich das neue Stadtzentrum mit
seinen großartigen Baugruppen heraus, außerhalb der Stadt entstanden
Zarenresidenzen mit Palästen und Parks.

Diese wahren Kunstwerke wurden von hervorragenden Baumei-
stern und Bildhauern geschaffen, unter ihnen auch Künstlern, die aus
dem Ausland nach Rußland gekommen waren und hier ihre zweite
Heimat fanden. In ihrem Schaffen lassen sich, was nur natürlich ist,
Traditionen und Eigenart der russischen Nationalkultur erkennen.

Von unvergänglichem Ruhm umwoben sind die Namen glänzender
Baumeister wie Wassili Bashenow, Andrej Woronichin, Andrean Sacharow, Giacomo Quarenghi, Bartolomeo Rastrelli, Carlo Rossi und
Iwan Starow. Die Geschichte hat auch die Namen einiger begabter
russischer Meister aus dem Volke bewahrt: Samson Suchanow, Wassili
Jakowlew, Iwan Jewstifejew... Tausende andere sind unbekannt geblieben, ihnen verdanken wir aber die Verwirklichung der Ideen der
genialen Architekten.

In der zweiten Hälfte des 19. Jahrhunderts wurde die Stadt ein
großes Industrie- und Kulturzentrum Rußlands.

Die erste Eisenbahnstrecke des Landes verband Petersburg mit
Moskau; es entstand auch der sogenannte Meereskanal, so daß der
neue Hafen an der Newa-Mündung Schiffe mit großem Tiefgang aufnehmen konnte. Das Marien- und das Tichwin-Kanalsystem, durch die

Gribojedow-Kanal

man aus der Newa in die Wolga gelangen konnte, wurden ihrer Bestimmung übergeben.

Anfang des 20. Jahrhunderts bestritt Petersburg fast die Hälfte der Chemieproduktion des Landes, ein Viertel der Maschinenbauerzeugnisse und ein Sechstel der Textilerzeugnisse. Ungefähr jeder fünfte Einwohner war Arbeiter.

Die russische Hauptstadt wurde zu einem bedeutenden Zentrum des nationalen wissenschaftlichen und technischen Denkens. Dort lebten und wirkten unter vielen anderen so hervorragende Gelehrten wie Michail Lomonossow, Wassili Petrow, Iwan Krusenstern, Emil Lenz, Alexander Popow, Sergej Botkin und Nikolai Pirogow. An der Newa lief das erste Schiff der Welt mit elektrischem Antrieb vom Stapel. In Petersburg stellte Dmitri Mendelejew sein Periodensystem der Elemente auf. Erstmalig in der Welt spendete dort eine Glühlampe Licht, wurde das Schema eines Flugkörpers mit Strahlantrieb entwickelt, eine Funkverbindung hergestellt, ein Fernsehbild mit Hilfe einer Elektronenstrahlröhre erhalten und das erste schwere mehrmotorige Flugzeug in der Geschichte der Luftfahrt gebaut, das den Namen „Russki witjas" (Russischer Recke) trug. Weltbekannt wurden die Beobachtungsergebnisse der Pulkowo-Sternwarte. Internationale Anerkennung fand die Petersburger Schule der Mathematik, zu deren Koryphäen Pafnuti Tschebyschew und Leonhard Euler zählten.

In Petersburg bildete sich eine nationale Kunstschule heraus. Hier schufen Karl Brüllow, Orest Kiprenski, Iwan Kramskoi, Ilja Repin und Valentin Serow. Mit der Stadt verknüpfen wir auch das Schaffen der großen Komponisten Pjotr Tschaikowski, Michail Glinka, Nikolai

Senatsplatz am 14. Dezember 1825 (Aquarell)

Rimski-Korsakow, Modest Mussorgski und Alexander Borodin sowie vieler Klassiker der russischen Literatur.

Seit je die Newawellen Verse prägen,
wie eine Seite Gogol liegt der Newski,
der Sommergarten ist aus dem „Onegin",
von Blok die Inseln manchen Traum noch
                                    hegen,
durch die Rasjeshaja irrt Dostojewski ...

SAMUIL MARSCHAK

Mitte des 19. Jahrhunderts wurde der einheitliche Plan für die Bebauung Petersburgs jedoch verworfen. Selbst in der Stadtmitte entstanden in ihrer Mehrheit architektonisch wertlose Mietshäuser. Da die Grundstückpreise unaufhaltsam in die Höhe schnellten, lag die Bebauungsdichte hoch über der zulässigen.

Völlig planlos erfolgte die Bebauung der Randgebiete. In der Nähe von Industriebetrieben entstanden hauptsächlich abscheuliche Baracken und Nachtasyle, wo die Arbeiter zusammengepfercht hausten. Die Bewohner der Stadtmitte waren bereits in den Genuß von Gaben der Zivilisation wie elektrisches Licht, Kanalisation, Wasserleitung und gepflasterte Straßen gekommen, die Randbezirke versanken hingegen in Unrat und Finsternis. Die Stadtbehörden ließen viele Bezirke absichtlich nicht eingemeinden, um nicht für ihre städtebauliche Gestaltung sorgen zu müssen. Die Sterblichkeit war an der Peripherie doppelt so hoch wie in der Stadtmitte, insgesamt stand Petersburg der Sterbeziffer

Petrograd im Jahre 1917. Bolschewiki sprechen auf einer Arbeiter- und Soldatenkundgebung.

nach in Europa an der Spitze. Eine „kranke Stadt" nannte der russische Schriftsteller Fjodor Dostojewski Petersburg.

Eine Stadt sozialer Kontraste, die die Selbstherrscher Rußlands als Bollwerk der Monarchie betrachteten, wurde Petersburg zum Born des fortschrittlichen Denkens, hier keimte die Befreiungsbewegung Rußlands auf.

Am 14. Dezember 1825 brach hier der Aufstand der Dekabristen, revolutionär gesinnter Adliger, aus. Einige Jahrzehnte später brandete die zweite Woge der Befreiungsbewegung empor. An ihrer Spitze standen revolutionäre Demokraten, die die Ideen der Bauernrevolution mit dem utopischen Sozialismus zu vereinen suchten. In den achtziger Jahren des 19. Jahrhunderts entstanden die ersten marxistischen Organisationen. Im Herbst 1895 vereinigten sich alle marxistischen Zirkel Petersburgs unter der Leitung W. I. Lenins zum „Kampfbund zur Befreiung der Arbeiterklasse", der die Ideen des wissenschaftlichen Sozialismus mit der proletarischen Bewegung zu verbinden begann. Diese politische Organisation wurde zum Kern der revolutionären marxistischen Partei, die sich auf die Bewegung der Arbeitermassen stützte.

Das 20. Jahrhundert, das Zeitalter der drei russischen Revolutionen, brach an. Sie alle begannen in der Stadt an der Newa. Die erste bürgerlich-demokratische Revolution von 1905, die den Charakter einer Volksrevolution hatte, wurde zwar niedergeschlagen, weckte aber das politische Bewußtsein von Millionenmassen. Die zweite, im Februar 1917, beseitigte die Monarchie. Das revolutionäre Proletariat nahm unter der Führung der Partei der Bolschewiki Kurs auf das Hinüberwachsen der bürgerlich-demokratischen Revolution in die sozialistische Re-

17

Kreuzer „Aurora"   Im blockierten Leningrad ...

volution. Die Große Sozialistische Oktoberrevolution siegte im Oktober 1917. Der Sieg der Oktoberrevolution führte zur Bildung des ersten sozialistischen Staates der Welt. Auf dieses wichtigste historische Ereignis gehen wir ausführlicher im Kapitel ein, das Sie mit den Monumenten der Revolution und den Lenin-Gedenkstätten in der Stadt bekannt macht.

Bis zum November 1919 mußten die Petrograder Arbeiter zusammen mit den Abteilungen der Roten Armee ihre Stadt mit der Waffe in der Hand gegen die innere Konterrevolution und die fremdländische Intervention verteidigen. Die junge Sowjetrepublik hatte aber nicht nur die militärische Gefahr abzuwenden, sondern auch gegen Zerrüttung, Hunger und Seuchen anzugehen. Die letzten Herde des Bürgerkriegs und der Intervention wurden im November 1922 unschädlich gemacht. 1925 nahm die Partei, dem Vermächtnis Lenins folgend, Kurs auf die sozialistische Industrialisierung des Landes. Der Stadt Lenins fiel bei der Lösung dieser Aufgabe eine außerordentliche Rolle zu.

Bereits 1927 lieferte die Stadt ebensoviel Industrieerzeugnisse wie vor dem ersten Weltkrieg. Hier wurden die ersten sowjetischen Traktoren, Flugzeugtriebwerke, Turbinen und Kraftwerksgeneratoren, Holzfrachter und Webstühle serienmäßig hergestellt. Der erste sowjetische Blooming wurde 1931 im Leningrader Ishora-Werk in einer Rekordfrist von acht Monaten und 28 Tagen gebaut. 1935 lief in der Admiralitäts-Werft der erste geschweißte Eisbrecher der Welt vom Stapel.

Die ersten sowjetischen Forschungsstätten nahmen ihre Tätigkeit auf. Gegen Ende des ersten Jahrzehnts der Sowjetmacht zählte die

18

Denkmal für die heldenmütigen Verteidiger
Leningrads auf dem Platz des Sieges

Palast-Brücke

Stadt viermal so viele Museen wie vor der Revolution. Neue Theater und die ersten Kulturpaläste öffneten ihre Pforten.

Nach Leningrad kamen Menschen aus allen Gebieten des Landes, denn die Stadt brauchte Arbeitskräfte. Das Wohnungsproblem mußte schnellstens gelöst werden.

1917, gleich nach dem Sieg der Großen Sozialistischen Oktoberrevolution, war das Privateigentum an Wohnhäusern, die als Einnahmequelle dienten, durch ein Dekret der Sowjetregierung aufgehoben worden. Dadurch konnten bereits in den Jahren 1918 und 1919 die Wohnverhältnisse von über 300 000 Menschen verbessert werden, die dessen besonders dringend bedurften.

Solange jedoch der Bürgerkrieg tobte, ließ sich auf diesem Gebiet recht wenig tun. Die Bebauung der Stadtperipherie setzte erst nach seinem Ende ein. Neben Wohnhäusern wuchsen Schulen, Klubs, Krankenhäuser, Kindergärten und -krippen sowie Sportstätten empor. Vor der Revolution hatte man in den Arbeiterbezirken der Stadt davon nicht einmal träumen können.

1935 wurde der erste sowjetische Entwurf des Generalplans zur Entwicklung Leningrads erarbeitet und mit seiner Realisierung begonnen. Viele Ideen konnten damals aber nicht verwirklicht werden. Hitlerdeutschland überfiel die Sowjetunion. Es begann der Große Vaterländische Krieg des Sowjetvolkes gegen den Faschismus 1941—1945.

Im September 1941 rückten die hitlerfaschistischen Truppen dicht an die Stadt heran. 900 Tage lang war Leningrad massierten Luftangriffen und direkten Artilleriebeschüssen ausgesetzt. Die Geschichte kennt wenig Fälle, die an Tragik und an Standhaftigkeit der Verteidiger mit der Blockade Leningrads vergleichbar wären. Mehr als eine Million Leningrader mußten im Kampf gegen die Hitlerfaschisten ihr Leben lassen, die Stadt aber siegte, wenn auch um den Preis unsäglicher Opfer. „Wir haben Leningrad verteidigt, wir werden es noch schöner und besser machen!" Unter dieser Losung beteiligten sich Hunderttausende Einwohner am Wiederaufbau ihrer Stadt.

Touristen, die nach Leningrad kommen, wundern sich mitunter: Wo sind denn die Spuren der Blockade? War sie wirklich so schrecklich? Was die Stadt während der Belagerung ertragen mußte und wie sie trotz alledem standhielt, davon erfahren Sie im Kapitel „900 Tage heroischer Verteidigung Leningrads".

Die Stadt hat ihre vom Krieg geschlagenen Wunden geheilt. An die Kriegsjahre scheinen nur noch die Namen einiger Straßen, Plätze und Prospekte zu erinnern: Straße der Flakschützen, Platz des Mutes, Allee der Unbeugsamen. Mehr als 50 neue Plätze und Straßen wurden nach Soldaten benannt, die Leningrad verteidigt haben. Zwei neue schöne Siegesparks sind entstanden — der Moskowski und der Primorski.

Noch immer nicht verheilt sind aber andere, unsichtbare Wunden — die in den Herzen der Menschen. Schwerlich findet man eine alteingesessene Leningrader Familie, die in den Kriegsjahren nicht schmerzliche Verluste erlitten hätte. Noch immer werden in einer Stadtzeitung regelmäßig Briefe unter der Rubrik „Wir bitten um Antwort!" veröffentlicht. Sie stammen von Menschen, die noch immer die Hoffnung nicht aufgegeben haben, ihre Nächsten und Freunde, von denen sie durch den Krieg getrennt wurden, wiederzufinden.

In der Staatsbank besteht ein Konto, auf das zahlreiche Spenden für den Friedensfonds eingezahlt werden. FRIEDEN — niemand anderer weiß dieses Wort so zu schätzen wie die Leningrader!

Über das heutige Leningrad lesen Sie im folgenden Kapitel.

LENINGRAD HEUTE
UND MORGEN

Geographische Lage, Klima, Fläche

Leningrad liegt an der Ostküste des Finnischen Meerbusens der Ostsee.

Unter den Städten der Welt mit über einer Million Einwohnern ist keine andere so hoch im Norden gelegen. Leningrad befindet sich auf dem gleichen Breitengrad wie der südliche Teil Alaskas und das südliche Ende Grönlands.

Die Stadt nimmt gegenwärtig 44 Inseln im Newa-Delta ein. Ihre größte ist die Wassili-Insel (mehr als 10 km²). Das Relief der Inseln ist flach, fast alle haben eine ovale Form.

Das Weichbild Leningrads wird von etwa 50 Flüssen, Durchflüssen und Kanälen mit einer Gesamtlänge von 160 km durchzogen.

Die Hauptwasserader der Stadt ist die Newa, die sie in zwei ungefähr gleiche Teile gliedert. Jeder weist in der Stadtmitte alte Wohnbezirke und an der Peripherie neue auf. Der Strom, der sich im Delta in fünf Arme teilt, mündet in den Finnischen Meerbusen.

„Die blaue Karte" Leningrads macht ungefähr ein Zehntel seines Areals aus.

Klima. Ein gemäßigtes Meeresklima, das mildeste für diese Breite in der UdSSR, was auf den Einfluß des Golfstroms zurückzuführen ist.

Meteorologische Beobachtungen zeigen, daß der Juli (Temperaturmittel +17,8 °C) der wärmste Monat und der Januar (Temperaturmittel −7,9 °C) der kälteste ist.

Im Jahresdurchschnitt werden an 222 Tagen Temperaturen über Null gemessen und an 126 fällt Regen. Am häufigsten sind die Niederschläge im August, am seltensten im März. Der Schnee liegt laut mehrjährigen meteorologischen Angaben von Anfang November bis Mitte April, es gibt aber auch schneearme Winter. Die Winde sind im Herbst und Winter am stärksten, vorherrschend südliche, südöstliche und südwestliche.

Das Leningrader Wetter ist recht launisch: Große Unterschiede in Temperatur und Luftdruck werden sogar im Laufe des Tages beobachtet, wobei sich Windstärke und Windrichtung ändern. Der Temperaturunterschied zwischen verschiedenen Stadtbezirken kann 8 bis 10 °C betragen.

Die Badesaison am Finnischen Meerbusen dauert ungefähr von Mitte Juni bis August. Die Wassertemperatur liegt im Sommer in der Regel zwischen 10 °C und 24 °C. In der Newa ist das Wasser um 2−3 °C kälter als im Meerbusen.

Als Tag des Anbruchs der „weißen Nächte", da keine nächtliche Finsternis eintritt und die Abenddämmerung unmittelbar in die Morgendämmerung übergeht, gilt der 25. Mai. Besonders schön sind die „weißen Nächte" vom 11. Juni bis zum 2. Juli, sie halten ungefähr bis zum 20. Juli an.

Die Fläche Leningrads beträgt 660 km², mit den Vororten — über 400 km². Die Stadt zählt rund 2000 Straßen und Plätze. Könnten wir sie aneinanderreihen, würden sie eine 2632 Kilometer lange Magistrale bilden. Wollten Sie also alle Straßen der Stadt durchwandern, würden Sie einen Weg zurücklegen müssen, der der Entfernung von Leningrad bis Bordeaux oder bis Reykjavik gleichkommt.

Vom Leningrader Zentrum bis zum entlegensten Vorort sind es etwa 65 Kilometer.

Administrative Gliederung, Verwaltung, Bevölkerung

Verwaltungsmäßig ist das eigentliche Leningrad in **16 Stadtbezirke** gegliedert. Als Groß-Leningrad umfaßt es dazu noch fünf Vororte.

Leningrad wird vom Stadtsowjet der Volksdeputierten verwaltet, die Stadtbezirke von den Bezirkssowjets der Volksdeputierten.

Der Leningrader Stadtsowjet sorgt wie alle örtlichen Sowjets in der UdSSR für die Verwirklichung der Gesetze und Verordnungen der Sowjetregierung, befaßt sich mit der städtebaulichen Gestaltung, dem Wohnungs-, dem Kultur- und Sozialbau, der Festlegung des örtlichen Haushalts, kontrolliert seine Realisierung usw. Zu den Deputierten gehören die besten Einwohner der Stadt: Arbeiter, Ingenieure, Techniker, Wissenschaftler, Kultur- und Kunstschaffende, Studenten, mit anderen Worten, Vertreter aller Bevölkerungsschichten der Sowjetgesellschaft.

Der Leningrader Sowjet hat 654 Deputierte, unter ihnen fast die Hälfte Frauen.

Die Tätigkeit der Sowjets unterliegt einer ständigen Kontrolle durch die Bevölkerung: Die Deputierten legen vor ihren Wählern regelmäßig Rechenschaft ab. Falls sie ihren Pflichten nicht genügen, können sie jederzeit abberufen werden.

Der Stadtsowjet tritt viermal im Jahr zu seinen Tagungen zusammen. In der Zeit zwischen den Tagungen ist das Exekutivkomitee des

Exekutivkomitee des Leningrader Sowjets der Volksdeputierten

Leningrader Stadtsowjets, das 24 Mitglieder zählt, das ständige Vollzugsorgan.

In engem Kontakt mit den Sowjets arbeiten auf ehrenamtlicher Grundlage zahlreiche Hauskomitees und Straßenausschüsse, Gruppen freiwilliger Milizhelfer, Rentnerräte, Bibliotheksräte und Zirkel für Kinderschaffen. In Leningrad und seiner Umgebung unterstützen mehr als 450 000 Bürger die örtlichen Sowjets bei ihrer Tätigkeit.

Die **Einwohnerzahl** Leningrads, einschließlich die Städte und Siedlungen, die dem Stadtsowjet untergeordnet sind, beträgt über 4 500 000. Unter den Leningradern finden Sie Vertreter von über 100 Nationalitäten und Völkerschaften. Die überwiegende Mehrheit der Einwohnerschaft sind Russen.

Jährlich werden 30 000 Hochzeiten gefeiert, mehr als 50 000 junge Bürger kommen zur Welt.

1964 wurde eine Gedenkmedaille „Dem in Leningrad Geborenen" gestiftet. Sie wird den Eltern am Tage der Eintragung des Neugeborenen in das Personenstandsbuch feierlich überreicht. Auf der Medaille sind der Vor- und Zuname des Kindes sowie das Geburtsdatum geprägt.

Leningrader Neubauten   Haus der Jugend

Jahreshaushalt

Der Jahreshaushalt der Stadt übersteigt eine Milliarde Rubel. Die Steueraufkommen der Bevölkerung haben an den Einnahmen des kommunalen Haushalts einen Anteil von etwas mehr als acht Prozent. Der Haushalt bildet sich hauptsächlich aus den Abführungen der staatlichen Betriebe und Institutionen. Mehr als die Hälfte der Mittel werden für die Finanzierung der städtischen Wirtschaft verwendet, über 40 Prozent für das Bildungswesen, Gesundheitswesen und die Sozialfürsorge bereitgestellt. Darüber hinaus werden für soziale und kulturelle Maßnahmen beträchtliche Summen aus dem Staatshaushalt der UdSSR, dem Haushalt der Russischen Föderation sowie aus dem Gewerkschaftsbudget und den Haushalten anderer Massenorganisationen, Betriebe und Dienststellen zugewiesen.

Wohnraumfonds und städtebauliche Gestaltung

Während der Blockade Leningrads in Großen Vaterländischen Krieg war un gefähr ein Fünftel des Wohnungsfond entweder völlig zerstört oder stark be schädigt worden.

Noch stand der Feind im nahen Vorgelände der Stadt, da arbeitet schon eine Gruppe von Fachleuten am Entwurf für die Wiederherstel lung und Weiterentwicklung der Stadt.

Zwei Monate nach dem Durchbruch des Blockaderings, am 29 März 1944, faßte die Sowjetregierung einen Beschluß über erstrangig Maßnahmen zum Wiederaufbau der Industrie und der städtische Wirtschaft Leningrads. Gleichzeitig wurde mit der Errichtung neue Häuser begonnen. Die Wiederaufbauarbeiten waren 1950 abgeschlos sen.

In den ersten zwei Jahrzehnten nach dem Kriege (1946—1965) wur den in Leningrad Wohnhäuser mit einer Gesamtfläche von über 2 Millionen m² gebaut — fast ebensoviel wie in den 214 Jahren der vor revolutionären Geschichte der Stadt. Leningrad verfügt heute übe einen Wohnungsfonds, der mehr als das Zweieinhalbfache des vorre volutionären erreicht. Alle zehn Minuten wird eine Wohnung schlüssel fertig, jeden Tag werden zwei Häuser vollendet. Die seit 1926 unverär dert gebliebene Wohnungsmiete beträgt höchstens 4—5 Prozent de Familieneinkommens. Die Stromgebühren machen vier Kopeken je K lowattstunde aus.

Leningrad ist in Überfluß mit Wasser versorgt. Es wird an der tie sten Stelle der Newa im Weichbild der Stadt entnommen und sorgfä tigst gereinigt. Leningrad verbraucht 360 Liter Wasser pro Einwohne und Tag.

Über einen Mangel an Parks, Gärten und Boulevards kann di Stadt sich nicht beklagen. Es fügte sich aber historisch so, daß diese ben nicht ganz gleichmäßig verteilt sind. Die nördlichen Stadtbezirk haben mehr Grün als die südlichen. Heute erfolgt die Begrünung de Stadt nach einem Plan. Bei der Rekonstruktion von Häusern un Wohnblocks im alten Stadtzentrum werden auf Gelände, das frei ble ben soll, Grünanlagen geschaffen. In den neuen Wohnmassiven werde zwischen den Häusern unbedingt Sträucher, Bäume und Blumen ge pflanzt; für jeden Wohnkomplex wird, abgesehen von einem große Park für den ganzen Stadtbezirk, ein Garten geplant.

Jedes Jahr kommen in Leningrad zu den bestehenden mindestens 200 000 neue Bäume hinzu. Nicht mehr fern ist die Zeit, da jeder Stadtbewohner 20,7 m² Grünfläche „besitzen" wird.

Dutzende Betriebe wurden geschlossen, umgerüstet oder nach außerhalb verlegt, wie es die sanitär-hygienischen Normen erfordern, die die Reinigung der Umwelt von Schadstoffen vorsehen.

Mehr als 1600 Maschinen reinigen die Straßen, gießen die Grünanlagen und räumen den Schnee auf. An die 100 Spezialschiffe baggern die Durchflüsse frei.

Gesundheitswesen

Leningrad hat 1455 medizinische Einrichtungen — Krankenhäuser, Polikliniken für Erwachsene und für Kinder, Frauenberatungsstellen, Gesundheitsfürsorgestellen und Betriebspolikliniken. Über 20 Forschungsstätten und medizinische Lehranstalten verfügen über eigene Kliniken. Die Zahl der Ärzte in Leningrad ist unter der Sowjetmacht auf das Elffache gestiegen. In der Leningrader Vorortzone wird das Kurstättennetz immer dichter. Große medizinische Einrichtungen, wie z. B. ein Krankenhaus der Unfallhilfe und ein kardiologisches Zentrum, sind fertig bzw. werden projektiert und sollen in nächster Zeit ihrer Bestimmung übergeben werden.

Die medizinische Betreuung ist in der Sowjetunion bekanntlich unentgeltlich.

Bildungswesen

Jeder dritte Leningrader lernt oder studiert. Vergleichshalber sei bemerkt, daß vor der Revolution in der Hauptstadt des Russischen Reiches 20 Prozent der Einwohner Analphabeten waren. Heute besuchen mehr als eine halbe Million Kinder und Jugendliche die allgemeinbildenden Schulen bzw. Berufsschulen. In den letzteren erhalten junge Menschen Oberschulbildung und erlernen zugleich einen Beruf.

Für Einwohner, die im Produktionsprozeß stehen und sich weiterbilden wollen, ohne ihre Berufstätigkeit zu unterbrechen, gibt es Abendschulen und Schulen mit Fernunterricht sowie Filialen von Fach-

27

Neues Lehrgebäude der Leningrader
Universität

Öffentliche Saltykow-Stschedrin
Bibliothek. Lesesaal

und Hochschulen. Jungen Menschen, die sich für diese Art der Ausbildung entschieden haben, wird an ihrer Arbeitsstelle zusätzlicher bezahlter Urlaub für die Dauer von 30 bis 40 Tagen gewährt, damit sie sich auf die Prüfungen vorbereiten können; für die Diplomverteidigung bekommen sie einen viermonatigen bezahlten Urlaub. Wenn der Fernstudent zu Prüfungen in eine andere Stadt fahren muß, zahlt er nur 50 Prozent des Fahrgeldes; in den letzten Semestern wird ihm zusätzlich ein freier Tag in der Woche gewährt. Außerdem gibt es noch eine ganze Reihe Vergünstigungen für Fern- und Abendstudenten. Die Betriebe sind berechtigt, ihre Belegschaftsmitglieder zum Studium an Hoch- und Fachschulen zu schicken und ihnen ein Stipendium zu zahlen, das um 15 Prozent höher als das staatliche ist.

Die 41 Hochschulen der Stadt zählen mehr als eine Viertelmillion Studenten. Die größten sind: die Universität (mehr als 20 000 Studenten), die Nordwestliche Polytechnische Fernhochschule (rund 20 000 junge Arbeiter und Angestellte studieren dort und stehen zugleich im Produktionsprozeß), die Polytechnische Hochschule (mehr als 17 500 Studenten), das Institut für Eisenbahningenieure (13 000) und die Forsttechnische Akademie (mehr als 10 000). Die Leningrader Hochschulen bilden Fachleute in 425 Berufen aus. Allen Hochschulabsolventen wird Arbeit in ihrem Fach gewährt.

Fast jeder zehnte Leningrader hat Hochschulbildung.

Das Gebäude der öffentlichen Bibliothek

Rund 450 000 Personen qualifizieren sich jährlich in den Betrieben und Institutionen weiter oder erlernen neue Berufe.

Die Bildung ist in der Sowjetunion unentgeltlich.

In den Kulturpalästen und -häusern, bei Museen und Hochschulen werden Vortragsreihen zu verschiedenen Themen der Wissenschaft und Kultur veranstaltet, die bei Wißbegierigen aller Altersstufen und Berufe großen Anklang finden.

Immer mehr Anhänger finden die Volksuniversitäten — gesellschaftliche Bildungsorganisationen, die das selbständige Studium und die kulturelle Entwicklung der Werktätigen fördern. Die Volksuniversitäten für gesellschaftswissenschaftliche, wissenschaftlich-technische und ökonomische Kenntnisse, für Körperkultur und Sport, für rechtliche Kenntnisse und die Volksuniversitäten breiterer Fachrichtung haben bereits an die 70 000 Hörer gewonnen.

Atomeisbrecher „Arktika"

Leningrad als Industrie-, Forschungs- und Kulturzentrum

Den **Leningrader Industriebetrieben** war während der Blockade unermeßlicher Schaden zugefügt worden: rund 1000 Betriebe lagen in Trümmern. Jedoch 1949 lieferte die Stadt bereits ebenso viele Industrieerzeugnisse wie vor dem Großen Vaterländischen Krieg 1941—1945. Heute ist die Industrieproduktion ungefähr neunmal so groß wie vor dem Kriege.

Ein beträchtlicher Teil der Industrieproduktion Leningrads kommt auf das Konto ihrer wichtigsten Zweige: des Maschinenbaus und der Metallbearbeitung.

1959 lief hier der Atomeisbrecher „Lenin" vom Stapel, der damals in der Welt einzig dastand, 1974 und 1977 wurden die noch leistungsstärkeren Atomeisbrecher „Arktika" und „Sibir" gebaut.

Am 17. August 1977 vollbrachte der Eisbrecher „Arktika" zu Ehren des 60. Jahrestags der Großen Sozialistischen Oktoberrevolution eine Fahrt nach den hohen Breiten des sowjetischen Sektors der Arktis. Erstmalig in der Welt hat ein Überwasserschiff in aktiver Fahrt den Nordpol erreicht. Der Sehnsuchtstraum vieler Generationen von Seefahrern und Forschern ist in Erfüllung gegangen. Die Forschungs- und Versuchsfahrt dieses von Leningrader Schiffsbauern geschaffenen Fahrzeugs dient der Verlängerung der Schiffahrt auf einer der Hauptmeeresstraßen des Sowjetlandes: dem Nördlichen Seeweg, der Eisvor-

Leningrader Philharmonie „D. Schostakowitsch". Großer Saal

aussage und anderen volkswirtschaftlichen Erfordernissen. Erzeugnisse des Schiffs-, Geräte- und Maschinenbaus, der Elektronik und Radiotechnik, die in der Sowjetunion und auch in der Welt nicht ihresgleichen haben, dokumentieren die hohen Leistungen der Leningrader Industrie. Die Turbinen und Turbogeneratoren der meisten Kraftwerke unseres Landes sind Erzeugnisse aus Leningrader Betrieben. In vielen Ländern kennt man den leistungsstarken Mehrzweck-Traktor „Kirowez".

Fast zwei Drittel der gesamten Industrieproduktion Leningrads bestreiten seine Produktionsvereinigungen. Diese Organisationsform ermöglicht es, dank den gemeinsamen Anstrengungen und Errungenschaften der Forscher, Konstrukteure und Produktionsarbeiter die neue Technik zu meistern.

Zu einem Qualitätsbegriff sind in der Sowjetunion die Erzeugnisse der Leningrader Leicht- und Lebensmittelindustrie geworden. Ungefähr jedes achte Paar Schuhe und jedes zehnte Konfektionserzeugnis trägt die Fabrikmarke von Leningrader Betrieben.

Leningrad ist nach Moskau das zweitgrößte Forschungszentrum der Sowjetunion. Die Zahl der Forschungsstätten, Entwicklungs- und Projektierungsbüros übersteigt bereits 450. In Leningrad wurden ein Industrieverfahren für die Erzeugung von synthetischem Kautschuk und eine Technologie der Aluminiumproduktion ausgearbeitet und das erste optische Glas gewonnen. Weiten Ruf erwarben die Leningrader Wissenschaftler durch ihre Arbeiten in Mathematik und Geologie, Schiffbau, Physiologie, Physik der hochmolekularen Elementarteilchen, Ozeanologie usw.

Weit über die Grenzen der Sowjetunion hinaus sind u. a. die Forschungen der Hauptsternwarte der Akademie der Wissenschaften der UdSSR bekannt, die als eine astronomische Metropole der Welt gilt, ebenso des physikalisch-technischen Instituts „A. Ioffe", des Physiologie-Instituts „I. Pawlow", des Instituts für Onkologie „N. Petrow", des Instituts für Botanik „W. Komarow" und des Instituts für Arktis- und Antarktisforschung.

Leningrad hat 16 Theater mit ständiger Besetzung, unter ihnen drei Musikbühnen, das Opernstudio des Konservatoriums als die größte Ausbildungsstätte von Nachwuchs für die Musiktheater, fünf philharmonische Konzertsäle, einen Zirkus, ein Varieté-Theater usw.

Allein die Theater Leningrads zählen jährlich 30 Millionen Besucher.

Eine Dolmetscherin der Leningrader Intouristfiliale hat das Wort

„Heute Abend lade ich Sie zu einem Spaziergang ein. Ich führe Sie dorthin, wo ich mich selbst gern aufhalte, und gebe Ihnen damit meine kleinen Geheimnisse preis. Es kann sein, daß gerade dieser Abend in Leningrad schön sein und Ihnen lange in angenehmer Erinnerung bleiben wird.

Wir befinden uns auf dem Theaterplatz. Für mich ist er ein Platz der Musik. Fast ein ganzes Häusergeviert nimmt das Konservatorium ein. Anton Rubinstein, Michail Glinka, Alexander Glasu

Lenin-Denkmal auf dem Platz vor dem Finnländischen Bahnhof
Sommergarten im Winter
Platz der Künste
Wintergräbchen
Sphinx auf dem Universitätskai
Hauptadmiralität
Smolny
Arbeitszimmer und Wohnung von W. I. Lenin im Smolny

Winterpalais
Isaaks-Kathedrale
Rossi-Straße
Piskarjowskoje-Gedenkfriedhof
Monument der Mutter-Heimat
Newski-Prospekt
Leningrader Etüde
Fest an der Newa
Grüner Ruhmesgürtel
Bankbrücke

now, Pjotr Tschaikowski, Sergej Prokofjew — diese Namen sind mit dem Leningrader Konservatorium eng verbunden. Ihre Musik ist hier auch heute zu hören.

Ins Akademische Kirow-Theater für Oper und Ballett komme ich in der Regel lange vor Beginn der Vorstellung. Seine Innenausstattung — hellblau mit Gold — ist eine Augenweide. Ich hoffe, daß jede beliebige Vorstellung, die Sie sich hier werden ansehen können, für Sie ein wahrer Genuß sein und Ihnen lange in Erinnerung bleiben wird.

Wenn Ihrem Geschmack aber die moderne Oper oder das moderne Ballett mehr entspricht, dann lade ich Sie gern in unser Kleines Theater ein. Seine Vorstellungen sind immer eine Art Experiment.

Das Kleine Opernhaus befindet sich auf einem der schönsten Plätze Leningrads, der zu Recht den Namen Platz der Künste trägt. Hier stehen auch die Gebäude der Philharmonie und der Musikalischen Komödie. Ich habe für die Operette zwar wenig übrig, davon ändert sich aber nichts an der Tatsache, daß diese Kunstgattung eine Menge Anhänger findet. Wenn Sie für den temperamentvollen Kálmán schwärmen oder ein Verehrer der anmutigen Straußschen Musik sind oder wenn Ihr Interesse der sowjetischen Operette gilt, dann sollten Sie diesen Abend im Operettentheater verbringen.

Wäre ich wirklich Ihre Fremdenführerin, würde ich Sie gern in die Philharmonie begleiten. Ihr großer Marmorsaal mit weißen Säulen ist nicht nur festlich und schmuck, sondern weist auch gute akustische Eigenschaften auf. Den Musikfreunden der ganzen Welt ist das Sinfonieorchester der Leningrader Philharmonie bekannt, an dessem Dirigentenpult schon seit Jahrzehnten Jewgeni Mrawinski steht.

Sie haben bestimmt bemerkt, daß meine Sympathien der Musik gehören. Es wäre jedoch ungerecht, die großartigen Leningrader Sprechbühnen unerwähnt zu lassen. Da haben wir das nach Maxim Gorki benannte Große Schauspielhaus — ich kenne kein anderes Ensemble, das so viele begabte Künstler vereinigen würde, von denen jeder ein bewundernswertes Talent ist. Jede Premiere im Großen Schauspielhaus ist ein Ereignis. Das Puschkin-Theater, das Lensowjet-Theater, das Theater „Wera Komissarshewskaja", das Theater für junge Zuschauer — das ginge über meine Kräfte, wollte ich die Eigenart eines jeden auch nur kurz schildern.

Wie wenig habe ich Ihnen erzählt!... Denn in Leningrad finden Sie Dutzende Theater, Konzertsäle und Kulturpaläste mit ihren Traditionen und ihren unnachahmlichen Besonderheiten..."

Schauspielhaus „A. Puschkin". Denkmal Katharinas II.

Die mehr als 200 Leningrader Kulturpaläste, Kulturhäuser und Klubs befinden sich vorwiegend in den nach der Revolution bebauten Wohngebieten. Ihre Zuschauersäle bieten einer größeren Anzahl Besucher Platz als die alten Theatergebäude. Über 2000 Personen fassen z. B. die Zuschauerräume des Kulturpalastes „Lensowjet" und des Kulturpalastes „Maxim Gorki". Die Bühnen dieser und der anderen größten Kulturpaläste werden häufig sowjetischen und ausländischen gastierenden Künstlern zur Verfügung gestellt.

Bei den Kulturpalästen und -häusern und den Klubs bestehen zahlreiche Studios und Zirkel. Das Können der Laienkünstler einiger Studios ist schon mit dem von Berufskünstlern vergleichbar, daher werden diese Studios Volkstheater genannt. Ihrer gibt es in Leningrad 17, darunter ein Theater für Oper und Ballett, eine musikalische Komödie, ein Dramentheater und ein Theater für junge Zuschauer. In Leningrad können Sie auch einen Zirkus besuchen, dessen Programm ausschließlich von Laien bestritten wird.

Am malerischen Ufer der Kleinen Newka wurde vor kurzem ein Jugendpalast errichtet. Rund 5000 junge Menschen können dort ihren Neigungen nachgehen. Im Jugendpalast werden Sportwettkämpfe und andere Wettbewerbe ausgetragen, Treffen nach Berufsinteressen und Gespräche am Runden Tisch veranstaltet. Es treten Laien- und Berufskünstler auf. Der Leningrader Jugend stehen in ihrem Palast ein Aus-

34

Auf der Bühne des Theaters für Oper und Ballett „S. Kirow". Ballett „Chopiniane"

stellungsraum, ein Filmvorführungs- und Konzertsaal sowie ein Tanzsaal zur Verfügung, ferner Räume, wo man Schach, Dame u. dgl. spielen kann, Phonothek, Schwimmhalle, Bibliothek und Restaurants. Gäste der jungen Leningrader können hier in einem Hotel untergebracht werden, das 700 Personen Platz bietet.

Unter den Leningrader Klubs sind erwähnenswert: „Das Haus der Natur", wo für die Mitglieder der Naturschutzgesellschaft Vorträge gehalten, Filme vorgeführt und Ausstellungen veranstaltet werden, und der Schachklub „Michail Tschigorin", der seinen Namen dem Begründer der russischen Schachschule verdankt. Der erste Schachklub Rußlands entstand in der Newastadt um die Mitte des 19. Jahrhunderts.

Die Leningrader Filmtheater zählen täglich ca. 200 000 Besucher. Neben den Kinos gibt es in der Stadt noch einige hundert Filmvorführungsräume in den Kulturpalästen, Kulturhäusern und Klubs.

Bei der Einschätzung der Zahl der Leningrader Museen gehen die Meinungen der Verfasser von Reiseführern und der Fremdenführer auseinander. Die einen von ihnen betrachten jedes Museum als eine selbständige Institution. Die anderen halten sich an das Prinzip der verwaltungsmäßigen Unterordnung einiger Museen als Filialen anderer, größerer. Darüber hinaus bestehen zahlreiche ständige Ausstellungen und Museen bei Betrieben, Bildungsstätten und Theatern.

35

Panzerauto „Feind des Kapitals" — Revolutionsreliquie

Wie dem auch sei, für die Besichtigung der Sammlungen in den verschiedenartigen Leningrader Museen würden Sie nicht eine Woche, sondern Monate, ja Jahre brauchen. Errechnet wurde folgendes: Würde man jedem Gegenstand in den Sammlungen der Ermitage auch nur eine halbe Minute widmen, nähme die Besichtigung aller Schaustücke rund zehn Jahre in Anspruch! Die Besucherzahl der Leningrader Museen übersteigt jährlich 20 Millionen. Führend sind die Staatliche Ermitage und das Museum für die Geschichte Leningrads mit seinen Filialen. In die Leningrader Filiale des Zentralen Lenin-Museums kommen jährlich an die zwei Millionen Menschen.

Die rund 2500 Leningrader Bibliotheken haben Bücher- und Zeitschriftenbestände von insgesamt über 150 Millionen. Die größte in der Stadt und die zweitgrößte in der Sowjetunion ist die Öffentliche Saltykow-Stschedrin-Bibliothek, deren Fundus mehr als 20 Millionen Bücher und Zeitschriften aufweist.

Leningrad zählt zu den größten Verlagszentren der Sowjetunion. Die Jahresauflage der Bücher und Broschüren, die mehr als 30 Verlage der Stadt edieren, übersteigt 55 Millionen Exemplare.
    Täglich werden im Durchschnitt etwa 200 000 Bücher und Broschü-

Ermitage. Haupttreppe Puschkin-Denkmal auf dem Platz der Künste

ren vertrieben. In Leningrad besteht eine Sektion der Gesamtrussischen Gesellschaft der Bücherfreunde.

Es erscheinen rund 400 Zeitschriften und andere Periodika, darunter literarische und die gesellschaftswissenschaftlichen Monatsschriften: „Swesda", „Newa" und „Aurora", die Zeitschriften: „Kostjor" und „Iskorka" für die Schüler; die Zeitungen: „Leningradskaja Prawda", „Wetscherni Leningrad", „Smena", „Leningradski rabotschi" sowie „Leninskije iskry" für die Schüler.

Sportpalast „Jubilejny"

Sport in Leningrad
Die Leningrader Sporttraditionen reichen weit zurück. Bereits im 18. Jahrhundert wurde hier eine Segelregatta, die erste in Rußland, ausgetragen. Zu den ersten Segelsportlern gehörte übrigens Peter I.

In Leningrad werden über 50 Sportarten gepflegt, besonders beliebt sind aber verschiedene Winter- und Wassersportdisziplinen.

Fast jeder fünfte Leningrader ist Mitglied einer der Sportvereinigungen: „Dynamo", „Spartak", „Senit", „Burewestnik" u. a.

Leningrader Sportler starten bei allen Unionswettbewerben und den meisten internationalen Vergleichen. Unter den Leningrader Sportlern finden wir 59 Olympiasieger. Dreimal bestieg Ludmilla Pinajewa (Kajak) bei Olympischen Spielen das Siegerpodest; Olympiasieger sind auch Galina Stepanskaja und Jewgeni Kulikow (Eisschnellauf), Nina Baldytschewa (Skilauf), Nadeshda Tschishowa (Kugelstoßen), Gennadi Schatkow (Boxen) und Tatjana Kasankina (Leichtathletik).

Die Stadt hat 34 große Stadien. Die größte Sportarena trägt den Namen Sergej Kirow und faßt bis zu 100 000 Zuschauer. Gemäß dem Veranstaltungsprogramm im Zusammenhang mit den Olympischen Sommerspielen 1980 wird in diesem Stadion der Vorentscheid im Fußball stattfinden. 30 000 Zuschauerplätze haben die Tribünen des Lenin

Hockeyspiel

Werkhalle aus dem
Elektrosila-Betrieb „S. Kirow"

Stadions. Der Sportpalast „Jubilejny" mit zwei künstlichen Eisbahnen bietet 6000 Zuschauern Platz. Im Winterstadion können sich bis zu 5000 Personen die Sportwettkämpfe ansehen. In Betrieb genommen wurde der Palast „Senit" für Sportspiele mit 25 000 Plätzen, eine großartige Anlage mit einem überdachten Fußballspielfeld. Die Große Sportarena im Siegespark wurde in Betrieb genommen. Unter dem Dach dieses Hallenstadions befinden sich die Tribünen für 25 000 Zuschauer, ein Fußballfeld internationaler Klasse, Laufbahnen und Sektoren für Wettbewerbe in 17 Sportarten.

Durch das Klima Leningrads kommt dem Bau von überdachten Stadien größeren Ausmaßes besondere Bedeutung zu, weil zu jedem großen Wettbewerb eine beträchtliche Anzahl von Zuschauern kommt. So sind bei Eishockeytreffen und Eiskunstlaufveranstaltungen im Sportpalast „Jubilejny" und im Winterstadion mindestens 5000—6000 Leute zugegen.

Ungefähr 30 Kilometer von Leningrad entfernt liegt Kawgolowo, die „Ski-Metropole" des Landes, wo internationale Vergleiche stattfinden. Die größte Sprungschanze Kawgolowos ist 70 m hoch.

Leningrad hat mehr als 300 Fußballplätze, 1700 Basketball-, Volleyball- und Tennisplätze, 22 Schwimmbecken, 12 Ruderstationen, mehr als 300 Eisbahnen usw. Diese statistischen Angaben sind bei weitem nicht vollständig, weil sich alle Sportplätze kaum erfassen lassen. Solche werden auf Betriebsgeländen, bei Schulen und so gut wie in jedem Hof angelegt.

Alle Bildungsstätten verfügen über eigene Sporthallen, Sportplätze und außerhalb der Stadt gelegene Skiausleihstationen.

Stadtverkehr   Die Leningrader U-Bahn hat gegenwärtig eine Streckenlänge von über 50 km. Gemäß dem Generalplan zur Entwicklung Leningrads soll die U-Bahn das wichtigste Verkehrsmittel werden. Heute kann die Stadt aber nach wie vor nicht ohne die Straßenbahn, die Obusse und Omnibusse auskommen. Viele bevorzugen die Linien-Taxis: Kleinbusse für 10 Fahrgäste. Zehntausende Menschen nehmen täglich Taxis in Anspruch. Die Einwohner Groß-Leningrads halten die Fahrten mit den Vorortszügen für bequem, weil alle Leningrader Bahnhöfe in der Stadtmitte gelegen sind und guten Anschluß an die U-Bahnstationen haben.

Fernverkehr   Nach Moskau ist Leningrad der zweitgrößte Schwerpunkt des **Eisenbahnverkehrs** der UdSSR. Aus Leningrad führen Eisenbahnlinien nach allen großen Städten der Sowjetunion. Mehr als die Hälfte der Reisenden treffen auf dem vor kurzem modernisierten Moskauer Bahnhof ein. Das Gebäude des Finnländischen Bahnhofs wurde neu errichtet. Vorgesehen ist eine gründliche Umgestaltung des Witebsker Bahnhofs; einer der ältesten Bahnhöfe der Stadt, der Warschauer Bahnhof, soll seine Funktionen an den Baltischen Bahnhof abtreten. Diese Maßnahmen werden getroffen, weil sich die Zahl der Reisenden bis zur Mitte der achtziger Jahre voraussichtlich mehr als verdoppeln wird. Die Eisenbahnfahrten bleiben eine der Hauptformen des Fremdenverkehrs.

Der **Leningrader Seehafen** zählt zu den größten in unserem Lande, auch im internationalen Überseeverkehr hat er eine große Bedeutung. Der Finnische Meerbusen friert im Winter zu, unter Einsatz von Eisbrechern dauert die Schiffahrt jedoch das ganze Jahr hindurch an.

Jährlich laufen 4000 bis 5000 Schiffe aus mehr als 50 Ländern den

Leningrader Seehafen an. Die nach Leningrad fahrenden Schiffe werden von einem Lotsen empfangen, weil der östliche Teil des Finnischen Meerbusens seicht ist. 30 Kilometer vor der Einfahrt in den Hafen beginnt der in den Jahren 1875—1885 angelegte Meereskanal. Das 80 bis 120 m breite Kanalbett verläuft auf dem Grund des Finnischen Meerbusens.

Leningrad ist durch ständige Schiffsrouten mit den größten Seehäfen Europas verbunden. Auf dem Seeweg kommen viele Touristen nach Leningrad.

In Leningrad beginnt die Wolga-Ostsee-Wasserstraße, die zu einem Transportsystem von Flüssen, Seen und Kanälen für großen Tiefgang gehört, das die Ostsee und das Weiße Meer im Norden mit dem Kaspischen, dem Asowschen und dem Schwarzen Meer im Süden verbindet. Auf der Wolga-Ostsee-Wasserstraße verkehren Fahrgastschiffe und Frachter der See-Binnenschiffahrt.

Die **neue Anlegestelle der Fahrgastflotte** mit einem Abfertigungsgebäude wird den höchsten Anforderungen der modernen Schiffahrt gerecht. Zehntausende Touristen treten hier ihre Reise durch Flüsse und Seen des europäischen Teils der UdSSR an. Diese Art Vergnügungsreisen gewinnt immer mehr Anhänger, ausländische Touristen unternehmen gern Binnenschiffsreisen.

35 Flüge sowjetischer Maschinen und 26 Flüge von Maschinen ausländischer Luftfahrtgesellschaften verbinden Leningrad mit 16 europäischen Ländern und 105 Städten der Sowjetunion. Der Flughafen Pulkowo, einer der größten in unserem Lande, bietet den Fluggästen ein Höchstmaß an Komfort. Bei ihrer Reise nach Leningrad können Sie auch ein Charterflugzeug benutzen. Diese Art des Fremdenverkehrs ist sehr beliebt.

Nach vielen Städten der Sowjetunion und nach europäischen Ländern verlaufen von Leningrad aus **Autobahnen** in elf Richtungen.

Leningrads internationale Verbindungen

Leningrad ist Mitglied der **Weltföderation der Partnerstädte.** 1957 gegründet, fand dieselbe die Anerkennung der UNO und der UNESCO. Der Bürgermeister von Leningrad wurde mehrmals zum Vorsitzenden des Präsidiums der Vereinigung für Verbindungen zwischen sowjetischen und ausländischen Städten gewählt, die kollektives Mitglied der Föderation ist. Jedes Jahr begehen die Leningrader am letzten Aprilsonntag den Welttag der Partnerstädte. Zu den mehr als zwei Dutzend zählenden Partnerstädten Leningrads gehören Bombay (Indien), Le Havre (Frankreich), Gdańsk (Polen), Göteborg (Schweden), Dresden (DDR), Zagreb (Jugoslawien), Manchester (England), Mailand (Italien), Ósaka (Japan), Rotterdam (Niederlande), Santiago de Cuba (Kuba) und Turku (Finnland). Kein Zufall also, daß es in Leningrad die Dresdener, Gdánsker, Manchester- und Le-Havre-Straße sowie den Zagreber-Boulevard gibt. Mit seinen Partnerstädten unterhält Leningrad verschiedenste Verbindungen: auf Munizipalitätsebene, im Kultur- und Sportbereich sowie im Fremdenverkehr. In diesen Städten werden traditionsgemäß Leningrad-Tage, in Leningrad dagegen entsprechend Tage dieser oder jener Partnerstadt durchgeführt.

Fast täglich empfängt die Newastadt Delegationen aus verschiedenen Ländern, darunter Regierungs-, Partei-, Parlaments-, Munizipalitäts- und Gewerkschaftsdelegationen. Zu Freundschaftsbesuchen kommen nach Leningrad Schiffe aus der Deutschen Demokratischen Republik, Dänemark, der Volksrepublik Polen, Norwegen, den USA, Finnland und Schweden.

Fast jeder Leningrader Großbetrieb erhält Aufträge ausländischer Firmen. Klaviere der Fabrik „Krassny Oktjabr", Fernseher, Magnetbildaufzeichnungsgeräte finden in vielen Ländern Europas Absatz. Frankreich kauft Farbfernseher und Magnetbildaufzeichnungsgeräte. Ein Qualitätsbegriff sind für die Kunden die Erzeugnisse der Uhrenfabrik von Petrodworez. In 25 Ländern stehen bedruckte Gewebe der Fabrik „Wera Sluzkaja" in gutem Ruf. Unter den Waren der Leningrader Exportofferte, die nach mehr als 100 Ländern abgehen, finden Sie auch Volksstreichinstrumente und Parfüm. Geographische Reichweite, Warenliste und Umfang der Exportlieferungen erweitern sich von Jahr zu Jahr.

Leningrad ist auch ein großer Importeur von Industrieausrüstungen und Gebrauchsgütern.

Die direkten Export- und Importgeschäfte mit Finnland, dem nächsten Nachbarn, werden über das Unionsexport- und -importkontor „Lenfintorg" erledigt.

In Leningrad finden die weltbekannten Internationalen Rauchwarenauktionen statt, die bereits zu einer Tradition geworden sind. Solche Auktionen werden jährlich dreimal veranstaltet: im Januar, Juli und im

Oktober, die letzte speziell für die Versteigerung von Persianer. 1977 versammelte die 75. Internationale Auktion 250 Geschäftsleute aus 22 Ländern.

Die Leningrader Projektierungs- und Entwicklungsbüros führen verschiedene Auslandsaufträge für die Projektgestaltung von Betrieben, Kraftwerken, Dämmen und Gruben aus.

Leningrad unterhält umfassende und mannigfaltige internationale Kontakte im Forschungsbereich. Die Institute der Akademie der Wissenschaften der UdSSR stehen in Verbindung mit entsprechenden Institutionen von 100 Ländern, führen mit diesen gemeinsame Forschungen in Medizin und Technik durch und tauschen regelmäßig Informationen und wissenschaftliche Publikationen aus. Allein in den letzten Jahren wurden in Leningrad u. a. abgehalten: das Internationale Symposium über Probleme der Sonnen-Erde-Physik, der Internationale Limnologenkongreß, die Internationale Konferenz über Lumineszenz, der Internationale Botaniker-Kongreß, die Generalkonferenz des Weltmuseumsrats, der Internationale Schiffahrtskongreß und das Internationale Symposium über Ethnographie.

An den Hochschulen der Stadt sind rund 6000 ausländische Studenten, Vertreter von über 100 Staaten, immatrikuliert.

Leningrad ist einer der größten Fremdenverkehrsschwerpunkte unseres Landes, wo neben sowjetischen Touristen auch noch Hunderttausende ausländische Gäste jährlich empfangen werden. Die Entwicklung des Fremdenverkehrs wird durch die Erweiterung seiner Formen begünstigt. Mehr als zwei Dutzend Arten von Touristenreisen durch die Sowjetunion sind bei unseren ausländischen Gästen besonders beliebt: Bus- und Autoreisen mit Camping, Kur- und Erholungstouren in Kurorte, Jagd- und Angeltouren, Reisen zu internationalen Symposien, Ausstellungen, Kunstfestspielen und Sportveranstaltungen, Busineßtouren, Freundschaftszüge, Schülerreisen usw.

An einem der schönsten Gebäude Leningrads hängt ein Schild: „Haus der Freundschaft mit den Völkern des Auslands". In seinen prachtvollen Sälen und Gastzimmern werden Zusammenkünfte ausländischer Delegationen und Touristengruppen mit Leningradern veranstaltet. Verschiedene Ausstellungen, die Vorführung von Dokumentar- und Spielfilmen sowie Konzerte tragen zur näheren Bekanntschaft der Gastgeber und der Gäste bei.

Monument auf dem Platz des Sieges ▶

Leningrad morgen

Der Generalplan zur Entwicklung Leningrads in den nächsten 20 bis 25 Jahren wurde vom Ministerrat der UdSSR 1966 bestätigt. Dieses Dokument wurde unter Mitwirkung von Architekten, Soziologen, Ingenieuren, Wirtschaftswissenschaftlern, Ärzten und Vertretern vieler anderer Fachrichtungen erarbeitet.

In diesem Generalplan manifestierten sich die Ideen des Programms der KPdSU: Schaffung der bestmöglichen Bedingungen für das Leben, die Arbeit und Erholung des Menschen, Befriedigung seiner materiellen und geistigen Bedürfnisse.

Gemäß dem Generalplan werden zahlreiche Betriebe nach außerhalb verlegt. Auch eine Reihe von Forschungsstätten und Hochschulen findet ihr neues Heim in den Leningrader Vororten, wo sie in den eigens für sie errichteten Gebäuden viel bequemer untergebracht werden können. In der Vorortzone von Groß-Leningrad ist der Bau von Wohnhäusern, Schulen, Kindertagesstätten und Wochenheimen und Verkaufsstätten vorgesehen. Dadurch wird es möglich, einen Teil der Bevölkerung aus Leningrad abzuziehen und der Ausartung zu einer Monsterstadt vorzubeugen. Wie die Weltpraxis lehrte, lassen sich in solchen Städten optimale Lebensbedingungen schwerlich schaffen.

Gemäß dem Generalplan entwickelt sich die Stadt in allen Richtungen von ihrem historisch herausgebildeten Kern aus, so daß die neuen Magistralen mit den alten ein einheitliches Ganzes bilden. Großzügig wird der Wohnungsbau sowie der Kultur- und Sozialbau betrieben.

In den letzten Jahren wurden errichtet: der große Konzertsaal „Oktjabrski", der Sportpalast „Jubilejny", ein Modehaus, die Hotels „Oktjabrskaja", „Leningrad", „Moskwa" und „Retschnaja", das Binnenhafengebäude, der Ausstellungskomplex im Hafen und das Haus der Jugend. Mit Staatspreisen wurden die Architekten und Bauschaffenden gewürdigt, die den Flughafenkomplex Pulkowo und das Gebäude der Kindersportschule auf der Wassili-Insel geschaffen hatten. Der architektonischen Gestaltung der öffentlichen Gebäude und verschiedener Betriebe wird große Bedeutung beigemessen. Bei geglückten Lösungen erfüllen sie eine wichtige städtebauliche Funktion als Mittelpunkte ganzer Stadtbezirke.

Heute werden in Leningrad zunehmend 9-16geschossige Bauten aufgeführt. Die Hauptverwaltung für Architektur und Planung läßt bei der Entscheidung über die Errichtung höherer Gebäude große Vorsicht walten. Solche Häuser werden nur in großer Entfernung vom Stadtzentrum gebaut, so daß sie dessen Silhouette in keiner Weise beeinflussen. Denn es gilt, das bauliche Gepräge des historischen Stadtkerns sorgfältig zu bewahren. Die Baumeister halten sich auch heute an die Tradition, die Bauensembles längs der Newa hinzustellen, so daß der Betrachter sie bereits von weitem sehen kann. Weiter stromaufwärts sollen neue Uferstraßen entstehen und bei den Brücken neue Plätze angelegt werden.

Auch in den Leningrader Neubaubezirken wird die traditionsgemäß strenge geradlinige Gliederung bewahrt; die Bebauungssilhouette mit einzelnen Punkthäusern ist ausgewogen.

Die alten Wohngebiete, die sich vor der Revolution herausgebildet haben, werden zum Teil rekonstruiert. Bei der Rekonstruktion und Generalüberholung werden die früheren Fassaden bewahrt, um das architektonische Gepräge der alten Bezirke nicht zu beeinträchtigen. In den Innenhöfen werden aber Seitengebäude und kleine Wirtschaftsbauten zum Teil abgerissen. Auf dem freien Platz entstehen Blumenbeete und Grünanpflanzungen, es werden auch Spiel- und Sportplätze angelegt. Jährlich werden rund 200 alte mehrstöckige Häuser modernisiert.

Mehr als 1000 architektonisch und historisch wertvolle Gebäude, Skulpturen, Parks, zahlreiche Brücken, Springbrunnen und Umzäunungen stehen unter Staatsschutz. Der Denkmalschutz hat in der Sowjetunion Gesetzeskraft. In Leningrad besteht die Firma „Restaurator", in der eine planmäßige und wissenschaftlich fundierte Arbeit zur Bewahrung der Geschichts- und Baudenkmäler geleistet wird.

Der Generalplan sieht vor, daß das heutige Leningrad näher an das Meer rückt, wodurch eine paradoxe Situation beseitigt werden soll: Die Stadt an der Seeküste hat Hunderte Kilometer schöner Flußufer und keinen einzigen Seekai. Längs des Finnischen Meerbusens erstreckten sich früher sumpfige Niederungen. Wo die Küste etwas höher ist, standen vor der Revolution errichtete Betriebe und Lagerhäuser und gab es Ankerplätze, die alles andere als schön zu nennen waren. An ihrer Stelle soll in Zukunft ein neues wirkungsvolles Stadtbild entstehen.

Es ist kein leichtes, dieses Vorhaben zu verwirklichen. Die Seeküste ist an vielen Stellen so flach, daß sie beim geringsten Steigen des Wasserstandes im Finnischen Meerbusen überflutet wird. Diese Abschnitte sollen um mehr als drei Meter über den Wasserspiegel des Meeres gehoben werden. Für die Stadt wird dadurch ein weitläufiges Baugelände an der Küste erschlossen, viermal so groß wie die Wassili-Insel.

Während der Besichtigung des neuen Wohnkomplexes an der Küste der Wassili-Insel werden Sie dessen westlichen Teil sehen, wo die Bodenanschwemmung bereits abgeschlossen worden ist. Das Bild Leningrads vom Meer aus beginnt schon Gestalt anzunehmen. Die Neubauviertel bieten sich Ihrem Blick dar in der Nähe der Siedlung Lachta an der Primorskoje-Chaussee und von Bord der zwischen Leningrad und Petrodworez verkehrenden Ausflugsschiffe.

WANN KOMMT MAN AM BESTEN NACH LENINGRAD?
WIE KOMMT MAN NACH LENINGRAD?
Sie sind angekommen
(Notizbuch für Touristen)

SIE SIND ANGEKOMMEN
(Notizbuch für Touristen)

WANN KOMMT MAN AM BESTEN NACH LENINGRAD?

Nach Leningrad können Sie frühmorgens oder auch um Mitternacht, im Frühling oder im Spätherbst kommen; wenn Ihre Seele der Schönheit nicht verschlossen ist, wird es Sie bezaubern... Vielleicht kommen Sie aber an einem Januarmittag nach Leningrad? Oh, dann empfängt es Sie in seinem silbrig glänzenden, prachtvollen Schneegewand — eine elegante und strenge, lichte und stolze Stadt... Ich hoffe aber, daß Sie der Newastadt Ihren Besuch in der zweiten Junihälfte abstatten und das wundersamste Wunder Leningrads erblicken...

LEW USPENSKI

Wie Sie sehen, ist Leningrad zu jeder Jahreszeit auf besondere Art anziehend — es ist zu jeder Jahreszeit schön.

Der Frühling dauert in Leningrad ungefähr vom 17. März bis 1. Juni.

Im Frühling gibt es seltener als im Winter heftige Winde, die Luft ist weniger feucht. In der Frühe halten sich noch leichte Fröste, mitunter ist es recht kalt, am Tage wird es aber bald warm. Häufiger als in anderen Jahreszeiten scheint die Sonne, und abgehärtete Leningrader lassen sich an der Mauer der Peter-und-Pauls-Festung selbst dann braun brennen, wenn auf der Newa noch Eisschollen treiben.

Der Eisgang auf der Newa beginnt gewöhnlich in der zweiten Aprilhälfte. Drei bis fünf Tage treibt auf dem Strom Newaeis, dann macht es riesigen bizarren Eisschollen Platz, die vom Ladogasee kommen. Der Eisgang dauert noch ungefähr zehn Tage. Und es gibt kaum einen Lenin-

grader, der in diesen Tagen nicht wenigstens einmal ans Ufer kommt, denn der Anblick ist wahrhaft überwältigend. Von der Strelka (Spitze) der Wassili-Insel aus können Sie ihn am besten genießen.

Jedes Jahr findet im April ein Musikfestival statt, an dem sich neben Leningrader Komponisten und ausübenden Künstlern auch Gäste aus anderen Städten der Sowjetunion und aus dem Ausland beteiligen. Es werden nicht nur neue Werke erstmalig zu Gehör gebracht, es entspinnen sich auch schöpferische Diskussionen zwischen Künstlern, Musikkritikern und dem Publikum. In dieser Zeit wird auch eine Musikwoche für Kinder veranstaltet.

Am 1. Mai, dem Tag der internationalen Solidarität der Werktätigen, strömen über den Palaisplatz (Dworzowaja plostschadj) die Kolonnen der vieltausendköpfigen Festdemonstration. Unter den Demonstranten sieht man auch ausländische Studenten, Arbeiter und Angestellte, und auf

50

Piskarjowskoje-Gedenkfriedhof am
9. Mai, dem Tag des Sieges

den Tribünen — Gäste aus den Partnerstädten Leningrads. Am Abend finden auf
den Plätzen und in den Parks Volksfeste
statt, die Stadt ist prächtig illuminiert.

Am 2. Mai werden traditionsgemäß
Sportwettkämpfe ausgetragen. In der Nähe
des Palaisplatzes starten Radsportler zu
einem Bahnrennen über 2500 m. In den Stadien messen sich die Leichtathleten, auf der
Kleinen Newka die Ruderer. Im Kirow-
Stadion findet ein großes Sportfest statt.

Am 9. Mai wird der Tag des Sieges gefeiert. Vom frühen Morgen an bewegt sich
ein endloser Zug von Autos und Menschen
zum Piskarjowskoje-Gedenkfriedhof. Die
Leningrader gehen dorthin, um das Andenken der Soldaten und Zivilpersonen zu ehren, die während der Blockade umgekom-
men sind. Eine feierliche Eskorte geleitet
die Wagenkolonne mit den Fahnen der
Stadt und der Truppenteile. Die Fahnen
werden gesenkt, die Köpfe neigen sich —
Schweigeminute. Am Fuß des Monuments
der Mutter-Heimat werden zahlreiche
Kränze und Blumensträuße niedergelegt.

Besonders viele Menschen versammeln
sich an diesem Tag auf dem Siegesplatz, am
Denkmal für die heldenhaften Verteidiger
Leningrads, das 1975 errichtet wurde. Lange vor dem Tag des Sieges kann man in
den Zeitungen Anzeigen lesen: „Kommt
zum Treff, Veteranen!". Ehemalige Front-

kameraden, Soldaten, die die Welt vor dem
Faschismus gerettet haben, vereinbaren auf
diese Weise ihr Wiedersehen.

Alljährlich wird am 9. Mai eine „Sternsta-
fette" veranstaltet. Die ungefähr acht Kilometer langen Strecken der Sportstafette
enden auf dem Palaisplatz. Am Abend wird
zu Ehren des Festes ein Höhenfeuerwerk
veranstaltet: von den Newa-Ufern, dem
Platz des Marineruhmes, von anderen Straßen und Plätzen der Stadt steigen bunte
Lichter zum Himmel.

Leningrad, das in jedem Frühling gleichsam jünger wird, lädt seine Gäste zu feierlichen Zeremonien, zu Sport- und Kulturver-
anstaltungen ein, und auch einfach zu
einem Spaziergang durch seine von der
Sonne überfluteten, lichten Frühlingsstra-
ßen.

*Der Sommer dauert ungefähr vom 2. Juni
bis 11. September.*

Nur für eine kurze Zeit taucht die Sonne
hinter den Horizont, um gleich wieder auf-
zusteigen. Es ist so hell, daß die Straßenla-
ternen unnütz wären. Sie werden auch fast
zwei Monate lang, ungefähr bis zum 20. Juli
nicht eingeschaltet.

*Es ist Mitternacht, aber immer
noch hell. Sehen Sie, wie unge-
wöhnlich scharf und deutlich umrissen sich die beiden Goldspitzen,
— die Turmspitze der Peter-und-
Pauls-Festung und ihre Zwillings-
schwester, die Spitze der Admiralität — in diesem weißen Glanz ab-
zeichnen. Diese Sommernächte
scheinen für die Kenner und Verehrer der Baukunst da zu sein. Jedes architektonische Detail wird in
ihrem Licht rein und gewinnt eine
große Aussagekraft, die Kirchtürme
schwingen sich zum Himmel
empor, der stille Wasserspiegel der
Newa schimmert wie Opal, das
Morgen- und das Abendrot breiten
ihre Feuerschwingen über der
Stadt aus und diese scheinen einander zu berühren ...*

Das alles haben Sie nicht gesehen?
Dann tut es mir aber wirklich leid
um Sie!

LEW USPENSKI

In dieser poesievollen Zeit der weißen Nächte werden in den Schulen die Abgangsbälle veranstaltet, nach denen die gestrigen Schüler zum Newa-Ufer gehen. Das ist bereits zu einer schönen Tradition geworden, ebenso das Jugendfest unter dem symbolischen Namen „Purpursegel", das Anfang Juli stattfindet. Die romantische Erzählung des russischen Schriftstellers Alexander Grin „Das Purpursegel" (1923) ist vom Gedanken ans Glück durchdrungen, das stets jene begünstigt, die ihren Traum nie aufgeben. In dieser Festnacht verwandelt sich die Wasserfläche der Newa zwischen der Palais- und der Kirow-Brücke in eine einzige gigantische Bühne. Über die Wasserfläche gleiten Schiffe dahin, von denen manche als alte Segelschoner dekoriert sind. Schiffskanonen donnern, Leuchtkugeln flammen auf und mächtige Wasserstrahlen der fließenden Fontäne schießen empor.

In den weißen Nächten unternehmen die Leningrader gern Spazierfahrten auf der Newa und um Meer. Von Bord der Ausflugsschiffe aus bieten die Ufer mit ihren bizarren Umrissen, in gespenstisches Licht getaucht, einen unvergeßlichen Anblick.

Seit 1958 ist das Leningrader **Kunstfestival „Weiße Nächte"** vom 21. bis 29. Juni zu einer Tradition geworden. In den Theatern und Konzertsälen der Stadt bekommen Sie zu dieser Zeit die Clous der Saison zu sehen. Die Leningrader Stars, wo sie sich auch befinden mögen, eilen in ihre Stadt zurück, um die Gäste Leningrads mit ihrer Kunst zu erfreuen. Jede Festivalsvorstellung ist ein Ereignis. In Petrodworez können Sie ein märchenhaftes Schauspiel erleben. Die in allen Regenbogenfarben schillernde Wasserkunst bildet die zauberhafte Kulisse der Bühne, auf der das berühmte Leningrader Ballett auftritt.

Das Festival „Weiße Nächte" lockt Tau-

Im Pawlowsker Park

sende ausländische und sowjetische Touristen an. Sie brauchen sich nur für eine entsprechende Tour anzumelden, um all das Interessante, was Leningrad zu dieser Zeit zu bieten hat, mitzuerleben.

Der Herbst dauert ungefähr vom 12. September bis 4. Dezember.

Der September ist in Leningrad in der Regel milde, im Oktober wird es bedeutend kälter. Nicht selten regnet es. Im Oktober bricht jedoch der Altweibersommer an, und ein warmes, stilles sonniges Wetter zieht wieder ein. Besonders schön ist es in dieser Zeit in den Leningrader Vororten: in den Parks von Petrodworez, Puschkin und Pawlowsk.

Die Sportsaison endet in Leningrad im Herbst. Ende September oder am ersten Oktobersonntag findet ein 30-Kilometer-Massenlauf von Puschkin bis zum Palaisplatz in Leningrad statt (diese Tradition besteht seit mehr als 50 Jahren). Neuerdings beteiligen sich am Leningrader Marathonlauf auch finnische Sportler.

Im Herbst begeht Leningrad zusammen mit dem ganzen Sowjetland sein größtes Fest, den Jahrestag der Großen Sozialistischen Oktoberrevolution. Hier zeichnet es sich jedoch durch ein Zeremoniell besonderer Art aus. Bereits vor dem Fest laufen Schiffe der Baltischen Flotte in die Newa ein. Am Abend erkennt man ihre Silhouetten an den punktierten Linien der Illumination. Die Flammen der an den Rostrasäulen und den Mauern der Peter-und-Pauls-Festung angebrachten Fackeln spiegeln sich in der Newa.

Am 7. November findet auf dem Palaisplatz die zur Tradition gewordene Truppenparade und im Anschluß darauf eine vieltausendköpfige Demonstration statt. An der Spitze marschieren Veteranen der Revolution.

Am Abend klingt das Fest mit einem Höhenfeuerwerk aus; es donnern die Artilleriesalven.

Die Herbsttage werden zusehends kürzer. Am Abend und in der Nacht sind die angestrahlten Denkmäler, Paläste und Kathedralen besonders wirkungsvoll.

Der Herbst hat auch seine Vorzüge. Zur Eröffnung der neuen Saison kehren alle Theatertruppen und Musiker in ihre Heimatstadt zurück. Sie freuen sich immer auf die Begegnung mit dem Publikum.

Der Winter dauert ungefähr vom 5. Dezember bis 16. März.

Die erste Winterhälfte ist in der Regel wärmer als die zweite. Die Sonne scheint nur selten und steigt nicht hoch über dem Horizont auf. Das sanfte Licht verleiht den Häuserfassaden ein besonderes, warmes Kolorit. Wunderschön sind die Leningrader Straßen und Plätze im Schneegewand. Der Winter ist hier recht launisch, so daß kalte Tage ab und zu mit Tauwetter wechseln. Häusermauern, Parkgitter und kahle Bäume hüllen sich dann in ein mehrere Zentimeter dickes Rauhreifgewand. Die Stadt bietet einen märchenhaften Anblick . . .

In Leningrad liebt man den Winter, bereitet sich gründlich auf ihn vor. Die Newa trägt einen Eispanzer und ist dazu noch mit Schnee bedeckt, auf dem Fluß versehen jedoch Eisbrecher Tag und Nacht gewissenhaft ihren Dienst, denn der Fluß muß den Schnee, der von den Straßen geräumt wird, ins Meer forttragen.

Die Leningrader ziehen im Winter eine aktive Erholung vor. Jede freie Minute benutzen sie für Spaziergänge und Wintersport.

Der Vorrang wird den Schiern gegeben, die es so gut wie in jeder Familie gibt. Viele Industrie- und Bürobetriebe besitzen außerhalb der Stadt Herbergen für Schisportfreunde. Sonnabends und sonntags verkehren Sonderzüge, die sogenannten Schipfeile, nach der Leningrader Umgebung.

In den Stadien, Parks und den Höfen entstehen Eisbahnen. Allgemeinen Zuspruch finden Schulen und Zirkel für Eiskunstlauf, die von Kindern verschiedener Altersstufen besucht werden.

Die Segler tauschen im Winter ihre Jachten gegen Segelschlitten aus.

Auf der Rennbahn werden Motorrennen auf dem Eis ausgetragen.

Verbreitet sind auch andere Wintersportarten, so das Eisfischen. Die Angler gehen viele Kilometer übers Eis des Finnischen Meerbusens oder machen es sich auf einem der zahlreichen Seen in der Umgebung der Stadt bequem. Jeden Winter veranstaltet die Gesellschaft der Jäger und Angler einen Angelwettbewerb: Wer fängt die meisten Fische?

Die Leningrader wundern sich auch nicht, wenn sie beim grimmigsten Frost Menschen in der Newa baden sehen. Auf dem Fluß wird das Eis von einer kleinen Fläche weggeräumt. Vor Gesundheit strotzende Menschen, die an solchen eisfreien Stellen baden, werden „Walrosse" genannt, weil ihnen das eiskalte Wasser genau wie diesen Bewohnern des Polargebiets nichts anhaben kann. In Leningrad zählt man mehr als 500 „Walrosse", die im Sportklub für Winterschwimmen „Bolschaja Newa" vereinigt sind.

Im Zentralen Kulturpark „S. Kirow" findet das Fest „Russischer Winter" statt. Sein Programm knüpft an russische Volksbräuche an.

Meinen Sie nicht, daß Sie gerade im Winter nach Leningrad kommen sollten?

WIE KOMMT MAN NACH LENINGRAD?

DIREKTE INTERNATIONALE EISENBAHNLINIEN NACH LENINGRAD

Abgangsort	Fahrzeit h. min.
Berlin	32.43
Budapest	44.05
Bukarest	44.40
Dresden	33.00
Helsinki	12.40
Paris	48.10

Flughafen Pulkowo

Prag	49.00
Sofia	55.29
Warschau	22.26

FLUGZEITEN VON DEN GRÖSSTEN EUROPÄISCHEN STÄDTEN NACH LENINGRAD

Abflugsort	Flugzeit h. min.
Amsterdam via Stockholm	4.35
Belgrad	3.15
Berlin	2.25
Budapest	2.40
Budapest via Warschau	4.00
Burgas	2.25
Hamburg	2.25
Helsinki	1.05
Kopenhagen	1.45
London via Kopenhagen	4.40
Moskau	1.00
Oslo via Stockholm	3.25
Paris	3.20
Sofia	3.20
Stockholm	1.25
Warschau	1.55
Zürich	3.30

LINIEN DES REGULÄREN ÜBERSEEVERKEHRS

Leningrad — Bremerhaven
Leningrad — Le Havre
Leningrad — Kopenhagen
Leningrad — London
Leningrad — Stockholm
Leningrad — Helsinki
Leningrad — Montreal via Bremerhaven, London, Le Havre
Leningrad — New York via Bremerhaven, London, Le Havre

Touristen, die mit einem Kreuzfahrtschiff nach Leningrad kommen, übernachten während ihres Aufenthaltes in der Stadt an Bord.

EINREISEORTE FÜR AUTOTOURISTEN

An den Grenzen mit Finnland, Polen, der Tschechoslowakei, Ungarn und Rumänien können Autotouristen während des ganzen Jahres einfahren durch:

Auf dem Palaisplatz

Wyborg (Torfjanowka, Brusnitschnoje), Nujamaa, Brest, Schegini, Ushgorod, Tschop, Porubnoje und Ljauscheny.

Ausländische Touristen können mit eigenen Wagen und den Bussen ausländischer Reisefirmen in die Sowjetunion kommen oder bei Intourist einen Personenkraftwagen bzw. Bus mieten.

ZOLL- UND DEVISENVORSCHRIFTEN

Wie in jedem anderen Land gelten in der Sowjetunion bestimmte Devisen- und Zollvorschriften. Ihre genaue Einhaltung erspart Ihnen unerwünschte Mißverständnisse und Komplikationen, die wegen Unkenntnis oder wegen einer Fehlinformation auftauchen könnten.

Die sowjetische nationale Währungseinheit, der Rubel, ist eine Währung, deren Einfuhr aus anderen Ländern, Ausfuhr ins Ausland und Überweisung in die oder aus der UdSSR verboten sind. Bürgern der sozialistischen Länder, die in die UdSSR kommen, wird ausnahmsweise gestattet, sowjetisches Bargeld, das sie von den Banken dieser Länder erhalten, in festgesetzter Höhe einzuführen und das während ihres Aufenthaltes in der UdSSR nicht verausgabte sowjetische Bargeld zur Ablieferung an die Bank ihrer Heimatländer aus der UdSSR auszuführen.

Die Auslandstouristen können in die UdSSR ausländisches Bargeld, Zahlungsmittel in ausländischer Währung, Edelmetalle (Gold, Silber, Platin und Metalle der Platingruppe in Barren, Erzeugnissen, Bruch oder Rohmetall) sowie Edelsteine, Perlen und Erzeugnisse daraus, die zur Zollkontrolle vorzulegen sind, mit Ausnahme von Goldmünzen, ungehindert einführen. Bei der Enreise in die UdSSR sind diese Dinge auf dem Zollamt zu registrieren, worüber den Touristen eine entsprechende Bescheinigung des sowjetischen Zollamtes ausgehändigt wird. Auf der Rückreise kann der ausländische Tourist aufgrund dieser Bescheinigung alle eingeführten Wertsachen unbehindert ins Ausland mitnehmen, ebenso kann er andere Operationen mit den eingeführten Werten auf dem Territorium der UdSSR durchführen.

Außerhalb der Bankanstalten der UdSSR sind alle Operationen mit ausländischem Bargeld und Valutawerten untersagt.

Der Umtausch von ausländischem Bargeld und Zahlungsmitteln gegen Rubel wird von der Außenhandelsbank der UdSSR, ihren Zweigstellen und den Umtauschkassen der Staatsbank der UdSSR praktisch auf dem gesamten Territorium der Sowjetunion vorgenommen. Umgetauscht wird ausländisches Bargeld, das von der Staatsbank der UdSSR zum Kauf genehmigt worden ist. Der Umtausch erfolgt nach dem offiziellen Kurs der Staatsbank der UdSSR, der jeden Monat in der Presse veröffentlicht wird.

Der Tourist erhält eine Bankbescheinigung über die umgetauschte Summe, die ihn berechtigt, die nicht verausgabten Rubel bei der Ausreise aus der UdSSR abermals gegen ausländisches Bargeld umzutauschen.

In die UdSSR dürfen zollfrei Gegenstände und Sachen eingeführt werden, die ausschließlich für den persönlichen Gebrauch der Touristen bestimmt sind: Schuhwerk,

Kleidung, Wäsche, Touristen- und Sportausrüstung, Parfümerie- und kosmetische Artikel usw. in den unter Berücksichtigung der Jahreszeit für den Aufenthalt in der UdSSR notwendigen Mengen. Darüber hinaus dürfen in die UdSSR zollfrei pro Person ein Fotoapparat und eine Schmalfilmkamera, Foto- und Kinozubehör, eine Reiseschreibmaschine sowie billige kleine Andenken in angemessener Anzahl eingeführt werden.

Touristen, die zur Jagd in die UdSSR kommen, ist es gestattet, eine Jagdflinte mitzuführen, wenn sie ein Attest von Intourist oder einer ausländischen Reisefirma vorweisen, in dem Reiseziel und Vorhandensein der Jagdflinte bescheinigt werden. Die in die UdSSR eingeführte Jagdflinte muß wieder ins Ausland ausgeführt werden.

Kraftwagen, mit denen Touristen in die UdSSR kommen, dürfen zollfrei passieren, mit der Verpflichtung, daß sie nach der Reise aus der UdSSR ausgeführt werden.

Gestattet ist die Ausfuhr beliebiger Gegenstände aus der UdSSR (außer den in der UdSSR unter Ausfuhrverbot stehenden — darüber siehe nachstehend), die in sowjetischen Geschäften gegen die sowjetische Währung erworben wurden, welche bei der Außenhandelsbank der UdSSR oder den Zweigstellen der Staatsbank der UdSSR gegen ausländische Währung eingetauscht wurde. Waren, die von Touristen in speziellen Geschäften und anderen Handelsorganisationen der UdSSR gegen ausländische Währung erworben wurden, dürfen nach Vorweisung der Rechnungsbelege, die den Touristen von diesen Organisationen ausgestellt werden, aus der UdSSR unbeschränkt ins Ausland ausgeführt werden.

Einfuhrverbot gilt in der UdSSR für: jegliche Arten von Feuer- und Blankwaffen, Munition, Pulver und Sprengstoffe, starkwirkende Giftstoffe, Opium, Haschisch und andere Rauschgifte sowie Vorrichtungen für deren Inhalation, pornographische Machwerke sowie Bücher, Filmbänder, Schallplatten, Handschriften u. dgl., die die UdSSR in politischer oder wirtschaftlicher Hinsicht schädigen.

Ausfuhrverbot aus der UdSSR gilt für: Schußwaffen und Blankwaffen, dazugehörige Munition, Pulver und Sprengstoffe, starkwirkende Giftstoffe, Opium, Haschisch und andere Rauschgifte sowie Vorrichtungen für deren Inhalation und außer Kurs gesetzte Wertpapiere. Antiquitäten und Kunstgegenstände (Gemälde, Skulpturen, Ikonen, Teppiche, Möbel, Stoffe, Schmuck, Manuskripte und Bücher u. a. m.) dürfen nur mit Genehmigung des Ministeriums für Kultur der UdSSR und nach Entrichtung der Zollgebühr in Höhe von 100 Prozent des in der Ausfuhrgenehmigung angegebenen Schätzungswertes ausgeführt werden.

Näheres über die Zoll- und Devisenvorschriften finden Sie in dem vom Intourist herausgegebenen „Merkblatt für ausländische Touristen".

Uferstraße

SIE SIND ANGEKOMMEN
(Notizbuch für Touristen)

AUSKÜNFTE

Sind Sie mit einem Reisescheck in die UdSSR gekommen, dann werden Sie bei Ihrer Ankunft von Vertretern des Intourist oder des internationalen Jugend-Reisebüros Sputnik abgeholt. Sollte das eine Geschäftsreise sein, werden Sie von Vertretern der gesellschaftlichen Organisation bzw. Dienststelle empfangen, mit denen Sie geschäftlich zu tun haben. Sie werden Ihnen helfen, die Formalitäten zu erledigen, werden sich um Ihr Gepäck kümmern und dafür sorgen, daß Sie in ein Hotel gebracht werden.

Sollte es dennoch zu einem Mißverständnis kommen und Sie bei Ihrer Ankunft nicht empfangen werden, dann wenden Sie sich bitte an einen beliebigen Angestellten des Flughafens bzw. Bahnhofs oder Seehafens, eventuell an einen Milizionär. Es genügt, wenn Sie das Wort „Intourist" sagen, damit man Sie zu einem Vertreter des Reisebüros geleitet oder eine der unten angeführten Stellen anruft, wo Diensthabende Fremdsprachen beherrschen:

Flughafen Pulkowo (tags und nachts)	291-85-90
Moskauer Bahnhof (von 9.00 bis 24.00 Uhr)	219-46-45
Personenverkehrshafen auf der Wassili-Insel	217-03-20

Adresse des **Zentralen Servicebüros der Leningrader Intourist-Filiale:**
Isaakijewskaja plostschadj 11 (gegenüber dem Hotel „Astoria"), Tel. 211-51-29

Adresse der **Leningrader Geschäftsstelle des Internationalen Jugend-Reisebüros Sputnik:**
uliza Tschapygina 4 (Hotel „Drushba"), Tel. 238-34-02

ADRESSEN ZU EMPFEHLENDER HOTELS

(mit* sind die Intourist-Hotels gekennzeichnet)

*„Astoria" — uliza Gerzena 39. Nächste U-Bahnstation „Newski Prospekt".

„Baltijskaja" — Newski-Prospekt 57. Nächste U-Bahnstation „Majakowskaja".

„Wyborgskaja" — Torshkowskaja uliza 3.

„Drushba" — uliza Tschapygina 4. Nächste U-Bahnstation „Petrogradskaja".

*„Jewropejskaja" — uliza Brodskowo 1/7. Nächste U-Bahnstation „Newski-Prospekt".

„Sarja" — Kurskaja uliza 40.

*„Karelija" — uliza Tuchatschewskowo

„Kijewskaja" — Dnepropetrowskaja uliza 49.

„Ladoga" — Prospekt Schaumjana 26.

*„Leningrad" — Pirogowskaja nabereshnaja 5/2. Nächste U-Bahnstation „Plostschadj Lenina".

Hotel „Leningrad"

„Mir" — uliza Gastello, 17—19. Nächste U-Bahnstation „Park Pobedy".

„Moskwa" — Newski-Prospekt. Nächste U-Bahnstation „Plostschadj Alexandra Newskowo".

„Moskowskaja" — Ligowski-Prospekt 43/45. Nächste U-Bahnstation „Plostschadj Wosstanija".

„Oktjabrskaja" — Ligowski-Prospekt 10. Nächste U-Bahnstation „Plostschadj Wosstanija".

*,**Pribaltijskaja"** — uliza Tuchatschewskowo, rayon Gawani.

„Rossija" — Moskowski-Prospekt 163. Nächste U-Bahnstation „Park Pobedy".

„Sowjetskaja" — Lermontowski-Prospekt 43. Nächste U-Bahnstation „Baltijski woksal".

„Sputnik" — Prospekt Morissa Toresa 34. Nächste U-Bahnstation „Plostschadj Mushestwa".

An wen sollen Sie sich mit Ihren Fragen wenden?
An das Servicebüro Ihres Hotels.

In welchem Hotel Sie auch untergebracht werden sollten, sind die Angestellten des Servicebüros Ihre Ratgeber und Helfer. Sie erteilen Ihnen Auskunft in einer beliebigen, mit Ihrem Aufenthalt in der Sowjetunion zusammenhängenden Frage, nehmen Anmeldungen für Besichtigungen der Stadt und ihrer Umgebung und Museumsführungen entgegen, bestellen Transportmittel und Karten für Theater, Zirkus, Konzertsäle und Sportveranstaltungen.

Im Servicebüro erhalten Sie auch Auskunft, wo Sie Einkäufe machen oder Ihre Fotokamera bzw. Ihre Uhr reparieren lassen können, an wen Sie sich wenden sollen, falls Sie irgendwo etwas vergessen haben usw.

Die Servicebüros der Hotels sind von 9 Uhr morgens bis 21 Uhr geöffnet. Später wenden Sie sich bitte an den Empfangschef des Hotels oder an die für Ihre Etage verantwortliche Hotelangestellte.

GELDUMTAUSCH

Wird im Flughafen, im Seehafen sowie in den Hotels „Astoria", „Jewropejskaja", „Karelija", „Leningrad", „Moskwa" und „Pribal-

tijskaja" täglich von 9 bis 20 Uhr vorgenommen, Mittagspause von 14 bis 15 Uhr.

Das von Ihnen nicht verausgabte sowjetische Geld können Sie im Flughafen und im Seehafen wieder gegen Auslandswährung umtauschen.

Sowjetische Währung:
Papiergeld: 100, 50, 25, 10, 5, 3, 1 (Rubel)
Nickelmünzen: 1 Rubel, 50, 20, 15, 10 (Kopeken)
Bronzemünzen: 5, 3, 2, 1 (Kopeken)
1 Rubel = 100 Kopeken

POST, TELEGRAF, TELEFON

In Zeitungskiosken und auf Postämtern werden Ansichtskarten, Postwertzeichen und Briefumschläge verkauft. Die Briefkästen für gewöhnliche Sendungen sind in Leningrad von blauer und roter Farbe. Die blauen sind für auswärtige Briefsendungen und die roten für den innerstädtischen Postverkehr bestimmt.

Einschreibebriefe, Päckchen und Telegramme können Sie in der Poststelle Ihres Hotels oder in einem beliebigen anderen Postamt der Stadt aufgeben.

Leningrader Hauptpostamt — uliza Sojusa swjasi 9.

Leningrader Haupttelegrafenamt — uliza Sojusa swjasi 14.

Pakete ins Ausland werden in drei Postämtern der Stadt entgegengenommen:

im **Postamt C-400** (Newski-Prospekt 6), die ganze Woche von 10 bis 20 Uhr durchgehend geöffnet. Dort werden den Kunden alle Post- und Telegrafendienstleistungen erwiesen und Ferngespräche mit allen Ländern ermöglicht.

Die Postangestellten beherrschen Fremdsprachen. Dort geht auch die gesamte Post für in Leningrad weilende Ausländer ein, falls das Hotel, in dem sie abgestiegen sind, nicht bekannt ist, oder falls Sie Ihren Verwandten und Bekannten die Anschrift „Leningrad C-400. Postlagernd" mitgeteilt haben. Briefe werden 30 Tage, Telegramme 45 Tage aufbewahrt;

im **Hauptpostamt** (uliza Sojusa swjasi 9). Geöffnet von 9 bis 21 Uhr, sonntags — von 10 bis 20 Uhr ohne Mittagspause;

bei der **Poststelle beim Hotel „Oktjabrskaja"** (Ligowski-Prospekt 10, gegenüber dem Moskauer Bahnhof). Geöffnet von 9 bis 22 Uhr, durchgehend, sonntags — von 9 bis 16 Uhr (Telegramme werden sonntags von 9 bis 22 Uhr angenommen).

In der Sowjetunion gelten Versandbeschränkungen für manche Gegenstände. Untersagt ist der Versand von Schmuck und Erzeugnissen aus Bernstein, Antiquitäten, allen Arten Filmband, Postwertzeichen, gestempelt und ungestempelt usw. Sollten bei Ihnen im Zusammenhang mit einer beabsichtigten Postsendung Fragen entstehen, wenden Sie sich bitte an die Angestellten des Postamtes C-400 (Tel. 219-74-94).

Die Gebühren für Postsendungen und Telegramme in verschiedene Länder sind unterschiedlich und richten sich nach den Abkommen der Sowjetunion mit diesen Ländern.

Ferngespräche mit den Städten der Sowjetunion und mit dem Ausland können Sie

In Leningrad besteht ein spezieller Dienst, der „Service frei Haus" heißt. Er nimmt folgende Postsendungen an: Telegramme, Einschreibe- und Wertbriefe, Einschreibe- und Wertpäckchen, Postüberweisungen und Pakete. Bestellungen für diese Dienstleistungen werden per Telefon 273-01-36 von 8 Uhr früh bis 19 Uhr entgegengenommen.

Kinder bis zum vollendeten 7. Lebensjahr werden auf allen Verkehrsmitteln kostenlos befördert.

Die Omnibusse, Obusse und die Straßenbahn fahren ohne Schaffner.

In den Bussen, Obussen und Straßenbahnen gibt es Zahlboxen, in die das passende Fahrgeld eingeworfen und denen ein Kon-

STADTVERKEHR: BETRIEBSZEITEN, FAHRPREISE

Verkehrsträger	Betriebszeiten	Preis für eine Fahrt	Preis je Stück Handgepäck (über 30 kg oder größer als 60 × 40 × 20 cm jedes Stück)
Omnibus	6 Uhr früh — 1 Uhr	5 Kopeken	10 Kopeken
Obus	6 Uhr früh — 1 Uhr	4 Kopeken	10 Kopeken
Straßenbahn	5.30 Uhr früh — 1 Uhr	3 Kopeken	10 Kopeken
U-Bahn	6 Uhr früh — 1 Uhr	5 Kopeken	10 Kopeken (zwei Münzen)
Linientaxi		15 Kopeken	
Taxi	tags und nachts	20 Kopeken je Kilometer unabhängig von der Zahl der Fahrgäste (zuzüglich der Grundgebühr von 20 Kopeken)	kostenlos

über das Servicebüro Ihres Hotels anmelden und dieselben aus Ihrem Hotelzimmer führen. Ein Ferngespräch kann auch bei einer Fernsprechstelle angemeldet werden. Die Adressen aller Fernsprechstellen erfahren Sie im Servicebüro Ihres Hotels.

Ein Ortsgespräch von vier Minuten über einen öffentlichen Fernsprecher kostet zwei Kopeken.

trollabschnitt entnommen wird. Mit einem Kontrollabschnitt können Sie in einer Richtung von einer Endhaltestelle bis zur anderen fahren. Der Kontrollabschnitt ist während der ganzen Fahrt aufzubewahren.

In den Linientaxis ist das Fahrgeld an den Fahrer zu entrichten.

In den Vorhallen der U-Bahnhöfe gibt es Geldwechselautomaten, die Münzen von

20, 15 und 10 Kopeken gegen 5-Kopeken-münzen wechseln. In der U-Bahn können Sie ohne zusätzliche Gebühr in beliebigen Richtungen fahren und umsteigen.

In den Bussen, Obussen und der Straßenbahn werden an den Haltestellen Fahrscheinhefte für jeweils 10 Fahrten verkauft. Der Fahrschein ist in dem gewöhnlich neben der Zahlbox angebrachten Entwerter zu lochen — ein Fahrschein je Fahrgast und Fahrt.

Ein Taxi bestellen Sie am besten über das Servicebüro. Sie können es auch an einem Taxistand nehmen. Die Taxis sind am Karostreifen sowie am grünen Lämpchen rechts hinter der Windschutzscheibe zu erkennen. Das grüne Lämpchen zeigt an, daß das Taxi frei ist. Sie sollen sich aber nicht wundern, wenn ein Taxi mit eingeschaltetem grünem Lämpchen nicht anhält: Das bedeutet, daß es von jemandem telefonisch bestellt wurde.

Den Fahrpreis können Sie vom Zähler ablesen.

WENN SIE MIT DEM EIGENEN WAGEN GEKOMMEN SIND

Wahrscheinlich wissen Sie schon, daß in Leningrad rechts gefahren wird, und natürlich vergessen Sie auch nicht, daß Sie sich nur völlig nüchtern ans Lenkrad setzen dürfen.

In der Stadt gilt Hupverbot (Sie dürfen die Hupe betätigen, nur wenn es gilt, einen Unfall zu verhüten).

Die Verkehrszeichen entsprechen den internationalen.

Die Geschwindigkeit in der Stadt darf, wo keine Begrenzungszeichen angebracht sind, 60 km/h und außerhalb der Stadt 80 km/h nicht überschreiten. Wo höhere Geschwindigkeit zulässig ist, sind entsprechende Zeichen angebracht.

Das Parken ist unentgeltlich und überall gestattet, wo keine Haltestellen der öffentlichen Verkehrsmittel sind und kein Parkverbot angezeigt ist. Es gibt auch Parkplätze, auf denen Sie Ihren Wagen gegen Zahlung Tag und Nacht lassen können. (Die Gebühr beträgt für einen PKW 30 Kopeken je 24 Stunden, für einen Bus — 50 Kopeken).

Sollten Sie Ihren Wagen beim Passieren der sowjetischen Grenze nicht versichert haben, können Sie das in Leningrad bei der Vertretung des Amtes für Ausländer-Versicherung, Ingosstrach, nachholen (uliza Kaljajewa 17). Sie können das Verkehrsmittel versichern, können eine Haftversicherung für den Fall einer Schädigung von Personen bzw. Eigentum dritter Personen auf sowjetischem Boden oder auch eine Unfallversicherung eingehen.

Adressen zu empfehlender Parkplätze: Isaakijewskaja plostschadj (neben dem Hotel „Astoria"), Tel. 212-20-42; Moskowski-Prospect (neben dem Hotel „Rossija"), Tel. 298-76-74; Perwaja Staroderewenskaja uliza 5 (bei der Einfahrt in die Stadt aus Wyborg), Tel. 239-20-50; Torshkowskaja uliza (neben dem Hotel „Wyborgskaja", unweit der Primorskoje-Chaussee), Tel. 46-39-52. Wir empfehlen Ihnen auch, die Dienste der Wartungsstation in der Nähe des Campingplatzes „Olgino" (am 19. km der Primorskoje-Chaussee) in Anspruch zu nehmen, falls Ihr Auto abgeschleppt oder repariert werden muß. Dort erhalten Sie auch Ersatzteile für Autos sowjetischer Marken. Die Dienstleistungen werden nach Preistafel bezahlt.

Die Campingplätze „Olgino" und „Repino" an der Primorskoje-Chaussee sind vom Mai bis August geöffnet. Beabsichtigen Sie dort Aufenthalt zu nehmen, dann sollen Sie die Plätze für sich und für Ihre Reisegefährten im voraus buchen.

Das vor kurzem eingerichtete Motel „Olgino" mit Campingplatz liegt an der Küste des Finnischen Meerbusens. Touristen, die sich für den Campingplatz bei der Siedlung Repino entscheiden, benutzen den Badestrand der Pension „Djuny".

Die Gäste können zelten, einen Bungalow mieten oder in einem Landhaus Quartier beziehen. Wenn Sie gern selbst kochen, steht Ihnen die Küche mit Gasherd und Kühlschrank zur Verfügung. Für die Autotouristen gibt es Post und Telegraf, Zeitungsstände mit Zeitungen und Zeitschriften in russischer Sprache und in Fremdsprachen, Sportplätze, Duschräume, Restaurants und Cafés mit nationaler Küche.

FILM- UND FOTOAUFNAHMEN

In Leningrad können die Touristen fotografieren und Filmaufnahmen von Baudenkmälern, öffentlichen Gebäuden, Theatern, Wohnhäusern, Museen, Straßen und Plätzen machen. Genau wie in anderen Ländern bestehen auch in der UdSSR bestimmte ethische Normen und Vorschriften für Film- und Fotoaufnahmen, deren Befolgung vor Mißverständnissen bewahrt.

Falls Sie eine Person oder eine Gruppe von Personen aufnehmen möchten, ist es wünschenswert, erst deren Zustimmung zu erbitten, denn' nicht alle Menschen lassen sich von Unbekannten gern fotografieren. In Industrie- und Landwirtschaftsbetrieben, Behörden und Lehranstalten darf nur mit Zustimmung der Leitung fotografiert oder gefilmt werden.

Es ist untersagt, militärische Objekte, Kriegstechnik sowie Seehäfen, Flugplätze, Bahnhöfe, Brücken, Tunnel, Rundfunkstationen usw. aufzunehmen oder zu filmen. Verboten sind ferner Foto- und Filmaufnahmen aus dem Flugzeug.

WERKTAGE, WOCHENENDE UND FESTTAGE

Die Arbeiter und Angestellten der Leningrader Industrie- und Bürobetriebe haben wie in allen anderen Städten des Landes eine Fünftagewoche. Das Wochenende ist arbeitsfrei.

In den Büros beginnt die Arbeit um 9 bzw. 10 Uhr vormittags.

Als Feiertage gelten in der Sowjetunion: 1. Januar (Neujahr), 8. März (Internationaler Frauentag), 1. und 2. Mai (Tag der internationalen Solidarität der Werktätigen), 9. Mai (Tag des Sieges), 7. Oktober (Tag der Verfassung der UdSSR) sowie 7. und 8. November (Jahrestag der Großen Sozialistischen Oktoberrevolution).

VERKAUFSSTÄTTEN

Kaufhäuser in der Stadtmitte:

Gostiny dwor — Newski-Prospekt 67; **Dom leningradskoj torgowli (DLT)** — uliza Sheljabowa 21—23; „Passage" (alles für die Frau) — Newski-Prospekt 48.

Einschlägige Geschäfte auf dem Newski-Prospekt:

Schallplatten — Newski-Prospekt 32—34; **Gemälde, Skulpturen, Kunstgewerbeartikel** — Newski-Prospekt 8 und 45; **Souvenirs** — Newski-Prospekt 26; **Fotowaren** — Litejny-Prospekt 61; Newski-Prospekt 92; **Uhren** („Kosmos") — Newski-Prospekt 57

„Berjoska"-Läden — uliza Gerzena 26; Lermontowski-Prospekt 43 (Hotel „Sowjetskaja").

Buchhandlungen

„Akademkniga" — Buchhandlung der A. d. W. der UdSSR — Litejny-Prospekt 57; **„Dom knigi"** — Newski-Prospekt 28; „Mir" (Bücher aus den sozialistischen Ländern) — Newski-Prospekt 16.

Musikalien — Newski-Prospekt 26.

Dias („Globus") — Newski-Prospekt 78.

Grafik, Reproduktionen — Newski-Prospekt 72.

GUTEN APPETIT!

Gerichte der russischen Küche finden Sie im Restaurant „Sadko" (uliza Brodskowo 1/7). Auch im Restaurant „Fregatte" (Wassili-Insel, Bolschoi-Prospekt 39/14) werden Gerichte der altrussischen Küche serviert.

Restaurant „Kronwerk"

Wer etwas für Exotik übrig hat, dem empfehlen wir das Restaurant „Kronwerk". Es befindet sich in einem Dreimaster, der an den Mauern der Peter-und-Pauls-Festung, im Kronwerk-Graben vor Anker liegt.

Wir überlassen es Ihnen, unter den anderen Leningrader Restaurants zu wählen ...

Restaurants:

„Astoria" — Isaakijewskaja plostschadj 2
„Baku" — Sadowaja uliza 12/23
„Jewropejskij" — uliza Brodskowo 1/7
„Kawkasskij" — Newski-Prospekt 25
„Leningrad" — Pirogowskaja nabereshnaja 5
„Metropol" — Sadowaja uliza 22
„Moskwa" — Newski-Prospekt 49
„Newa" — Newski-Prospekt 46
„Olenj" — Selenogorsk, Primorski-Prospekt 71
„Sowjetskij" — Lermontowski-Prospekt 43

Cafés

„Aurora" — Newski-Prospekt 60
„Belyje notschi" — Prospekt Majorowa 41
„Lakomka" — Sadowaja uliza 22
„Leningrad" — Newski-Prospekt 96
„Ogonjok" — Newski-Prospekt 24
„Pogrebok" — uliza Gogolja 7

„Swetljatschok" — Newski-Prospekt 100
„Ulybka" — Newski-Prospekt 79

EINIGE ZWISCHENSTAATLICHE INSTITUTIONEN UND GESELLSCHAFTLICHE ORGANISATIONEN

Leningrader Filiale der Außenhandelsbank der UdSSR — uliza Brodskowo 2
Leningrader Intouristfiliale — Isaakijewskaja plostschadj 11
Vertretung des Amtes für Ausländer-Versicherung („Ingosstrach") — uliza Kaljajewa 17
Leningrader Abteilung des Verbandes der Gesellschaften für Freundschaft und kulturelle Verbindungen mit den Völkern des Auslands — nabereshnaja reki Fontanki 21
Leningrader Abteilung des internationalen Büros für Jugendtouristik „Sputnik" — uliza Tschapygina 4.

KULTURZENTRUM

Auf Anregung der Leningrader Abteilung von Intourist wurde in der Stadt ein Kulturzentrum für ausländische Touristen geschaffen, das Ihnen von Anfang Mai bis Oktober seine Dienste bietet. Gegenwärtig befindet es sich im Kulturpalast „Newski", der für die Arbeiter und Angestellten des Maschinenbaubetriebs „W. I. Lenin" errichtet wurde.

Für ausländische Touristen werden dort Vorträge über das Leben in der Sowjetunion gehalten. Die Gäste Leningrads können sich auch Dokumentar- und Spielfilme sowie Wochenschauen in ihrer Muttersprache ansehen. Bekannte Gesangs- und Tanzkollektive warten mit ihren Leistungen auf.

Adresse des Kulturzentrums: Prospekt Obuchowskoj oborony 32. Bus 70; Strb. 7, 8,

17, 27, 38, 44 bis zur Haltestelle „Dworez kultury „Newski' ". Tel. 265-13-70.

THEATER UND KONZERTSÄLE

Akademische Chorkapelle „M. Glinka" — uliza Sheljabowa 11; nabereshnaja reki Mojki 20. 803 Plätze. Stadtverkehr: Obus 1, 5, 7, 10, 14, 22; Bus 2, 3, 4, 6, 7, 14, 22, 44, 45, 47, 100. Dort werden Konzerte von Chor- und Instrumentalmusik gegeben.

Das Gebäude wurde in den Jahren 1866–1889 nach Entwürfen von N. Benois umgebaut.

Akademisches Großes Gorki-Schauspielhaus — nabereshnaja reki Fontanki 65. 1412 Plätze. Stadtverkehr: Obus 2, 3, 8, 9, 11, 13, 15; Bus 14, 25, 30, 43; Strb. 2, 3, 5, 9, 11, 13, 14, 24, 27, 28, 34.

Die erste in Petrograd nach der Revolution gegründete Sprechbühne. Eröffnet 1919 als „Theater für Tragödie, romantisches Drama und hohe Komödie". Seit 1956 ist der Volkskünstler der UdSSR G. Towstonogow Intendant des Theaters. Auf dem Spielplan des Theaters stehen ausländische und russische Klassik sowie moderne Bühnenwerke. Die Künstler sind bestrebt, akute Lebenskollisionen in einprägsamer realistischer Weise zu zeigen sowie großzügige sozialhistorische und sozialpsychologische Verallgemeinerungen zu machen.

Das Haus des Theaters wurde in den 70er Jahren des 19. Jahrhunderts errichtet (Architekt L. Fontana).

Akademisches Kleines Theater für Oper und Ballett — Plostschadj Iskusstw 1 (Platz der Künste 1), 1212 Plätze. Stadtverkehr: Obus 1, 5, 7, 10, 14, 22; Bus 3, 4, 6, 7, 14, 22, 23, 25, 44, 45, 70, 90; Strb. 2, 3, 5, 7, 12, 13, 14, 24, 34; U-Bahnstationen „Newski-Prospekt" und „Gostiny dwor".

Näheres über dieses Theater siehe Kapitel „Die Hauptstraße — Newski-Prospekt".

Akademisches Puschkin-Schauspielhaus — Plostschadj Ostrowskogo 2. 1372 Plätze. Stadtverkehr: Obus 1, 5, 7, 14, 22; Bus 3, 4, 6, 7, 14, 22, 25, 27, 43, 45, 70, 90; Strb. 2, 3, 5, 13, 14, 24; U-Bahnstationen „Newski-Prospekt", „Gostiny dwor".

Ausführlicher über dieses Theater lesen Sie im Kapitel „Die Hauptstraße — Newski-Prospekt".

Akademisches Komödientheater — Newski-Prospekt 56. 900 Plätze. Stadtverkehr: Obus 1, 5, 7, 14, 22; Bus 3, 4, 6, 7, 14, 22, 25, 27, 43, 45, 70, 90; Strb. 2, 3, 5, 13, 14, 24; U-Bahnstationen „Newski-Prospekt", „Gostiny dwor".

Ausführlicher über das Theater im Kapitel „Die Hauptstraße — Newski-Prospekt".

Akademisches Theater für Oper und Ballett „S. Kirow" — Teatralnaja plostschadj 1. 1774 Plätze. Stadtverkehr: Bus 2, 3, 22, 43, 49, 50, 90, 100; Strb. 1, 5, 8, 11, 15, 21, 24, 31, 33, 36, 42.

Ausführlicher über das Theater siehe „Der Theaterplatz und rings um ihn".

Eisrevue. Sportpalast „Jubilejny" — Prospekt Dobroljubowa 18. Stadtverkehr: Obus 6, 7, 12; Bus 49; Strb. 1, 6, 8, 18, 21, 33, 37, 40.

Gegründet 1967, führt choreographische Miniaturen und Tanzdarbietungen auf.

Großer Konzertsaal „Oktjabrski" — Ligowski-Prospekt 6. 4000 Plätze. Stadtverkehr: Obus 1, 5, 7, 10, 14, 22; Bus 3, 6, 7, 22, 27, 30, 44, 46, 85, 120; Strb. 10, 16, 19, 25, 27, 44, 49; U-Bahnstation „Plostschadj Wosstanija".

Der größte Konzertsaal Leningrads, errichtet 1967, Architektengruppe, geleitet von W. Kamenski. Fries an der Fassade stammt von M. Anikuschin.

Großes Puppentheater — uliza Nekrassowa 10. 517 Plätze. Stadtverkehr: Obus 3, 8, 11, 13, 15, 19, 23; Bus 6, 7, 22, 43; Strb. 5, 7, 9, 12, 13, 14, 17, 19, 24, 25, 28, 32, 34.

Gegründet 1931, Vorstellungen für Kinder und Erwachsene.

Schauspielhaus „W. Komissarshewskaja" — uliza Rakowa 19. 916 Plätze. Stadtverkehr: Obus 1, 5, 7, 10, 14, 22; Bus 3, 4, 6, 7, 14, 22, 23, 44, 45, 70, 90; Strb. 2, 3, 5, 7, 12, 13, 14, 24, 34; U-Bahnstationen „Newski-Prospekt" und „Gostiny dwor".

Ausführlicher über das Theater im Kapi-

tel „Die Hauptstraße — Newski-Prospekt".
Puppentheater — Newski-Prospekt 52.
271 Plätze. Stadtverkehr: Obus 1, 5, 7, 14,
22; Bus 3, 4, 6, 7, 14, 22, 25, 27, 43, 45, 70, 90;
Strb. 2, 3, 5, 13, 14, 24; U-Bahnstationen
„Newski-Prospekt" und „Gostiny dwor".
Eines der ältesten Puppentheater des
Landes. Gegründet 1918, Vorstellungen
hauptsächlich für Vorschulkinder.
**Leningrader Philharmonie „D. Schosta-
kowitsch". Großer Saal** — uliza Brodsko-
wo 2, 1318 Plätze. **Kleiner Saal „M. Glin-
ka"** — Newski-Prospekt 30, 475 Plätze.
Stadtverkehr: Obus 1, 5, 7, 10, 14, 22; Bus 3,
4, 6, 7, 14, 22, 23, 25; 44, 45, 70, 90; Strb. 2, 3,
5, 7, 12, 13, 14, 24, 34; U-Bahnstationen
„Newski-Prospekt" und „Gostiny dwor".
    Ausführlicher darüber unter „Die Haupt-
straße — Newski-Prospekt".
Music-Hall. Kulturpalast „Lensowjet" —
Kirowski-Prospekt 42. Stadtverkehr: Obus
1, 31; Bus 23, 25, 46, 65, 80; U-Bahnstation
„Petrogradskaja".
Eröffnet 1967, gastiert oft in anderen
Städten der Sowjetunion und im Ausland,
darunter in Frankreich, der DDR und Po-
len.
**Opernstudio des Leningrader Konser-
vatoriums „N. Rimski-Korsakow"** —
Teatralnaja plostschadj 3. 1718 Plätze.
Stadtverkehr: Bus 2, 3, 22, 43, 49, 50, 90, 100;
Strb. 1, 5, 8, 11, 15, 21, 24, 31, 33, 36, 42.
    Ausführlicher unter „Der Theaterplatz
und rings um ihn".
Theater „Leninscher Komsomol" —
Lenin-Park 4. 1520 Plätze. Stadtverkehr;
Bus 10, 25, 45; Strb. 3, 6, 12, 25, 26, 31, 34;
U-Bahnstation „Gorkowskaja".
Das Jugendtheater der Stadt wurde 1936
gegründet.
Das Gebäude wurde 1939 nach einem
Entwurf von N. Mituritsch und W. Maka-
schew errichtet.
Lensowjet-Theater — Wladimirski-Pro-
spekt 12. 1024 Plätze. Stadtverkehr: Obus 1,
3, 5, 7, 8, 10, 11, 13, 14, 15, 19, 22, 23; Bus 3, 4,
6, 7, 22, 27, 43, 44, 45; Strb. 9, 11, 22, 28, 34;
U-Bahnstation „Wladimirskaja".
Gegründet 1939, Spielplan enthält russi-

sche, sowjetische und ausländische Klassik
sowie Werke moderner Dramatiker.
    Das Gebäude wurde in den 20er Jahren
des 19. Jahrhunderts nach einem Entwurf
von A. Michailow errichtet.
Singspielhaus — uliza Rakowa 13. 1592
Plätze. Stadtverkehr: Obus 1, 5, 7, 10, 14, 22;
Bus 3, 4, 6, 7, 14, 22, 23, 25, 44, 45, 70, 90;
Strb. 2, 3, 5, 7, 12, 13, 14, 24, 34; U-Bahnstationen „Newski-Prospekt" und „Gostiny
dwor".
    Ausführliches über das Theater siehe
„Die Hauptstraße — Newski-Prospekt".
Estradentheater — uliza Sheljabowa 27.
652 Plätze. Stadtverkehr: Obus 1, 5, 7, 10,
14, 22; Bus 3, 4, 6, 7, 14, 22, 44, 45, 47, 100.
Gegründet 1938. Hauptbühne des Lenin-
grader Miniaturen-Theaters (1939), künstle-
rischer Leiter Volkskünstler der UdSSR
Arkadi Raikin.
Theater der jungen Zuschauer — Sagorodny-Prospekt 46/48. 998 Plätze. Stadtverkehr: Obus 2, 3, 8, 9, 11, 13, 15; Bus 30, 45;
Strb. 9, 11, 27, 28, 34; U-Bahnstation „Puschkinskaja".
Eines der ersten Kindertheater unseres
Landes, gegründet 1922.
Zirkus — nabereshnaja reki Fontanki 3.
2465 Plätze. Stadtverkehr: Obus 3, 8, 11, 13,
15, 19; Bus 23, 25; Strb. 2, 3, 5, 7, 9, 13, 14, 19,
22, 24, 28, 34.
Ältester Zirkus des Landes. Beim Lenin-
grader Zirkus besteht ein Museum der Zirkuskunst (siehe den Abschnitt „Museen").
    Die Vorstellungen beginnen um 19.00
Uhr, Abende der Zirkuskunst — um 19.30
Uhr.

FILMTHEATER IM STADTZENTRUM

Aurora — Newski-Prospekt 60
Barrikada — Newski-Prospekt 15
Chudoshestwenny — Newski-Prospekt 67
Snanije — Newski-Prospekt 72 (Kultur-
und Dokumentarfilme)
Kolisej — Newski-Prospekt 100
Leningrad — Potjomkinskaja uliza 4
Molodjoshny — Sadowaja uliza 12

Newa — Newski-Prospekt 108
Nowosti dnja — Newski-Prospekt 88 (Wochenschauen)
Oktjabr — Newski-Prospekt 80
Rodina — uliza Tolmatschowa 12
Stereokino — Lenin-Park 4
Titan — Newski-Prospekt 47
Welikan — Lenin-Park 4 (größtes Filmtheater der Stadt)

Ein vollständiges Verzeichnis aller Filmtheater und Filmvorführungssäle von Leningrad sowie das Wochenprogramm finden Sie an den Anschlagtafeln im Servicebüro des Hotels oder in der Stadt. Das Büro des Intourist erteilt Ihnen Auskunft darüber, wo Filme in Ihrer Muttersprache vorgeführt werden.

Die meisten Leningrader Filmtheater sind den ganzen Tag von 9 oder 10 Uhr morgens an geöffnet. Die Vorstellung dauert ungefähr 1 Stunde 40 Minuten. Alle Plätze sind numeriert. Einlaß ist nur vor Beginn der Vorstellung. Eintrittskarten können Sie an der Kasse des Filmtheaters oder über das Servicebüro Ihres Hotels erwerben.

Der Eintritt für eine Abendvorstellung kostet 30 bis 50 Kopeken, für Panorama- und Breitwandfilme — 50 bis 70 Kopeken. Die Eintrittskarten für die Tagesvorstellungen sind um 20 bis 25 Prozent billiger, für Wochenschauen — 10 Kopeken.

SPORTANLAGEN, SPORTKLUBS, DIE GRÖSSTEN STADIEN

Schwimmbecken der SV Dynamo — Prospekt Dynamo 44
Schwimmhalle — B. Rasnotschinnaja uliza 20
Schwimmbad für Kinder „Delphin" — Prospekt Dynamo 2
Schwimmbecken des Sportklubs der Armee — Litowskaja uliza 1
Radrennbahn der SV Burewestnik — Prospekt Engelsa 81
Stadion für technische Sportarten (Motorradrennbahn) — Olginskaja uliza 67

Ruderklub „Snamja" — Wjasowaja uliza 4
Ruderklub der SV Spartak — nabereshnaja Bolschoi Newki 24
Kindersportschule — Maly pereulok der Wassili-Insel 66
Kinder- und Jugendsportschule — uliza Wernosti
Tennisplatz im Stadion „Dynamo" — Prospekt Dynamo 44
Tennisplatz des Pionierpalastes — Krestowski-Prospekt 21 (Primorski Park Pobedy)
Schachklub „M. Tschigorin" — uliza Scheljabowa 25
Jachtklub der SV Wodnik — nabereshnaja Martynowa 92
Jachtklub der SV Trud — Petrowskaja kossa 7
Sportpalast „Jubilejny" — Prospekt Dobroljubowa 18

„SENIT"

Palast für Sportspiele — uliza Butlerowa
Sporthalle — Inshenernaja uliza 11
Lenin-Stadion — Petrowski ostrow 2
Kirow-Stadion Morskoi-Prospekt 1
Ringkampfhalle — Kamennoostrowski-Prospekt 10
Jachtklub „Dynamo" — Prospekt Dynamo 10
Große Sportarena im Siegespark — (in der Nähe des Kirow-Stadions)

MUSEEN

Geschichte der Revolution

Leningrader Filiale des Zentralen Lenin-Museums — uliza Chalturina 5/1. Eintritt und Führung frei. Geöffnet täglich von 10.30 bis 19.00 Uhr. Ruhetag: Mittwoch.

Ausführlicher im Kapitel „Lenin-Gedenkstätten. Monumente der Revolution".

Lenin-Wohnungen, die Gedenkstätten wurden im Verzeichnis chronologisch geordnet. Eintritt und Führung — frei.

Pereulok Iljitscha 7, Wohnung 13. Stadtverkehr: Obus 2, 3, 8, 9, 11, 13, 15; Bus

30; Strb. 9, 11, 27, 28, 34; U-Bahnstation „Puschkinskaja". Geöffnet — dienstags 11—16 Uhr, donnerstags bis montags — 11—18 Uhr, mittwochs geschlossen.

In dieser Wohnung wohnte und arbeitete W. I. Lenin in der Anfangsperiode seiner Tätigkeit in Petersburg vom 14. (26.) Februar 1894 bis 25. April (7. Mai) 1895. Dort schrieb er seine Arbeit „Was sind die ‚Volksfreunde', und wie kämpfen sie gegen die Sozialdemokraten?".

Uliza Lenina 52, Wohnung 24. Stadtverkehr: Obus 6, 9; Strb. 3, 17, 18, 21, 30, 31, 37, 40. Geöffnet: dienstags 11—16 Uhr, donnerstags bis montags 11—18 Uhr, mittwochs geschlossen.

Dort wohnten Lenins Schwester Anna Uljanowa-Jelisarowa und ihr Mann Mark Jelisarow. Nach der Rückkehr aus der Emigration wohnten bei ihnen Lenin und seine Frau Nadeshda Krupskaja vom 4. (17.) April 1917 bis Anfang Juli 1917. Das Museum wurde am 6. November 1927 eröffnet. An seiner Schaffung beteiligten sich Nadeshda Krupskaja, Anna und Maria Uljanowa.

Dessjataja Sowjetskaja uliza 17-a, Wohnung 20. Stadtverkehr: Obus 10; Bus 21; Strb. 6, 10, 12, 16, 28, 32, 38. Geöffnet dienstags 11—16 Uhr, donnerstags bis montags — 11—18 Uhr, Ruhetag: Mittwoch.

Rasliw. Gedenkstätte „Sarai"

Während der letzten Illegalität Lenins war eine seiner ersten illegalen Wohnungen die des Arbeiters S. Allilujew, eines Bolschewiken. Dort hielt sich Lenin vom 7. (20.) bis 9. (22.) Juli 1917 auf. Aus dieser Wohnung fuhr er in der Nacht zum 10. (23.) Juli nach der Station Rasliw.

Weitere Einzelheiten siehe unter „Rasliw".

Das Museum „Saraj" (Schuppen) in Rasliw. Station Rasliw, uliza Jemeljanowa 2.

Das Museum „Schalasch" (Laubhütte). Station Tarchowka. Geöffnet täglich 11—17 Uhr, dienstags 11—16 Uhr. Ruhetag: Mittwoch.

Weitere Einzelheiten siehe unter „Rasliw".

Nabereshnaja reki Karpowki, 32, Wohnung 31. Stadtverkehr: Obus 1, 6, 9; Bus 10, 19, 23, 25; Strb. 3, 17, 18, 20, 21, 30, 31, 37, 40; U-Bahnstation „Petrogradskaja". Geöffnet: dienstags 11—16 Uhr, donnerstags bis montags 11—17, mittwochs geschlossen.

Am 10. (23.) Oktober 1917 fand dort unter Lenins Leitung die historische Sitzung des ZK der Partei statt, in der der Beschluß über den bewaffneten Aufstand gefaßt wurde.

Ausführlichr darüber siehe unter „Lenin-Gedenkstätten. Monumente der Revolution".

Serdobolskaja uliza 1, Wohnung 20. Stadtverkehr: Obus 31; Bus 99, 267, 273; Strb. 2, 18, 20, 21, 22, 23, 26, 40. Geöffnet: dienstags 11—16, donnerstags bis montags 11—17, mittwochs geschlossen.

Die letzte illegale Wohnung W. I. Lenins. Dort wohnte und arbeitete er nach seiner Rückkehr aus Finnland bis zum 24. Oktober (6. November) 1917. Von dort leitete Lenin die unmittelbare Vorbereitung des bewaffneten Oktoberaufstandes und ging abends am 24. Oktober in den Smolny, den Stab der proletarischen Revolution.

Weitere Einzelheiten siehe unter „Lenin-Gedenkstätten. Monumente der Revolution".

Cherssonskaja uliza 5, Wohnung 9.

Stadtverkehr: Obus 1, 10, 14, 16, 22; Bus 21, 58; Strb. 10, 13, 17, 24, 44, 46, 48, 49. Geöffnet — dienstags von 11—16 Uhr, donnerstags bis montags 11—18 Uhr, mittwochs geschlossen.

In dieser Wohnung seines Freundes und Kampfgefährten W. Bontsch-Brujewitsch hielt sich W. I. Lenin im Jahre 1917 häufig auf. Dort schrieb er in der Nacht vom 25. zum 26. Oktober (7.—8. November) 1917 den Entwurf eines der ersten Dekrete der Sowjetmacht: des Dekrets über den Grund und Boden.

Smolny. Aula. Erstes Arbeitszimmer und Wohnzimmer W. I. Lenins im Smolny — Plostschadj Proletarskoj diktatury.

Führungen nach Voranmeldung.

Weitere Einzelheiten unter „Lenin-Gedenkstätten. Monumente der Revolution".

Museum der Großen Sozialistischen Oktoberrevolution — uliza Kuibyschewa 4. Eintritt und Führungen — frei. Geöffnet montags und freitags 12—19 Uhr, dienstags, mittwochs und sonnabends 11—19 Uhr, donnerstags geschlossen.

Weitere Einzelheiten unter „Lenin-Gedenkstätten. Monumente der Revolution".

Museum „Kreuzer Aurora", Filiale des Zentralen Kriegsmarinemuseums — Petrogradskaja nabereshnaja, gegenüber dem Haus 4. Eintritt und Führungen frei. Nur Gruppenführungen nach Voranmeldung.

Weitere Einzelheiten siehe unter „Lenin-Gedenkstätten. Monumente der Revolution".

Geschichte

Kriegshistorisches Museum der Artillerie, des Militäringenieurwesens und der Nachrichtentruppen — Lenin-Park 7. Stadtverkehr: Bus 1, 23, 25, 46, 65, 80; Strb. 2, 3, 12, 22, 25, 26, 30, 34, 51; U-Bahnstation „Gorkowskaja". Eintritt frei. Geöffnet täglich 11.30—18.30 Uhr, sonntags 11.30—18 Uhr, dienstags geschlossen.

Das Gebäude (1850—1860, Architekt P. Tamanski) wurde für das Museum errichtet. Als sein Gründungsjahr gilt 1765.

Dort finden Sie zahlreiche Muster von Blank- und Schußwaffen, der Befestigungskunst und des militärischen Nachrichtenwesens sowie Uniformen vom Altertum bis zur Gegenwart. Das Museum besitzt eine überaus reiche Sammlung von Militärausrüstung, Kampftrophäen und Gegenständen des persönlichen Gebrauchs, Fahnen, russischen und ausländischen Orden und Medaillen.

Sommerpalast Peters I. im Sommergarten. Geöffnet vom 1. Mai bis zum 10. November täglich 12—19 Uhr, dienstags geschlossen.

Weitere Einzelheiten unter „Peter-und-Pauls-Festung und Sommergarten — Denkmäller aus der Zeit Peters I."

Haus Peters I. — Petrowskaja nabereshnaja 5. Geöffnet täglich 11—18 Uhr, montags 11—17 Uhr, dienstags geschlossen.

Weitere Einzelheiten unter „Peter-und-Pauls-Festung und Sommergarten — Denkmäler aus der Zeit Peters I.".

A.-Suworow-Museum — uliza Saltykowa-Stschedrina 41b. Stadtverkehr: Obus 11, 15, 25; Bus 1. Eintritt und Führungen frei. Geöffnet täglich 11—18 Uhr, montags 12—18 Uhr, mittwochs geschlossen.

Die Ausstellung enthält zahlreiche mit dem Leben des berühmten russischen Feldherrn verbundene Gegenstände, Kampftrophäen, Waffen, Karten und andere Dokumente, Gemälde, Skulpturen, Stiche. Dort finden Sie auch Material über den Kampfweg der sowjetischen Truppenteile, die im Großen Vaterländischen Krieg 1941—1945 mit dem Suworow-Orden ausgezeichnet wurden.

Museum der Geschichte Leningrads — nabereshnaja Krasnogo flota 44. Eintritt und Führung frei. Geöffnet montags und freitags 13—20 Uhr, dienstags 11—16 Uhr, donnerstags, sonnabends und sonntags 11—18 Uhr.

Das Museum sammelt Dokumente über die Geschichte von Petersburg—Petrograd—Leningrad von der Gründung der Stadt bis zur Gegenwart, bewahrt sie und stellt sie aus. Im Museum wird auch ein Tagebuch des heutigen Leningrad geführt, in das Ereignisse der Stadtgeschichte eingetragen werden. Einzelheiten über die Ausstellung „Leningrad im Großen Vaterländischen Krieg" siehe unter „900 Tage heroische Verteidigung Leningrads".

Museum der Geschichte der Religion und des Atheismus — Kasanskaja plostschadj 2. Eintritt und Führung frei. Geöffnet montags und freitags 12—18 Uhr, donnerstags 13—20 Uhr, mittwochs, sonnabends und sonntags 11—18 Uhr. Einzelheiten unter „Die Hauptstraße — Newski-Prospekt".

Isaaks-Kathedrale, Baudenkmal und Museum — Isaakijewskaja plostschadj. Geöffnet täglich 11—18 Uhr, dienstags 11—16, mittwochs geschlossen. Weitere Einzelheiten unter „Zentralplätze".

Peter-und-Pauls-Festung — plostschadj Revoluzii. Geöffnet dienstags 11—16 Uhr, von Donnerstag bis Montag 11—18 Uhr, Ruhetag: Mittwoch. Weitere Einzelheiten siehe unter „Peter-und-Pauls-Festung und Sommergarten. Denkmäler aus der Zeit Peters I".

Zentrales Kriegsmarinemuseum — Puschkinskaja plostschadj 4. Eintritt frei. Geöffnet montags und mittwochs 11—18 Uhr, donnerstags 13—20 Uhr, freitags 11—16 Uhr, dienstags geschlossen.

Piskarjowskoje-Gedenkfriedhof — Prospekt Nepokorjonnych 72. Geöffnet täglich 11—18 Uhr. Ausführliches unter „900 Tage heroische Verteidigung Leningrads".

Kunst, Literatur, Theater

Puschkin-Unionsmuseum und Filialen — Stadt Puschkin. Geöffnet täglich 11—18 Uhr, außer dienstags. Einzelheiten siehe unter „Puschkin und Pawlowsk".

Palais in den Parks von Petrodworez. Geöffnet täglich 11—18 Uhr. Geschlossen: das Große Palais montags, Montplaisir — mittwochs, Ermitage — donnerstags. Einzelheiten siehe unter „Petrodworez, Stadt der Wasserkunst".

Brodski-Wohnung — Plostschadj Iskusstw 3. Eintritt frei. Geöffnet täglich 11—18.30 Uhr, außer montags und dienstags. Einzelheiten unter „Die Hauptstraße — Newski-Prospekt".

Dostojewski-Wohnung — Kusnetschny pereulok 5/2. Stadtverkehr: Obus 3, 8, 11, 13, 15, 23; Strb. 9, 11, 27, 28, 34, 44, 49; U-Bahnstation „Wladimirskaja". Geöffnet täglich 10.30—18.30, außer montags.

Rimski-Korsakow-Wohnung, Filiale des Theatermuseums. Sagorodny-Prospekt 28. Stadtverkehr: Obus 2, 3, 8, 11, 13, 15; Bus 9, 11, 27, 28, 34. Geöffnet täglich 12—18 Uhr, außer montags und dienstags.

Pawlow-Wohnung — nabereshnaja lejtenanta Schmidta 1/2. Eintritt und Führung nach Voranmeldung. Geöffnet täglich 11—19 Uhr, außer sonnabends und sonntags. Einzelheiten siehe unter „Ufer der Wassili-Insel".

Puschkin-Wohnung — nabereshnaja reki Moiki, 12. Stadtverkehr: Obus 1, 5, 7, 9, 10, 14, 22; Bus 2, 3, 4, 6, 7, 14, 22, 26, 27, 44, 45, 47; Strb. 7, 8, 21, 22, 26, 31, 51. Eintritt und Führung frei. Geöffnet täglich 11—18 Uhr, montags 11—16 Uhr, dienstags geschlossen. Ausführlicher unter „Zentralplätze".

Museum des Instituts für russische Literatur der A.d.W. der UdSSR — Wassiljewski ostrow, nabereshnaja Makarowa 4. Eintritt und Führung frei. Geöffnet täglich 11—18 Uhr, außer montags und diensschlossen. Ausführlicher unter „Zentralplätze".

Museum für städtische Skulptur — Plostschadj Alexandra Newskogo 1. Stadtverkehr: Obus 1, 14, 16, 22, 28; Bus 8, 21, 26, 30, 70, 120; Strb. 7, 13, 17, 24, 27, 38, 44, 46, 48, 49; U-Bahnstation „Plostschadj Alexandra Newskogo". Geöffnet täglich 11—18 Uhr (vom Mai bis Oktober 11—19 Uhr), außer donnerstags.

Das Alexander-Newski-Kloster am Ende des Newski-Prospekts ist eines der ältesten Baudenkmäler Leningrads. Es wurde 1710 zum Gedenken an den russischen Staatsmann und Feldherrn des 13. Jahrhunderts, Alexander Newski, gegründet.

Das im Kloster untergebrachte Museum für städtische Skulptur studiert die Monumentalplastik der Stadt und beteiligt sich an deren Restauration. Die Schausammlung in der Blagowestschenje-Kirche (Mariä-Verkündigung) enthält Autorenmodelle, Stiche, Zeichnungen, Skizzen und Fotos der wertvollsten Bildwerke Leningrads. Sie veranschaulicht auch die Verwirklichung des von W. I. Lenin entworfenen Plans der Monumentalpropaganda in der Sowjetzeit.

Auf dem Gelände des Klosters befinden sich gleich beim Eingang Nekropolen, wo viele hervorragende russische Wissenschaftler und Kulturschaffende bestattet sind, so der universelle Gelehrte aus dem 18. Jahrhundert M. Lomonossow, die Architekten A. Sacharow, A. Woronichin, C. Rossi, G. Quarenghi, die Komponisten M. Glinka, P. Tschaikowski, A. Rubinstein, die Schrifsteller I. Krylow und F. Dostojewski. Viele Grabmäler sind von hohem künstlerischem Wert. Sie stammen von bekannten russischen Architekten und Bildhauern.

Lomonossow-Museum. Im Gebäude der Kunstkammer — Universitetskaja nabereshnaja 4. Eintritt und Führung frei (Führungen nach Voranmeldung). Geöffnet täglich 11—17 Uhr, außer sonnabends. Einzelheiten siehe unter „Ufer der Wassili-Insel".

Museum für Musikinstrumente — Isaakijewskaja plostschadj 5. Eintritt frei. Geöffnet mittwochs, freitags und sonntags 12—18 Uhr.
Mehr als 3000 Musikinstrumente vieler Völker aus dem 16. bis 20. Jahrhundert wurden zu einer einmaligen Sammlung zusammengetragen. Zu sehen sind dort auch eigene Instrumente hervorragender russischer Komponisten und ausübender Künstler.

Museum für dekorative und angewandte Kunst der Leningrader Hochschule für angewandte Kunst „W. Muchina" — Sojanoj pereulok 13. Stadtverkehr: Obus 3, B, 11, 13, 15, 19, 23; Bus 14, 25, 26; Strb. 2, 3, 9, 12, 14, 17, 19, 20, 25. Eintritt frei. Geöffnet täglich 11—16.30 Uhr, sonnabends 11—14.30 Uhr, sonntags geschlossen.

Dort können Sie die besten Diplomarbeiten von Studenten und Pädagogen der Schule betrachten sowie Erzeugnisse aus Keramik und Kunstglas, aus Leder mit eingepreßtem Muster, ferner Möbel, Gewebe, Metallkunst usw. Diese Werke sagen über die Geschichte der Industrieformgestaltung und der dekorativen und angewandten Kunst des 17. bis 20. Jahrhunderts aus. Einmalig ist die Sammlung kunstvoll gestalteter Kachelöfen und Kamine.

Als Museum eingerichteter **Landsitz von I. Repin „Penaten"** — Station Repino. Geöffnet täglich 10—18 Uhr, außer dienstags. Einzelheiten siehe unter „Karelische Landenge".

Museum für Ausgestaltung der russischen Paläste vom Ende des 18. und Anfang des 19. Jahrhunderts — Stadt Pawlowsk. Geöffnet täglich 10—18 Uhr, außer freitags. Einzelheiten siehe unter „Puschkin und Pawlowsk".

Museum der Zirkuskunst — nabereshnaja reki Fontanki 3. Stadtverkehr: Obus 3, 8, 11, 13, 15, 19, 23; Strb. 5, 9, 12, 13, 14, 20, 24, 28, 34. Geöffnet täglich 12—17 Uhr, außer sonntags. Führungen nach Voranmeldung.

Das einzige Museum dieser Art in der Welt beherbergt mehr als 80 000 Schaustücke — Requisiten, Dinge aus dem Besitz berühmter Artisten, Entwürfe für Zirkusvorstellungen, Plakate, Dokumente, Fotos sowie Literatur über die Geschichte der Zirkuskunst. Das Museum beschränkt sich nicht nur auf die Sammlung von Materialien, sondern bearbeitet sie, um bei der Schaffung neuer Nummern zu helfen.

Forschungsmuseum der Akademie der Künste der UdSSR — Universitetskaja nabereshnaja 17. Geöffnet täglich 11—18.30 Uhr, außer montags und dienstags. Einzelheiten siehe unter „Ufer der Wassili-Insel".

Nekropole „Literatorskije mostki" (Filiale des Museums für städtische Skulptur) — Rasstannaja uliza 30. Stadtverkehr: Bus 14, 36, 44; Strb. 10, 25, 44. Geöffnet täglich 9—17 Uhr (vom Mai bis September), bzw. 11—18 Uhr (vom Oktober bis April), donnerstags geschlossen.

Grabstätte hervorragender Persönlichkeiten, Wissenschaftler, Schriftsteller und Künstler, unter ihnen W. Belinski, A. Blok, D. Mendelejew, I. Pawlow, G. Plechanow und I. Turgenjew. Dort befindet sich auch die Nekropole der Familie Uljanow, wo Angehörige W. I. Lenins, seine Mutter und seine Schwestern, der Mann seiner Schwester Anna Uljanowa, der bekannte Revolutionär M. Jelisarow, ihre letzte Ruhestätte gefunden haben.

Russisches Museum — Inshenernaja uliza 4/2, plostschadj Iskusstw. Geöffnet täglich 11—18 Uhr, montags 11—16 Uhr, dienstags geschlossen. Einzelheiten unter „Die Hauptstraße-Newski-Prospekt".

Theatermuseum — plostschadj Ostrowskowo — 6. Eintritt und Führungen frei. Stadtverkehr: Obus 1, 5, 7, 10, 14, 22; Bus 3, 6, 7, 14, 22, 25, 43, 44, 45, 70; U-Bahn-

Russisches Museum. „Venus, die Sandalen ausziehend" von Ivan Vitali

stationen „Gostiny dwor" und „Newski-Prospekt". Geöffnet montags 12—19 Uhr, mittwochs 14—21 Uhr, dienstags geschlossen.

Im Museum werden mehr als 300 000 Gegenstände aufbewahrt, welche die Geschichte der russischen und sowjetischen Bühne veranschaulichen: Memoiren, Dokumente, Fotos, Plakate, Programme, Tonaufnahmen, Skizzen und Nachbildungen von Bühnenausstattungen, Bildnisse und Porträtplastiken von Bühnenschaffenden.

Ermitage — Dworzowaja nabereshnaja 34—36. Geöffnet täglich 11—18 Uhr, im Sommer 10—17 Uhr, außer montags. Einzelheiten unter „Zentralplätze".

Naturwissenschaften und Technik

Botanisches Museum beim Institut für Botanik „W. Komarow". Botanischer Garten der A.d.W. der UdSSR — uliza professora Popowa 2. Stadtverkehr: Bus 10, 19, 23, 25, 33, 46, 71, 92; Strb. 17, 18, 30; U-Bahnstation „Petrogradskaja". Geöffnet täglich 11—16 Uhr außer freitags. Das Gewächshaus ist im Sommer von 11 bis 16 Uhr geöffnet.

Das Museum wurde 1823 gegründet. Seine Sammlungen zählen rund 60 000 Pflanzenarten der Sowjetunion und anderer Länder.

Im Museumsgebäude auf dem Gelände des Botanischen Gartens ist die Ausstellung „Flora der Welt" exponiert.

Ein Park mit Pflanzen der UdSSR und anderer Länder, Gewächshäuser mit mehr als 3000 Arten tropischer und subtropischer Pflanzen, Vertretern der Flora verschiedener Erdteile, Kakteen-, Rhododendron- und Nadelbaumsammlungen usw. stehen für die Besichtigung frei.

Den Besuchern sind Park und Gewächshäuser zugänglich.

Museum für Militärmedizin — Lasaretny pereulok 2. Stadtverkehr: Obus 2, 3, 8, 9, 11, 13, 15; Strb. 9, 11, 27, 28, 34; U-Bahnstation „Puschkinskaja". Eintritt und Führung frei. Geöffnet täglich 11−18 Uhr, außer freitags.

Die Ausstellung verdeutlicht die Geschichte der einheimischen Militärmedizin von deren Entstehung bis zur Gegenwart. Es wurden Dokumente, Memoiren, Manuskripte hervorragender Mediziner, Geräte und Instrumente, Gemälde, Skulpturen und Fotos zusammengetragen.

Museum für Bergbau bei der Bergbauhochschule „G. Plechanow" − Universitetskaja nabereshnaja 45. Eintritt und Führung frei. Geöffnet täglich von 10−16 Uhr, mittwochs 13−20 Uhr, sonnabends 10−14 Uhr, sonntags geschlossen. Näheres unter „Ufer der Wassili-Insel".

Haus für wissenschaftlich-technische Propaganda − Newski-Prospekt 58. Verkehrsmittel: Obus 1, 5, 7, 10, 14, 22; Bus 3, 6, 7, 22, 27, 43, 44, 45, 70; Strb. 2, 3, 5, 13, 14, 24; U-Bahnstationen „Gostiny dwor", „Newski-Prospekt". Eintritt frei. Geöffnet montags, mittwochs und freitags 11−18 Uhr, sonnabends 11−15 Uhr, dienstags, donnerstags und sonntags geschlossen.

Das ist ein methodologisches und organisatorisches Zentrum für Propaganda der neuesten Errungenschaften in Wissenschaft und Produktion. Die ständige Ausstellung vermittelt Einblick in den technischen Fortschritt der Leningrader Industrie. Veranstaltet werden auch thematische Ausstellungen, auf denen viele Objekte in Betriebszustand zu sehen sind. Dort können Sie auch Fachleute zu Rate ziehen.

Das Haus für wissenschaftlich-technische Propaganda unterhält Verbindungen mit Fachleuten von 10 000 Betrieben der Sowjetunion und des Auslands.

Zoologisches Museum der A.d.W. der UdSSR − Universitetskaja nabereshnaja 1. Eintritt und Führung frei (Führungen nach Voranmeldung). Geöffnet täglich 11−17 Uhr, dienstags 11−16 Uhr, montags geschlossen. Näheres darüber unter „Ufer der Wassili-Insel".

Zoologischer Garten − Lenin-Park 1. Stadtverkehr: Bus 1, 10, 25, 45, 46, 80; Strb. 6, 26, 31, 34. Geöffnet täglich 10−19 Uhr.

Der Leningrader Zoologische Garten ist eine große wissenschaftliche Institution, die auch Bildungsarbeit leistet. 360 Tierarten aus vielen Ländern werden dort gezeigt.

Museum für Antropologie und Ethnographie „Pjotr Weliki" − Universitetskaja nabereshnaja 3. Eintritt und Führung frei (Führungen nach Voranmeldung). Geöffnet täglich 11−17 Uhr, außer freitags und sonnabends. Ausführliches über das Museum unter „Ufer der Wassili-Insel".

Museum für Arktis und Antarktis − uliza Marata 24-a. Stadtverkehr: Obus 3, 8, 11, 13, 15, 19, 22, 23; Strb. 9, 11, 28, 34; U-Bahnstation „Wladimirskaja". Geöffnet täglich 10−18 Uhr, außer montags und dienstags.

Das einzige Museum der Welt, das Einblick in die Natur der Polargebiete, die Geschichte ihrer Entdeckung, Erforschung und Erschließung sowie in das Leben der Völker des Hohen Nordens gewährt. Es beherbergt umfangreiches Material über die Arbeit der sowjetischen antarktischen Expeditionen.

Museum für Eisenbahnverkehr − Sadowaja uliza 50. Stadtverkehr: Obus 3, 17; Bus 43, 50, 90; Strb. 2, 3, 5, 13, 14, 24; U-Bahnstation „Plostschadj Mira". Eintritt frei. Geöffnet täglich 11−17.30 Uhr, außer sonnabends und sonntags.

Die Sammlungen des Museums enthalten Dokumente, Funktionsmodelle aller Arten Eisenbahntechnik, Schienenwege, Brücken, Signalisationsmittel, Automatik und Fernwirktechnik, die auf den Eisenbahnen der UdSSR, angefangen von der Zeit der ersten russischen Lokomotive und bis in unsere Tage, Einsatz fanden bzw. finden.

Museum des Gesundheitswesens beim Haus für sanitäre Aufklärung − uliza Rakowa 25. Stadtverkehr: Obus 1, 5, 7, 10, 14, 22; Bus 3, 6, 7, 22, 43, 45; Strb. 2, 3, 5, 12, 13, 14; U-Bahnstationen „Gostiny dwor" und „Newski-Prospekt". Eintritt und Führung frei. Geöffnet täglich 11−18 Uhr, außer montags.

Das Museum wurde 1918 gegründet, um Aufklärungsarbeit über Hygiene zu leisten.

Es verfügt über zahlreiche Präparate, originelle Modelle und neueste Erfindungen der medizinischen Wissenschaft. Gezeigt werden auch Errungenschaften der sowjetischen Medizin im Kampf für die Gesundheit des Menschen. Zahlreiche Exponate veranschaulichen die Tätigkeit hervorragender einheimischer Medizinwissenschaftler und Ärzte.

Museum für Ethnographie der Völker der UdSSR — Inshenernaja uliza 4/1. Geöffnet täglich 11−18 Uhr, sonnabends 12−18 Uhr, im Sommer − dienstags und mittwochs 13−20 Uhr, donnerstags, sonnabends und sonntags 11−18 Uhr, freitags 11−17 Uhr, montags geschlossen. Einzelheiten über das Museum siehe unter „Die Hauptstraße − Newski-Prospekt".

Zentrales Museum für geologische Erkundung „Akademiemitglied F. Tschernyschow" — Wassiljewski ostrow, Sredni-Prospekt 72b. Stadtverkehr: Obus 10, 12; Bus 35, 60; Strb. 5, 11, 18, 40, 42. Eintritt und Führung frei. Geöffnet täglich 10−16 Uhr, außer sonntags.

Die Ausstellung hat Abschnitte für regionale Geologie, Bodenschätze, Aufbewahrung monographischer Sammlungen und deren Demonstration (über 1000 paläontologische Kollektionen sind für die Wissenschaft im Weltmaßstab von Bedeutung). Insgesamt besitzt das Museum bis zu 80 000 Muster von Felsgestein, fossiler Fauna und Bodenschätzen.

Zentrales Museum für Bodenkunde „W. Dokutschajew" — Birshewoi projesd 6. Eintritt und Führung frei. Geöffnet täglich 9.15−18 Uhr, außer sonnabends und sonntags. Einzelheiten über das Museum siehe „Ufer der Wassili-Insel".

Zentrales Museum für Fernmeldewesen „A. Popow" — pereulok Podbelskowo 4. Stadtverkehr: Obus 5, 14; Bus 2, 3, 22, 26, 27; Strb. 21, 26, 31. Eintritt frei. Geöffnet täglich 12−18 Uhr, donnerstags 12−19 Uhr, montags geschlossen.

Eines der ältesten technischen Museen unseres Landes, enthält Originalgeräte, Dokumente, Fotos und Bilder aus der Geschichte der Post-, Telegraf-, Telefon- und Funkverbindung, aus der Entwicklung der Fernsehtechnik und Nachrichtengeräte, die die sowjetische Industrie herstellt.

Zur Museumssammlung gehören über drei Millionen Postwertzeichen aller Länder. In den Sälen werden ständig thematische und Jubiläumsschauen aus dieser Sammlung wie auch die jüngsten Ausgaben sowjetischer Briefmarken gezeigt.

WIE LERNT MAN DIE STADT AM BESTEN KENNEN?

STADTSPAZIERGÄNGE

SIE SIND FÜR EINEN
TAG HERGEKOMMEN

Da Leningrad im Flachland gelegen ist — nur seine Randbezirke ganz im Norden und Süden sind leicht hügelig — gibt es in der Stadt keine natürliche Anhöhe, von der man das Stadtpanorama mit einem Blick erfassen könnte.

Wir empfehlen Ihnen, die Besichtigung Leningrads an der Strelka (Landspitze) der Wassili-Insel zu beginnen, denn dort ist die Eigenart seiner architektonischen Gestaltung und Planung sowie die Anordnung der historischen und städtebaulichen Sehenswürdigkeiten besonders klar ausgeprägt. Sie können einen Spaziergang unternehmen, der einen Teil des ersten Themas in unserem Reiseführer bildet: „Ufer der Wassili-Insel". In der Stadt werden Sie kaum einen anderen Ort finden, wo Sie gleichzeitig so viel sehen können.

Es empfiehlt sich, im Servicebüro von Intourist eine Rundfahrt durch die Stadt zu bestellen, auf der Sie verschiedene Stadtbezirke kennenlernen und sich eine Vorstellung von ihrem Ausmaß, ihrer historisch-revolutionären Vergangenheit, ihrer Gegenwart als eines großen Industrie-, Wissenschafts- und Kulturzentrums der Sowjetunion wie auch vom großzügigen Wohnungsbau machen werden. Sie werden einen Blick in die Zukunft tun, die heute schon geschaffen wird.

Sollte es Ihre Zeit erlauben, dann empfehlen wir Ihnen ein Museum der Stadt zu besuchen und am Abend ins Theater oder in ein Konzert zu gehen. Auch ein Spaziergang durch die Straßen und Ufer der Stadt wäre ratsam, denn dabei werden Sie deren Atmosphäre und Schönheit in vollem Maße empfinden können...

SIE SIND FÜR ZWEI, DREI TAGE ODER GAR FÜR EINE WOCHE IN DIE STADT GEKOMMEN

Wählen Sie unter den dreizehn Themen, die wir Ihnen für die Besichtigung Leningrads und seiner Umgebung vorschlagen, jene, die Ihren individuellen Interessen am meisten entsprechen! Auch, wenn Sie gern zu Fuß gehen, können Sie in Leningrad schwerlich ohne Verkehrsmittel auskommen. Viele Bau- und Geschichtsdenkmäler, von denen im Rahmen eines Themas erzählt wird, liegen bisweilen 10 bis 15 km voneinander entfernt.

Die Spaziergänge, die dieses Buch empfiehlt, sind recht bedingt. Ausgehend von Ihren Möglichkeiten und Wünschen, können Sie sich selbst ein Programm für die Besichtigung der Stadt und ihrer Sehenswürdigkeiten zusammenstellen.

Man kann sich in Leningrad schwer verirren, denn die Stadt ist größtenteils klar geometrisch geplant. Als Orientierungspunkte dienen Ihnen die breite Newa, die sich mit keinem anderen Fluß der Stadt verwechseln läßt, sowie die höchsten Punkte der Stadt: der Fernsehturm, die Turmspitze der Peter-und-Pauls-Kathedrale, die Spitze der Admiralität und die goldene Kuppel der Isaaks-Kathedrale.

Sollten Sie Ihr Hotel, eine Straße, einen Platz oder ein Museum nicht finden können, wird Ihnen ein beliebiger Leningrader dabei gern helfen und auch die Linie eines öffentlichen Verkehrsmittels nennen, das Sie benutzen sollen. Die Leningrader sind für ihre Gastfreundschaft berühmt, sie sind stolz auf ihre Stadt und hängen sehr an ihr. Sie dürfen aber nicht vergessen, daß in der Touristensaison überall viele Zugereiste sind, die Leningrad nicht besser kennen als Sie.

Das Programm eines mehr als viertägigen Aufenthaltes in Leningrad kann eine **Spazierfahrt „Auf den Flüssen und Kanälen Leningrads"** vorsehen, die 1 Stunde 15 Minuten dauert. Sie beginnt an der Ermitage-Anlegestelle. Auf der Spazierfahrt machen sich die Touristen mit der Architektur, der Geschichte und Gegenwart verschiedener Bezirke im Zentralteil der Stadt bekannt. Die Fremdenführer erzählen Ihnen über die Paläste, Parks, Denkmäler, Brücken, Ufer, Hochschulen, Institute und Theater, die mit den Namen hervorragender Persönlichkeiten, bedeutsamen Geschichtsereignissen und dem regen heutigen Leben verbunden sind.

STADTSPAZIERGÄNGE

Erste Bekanntschaft (Ufer der Wassili-Insel)

Strelka (Spitze) der Wassili-Insel (Strelka Wassiljewskowo ostrowa) — Universitäts-Ufer (Universitetskaja nabereshnaja) — Leutnant-Schmidt-Ufer (Nabereshnaja lejtenanta Schmidta). Das wird Ihr erster Spaziergang durch Leningrad sein, falls Sie unseren Vorschlag annehmen.

Die Besichtigungsobjekte liegen nahe beieinander. Die Spitze der Wassili-Insel, wo Sie Ihren Spaziergang beginnen, und das Leutnant-Schmidt-Ufer, wohin er Sie führen wird, sind ziemlich weit voneinander entfernt. Für jeden Fall sollten Sie sich einige öffentliche Verkehrsmittel merken, die Sie benutzen können, um

— die Besichtigung auf dem Puschkin-Platz (Puschkinskaja plostschadj) zu beginnen: Obus 1, 6, 7, 9; Bus 7, 10, 30, 44, 45, 60; Strb. 21, 26; 31

— das Universitäts-Ufer entlang zu fahren: Obus 6; Bus 7, 10, 30, 44, 47, 60

— und vom Leutnant-Schmidt-Ufer ins Stadtzentrum zurückzukehren: Bus 60; Strb. 15, 26.

Die Reihenfolge der Besichtigungsobjekte ist auf unseren Schemen mit Ziffern angegeben. Im Begleittext der Schemen finden Sie die Adressen der architektonischen und geschichtlichen Sehenswürdigkeiten, von denen im entsprechenden Kapitel die Rede ist. Nachstehend sind Museen angeführt, die Sie auf Ihrem Spaziergang besuchen können.

Die Denkmäler werden hier und im weiteren gewöhnlich mit ihren ursprünglichen Namen oder nach ihrer ursprünglichen Zweckbestimmung bezeichnet.

WASSILI-INSEL (Wassiljewski ostrow)

Von zwei Seiten wird die Insel von der Großen und der Kleinen Newa (Flußarme der Newa) umspült, die ins Meer münden, und im Westen vom Meerbusen. Die Große und die Kleine Newa verzweigen sich an der östlichen Spitze — der Strelka der Wassili-Insel.

77

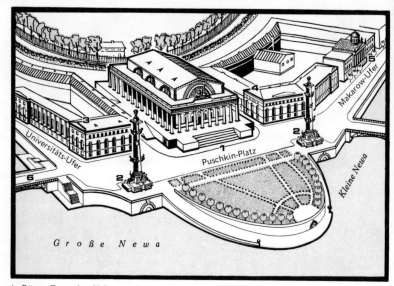

1. Börse Zentrales Kriegsmarinemuseum, Puschkin-Platz 4 **2.** Rostrasäulen **3.** Südliches Lagerhaus Zoologisches Institut, Zoologisches Museum d. A. d. W. d. UdSSR. Universitäts-Ufer 1 **4.** Nördliches Lagerhaus, Zentrales Bodenkundemuseum „W. Dokutschajew". Makarow-Ufer 2 **5.** Zollamt, Institut für russische Literatur (Puschkin-Haus), Literarmuseum. Makarow-Ufer 4. **6.** Palais-Brücke

Peter I. wußte die günstige geographische Lage der Insel zu schätzen und beschloß, gerade dort das Verwaltungszentrum der neuen Metropole errichten zu lassen.

Die beiden Pläne für die Stadtbebauung, die noch zu Peters Lebzeiten (er starb 1725) d. h. 1711 von Domenico Trezzini und 1717 von Jean Baptiste Le Blond entworfen wurden, sahen den Bau von Kanälen auf der Wassili-Insel vor. Diese Aufgabe erwies sich jedoch als zu kompliziert, es wurde lediglich ein Teil der geplanten Kanäle ausgehoben. Die Pläne von Trezzini und Le Blond blieben zwar auf dem Papier, beeinflußten jedoch die Bebauung der Wassili-Insel. In der ersten Hälfte des 18. Jahrhunderts wurden dort die Residenz des Generalgouverneurs, Wohnsitze hoher Würdenträger, der Handelshof — Gostiny dwor — errichtet und begann man mit der Errichtung des Gebäudes „Zwölf Kollegien", für die obersten Körperschaften der Staatsverwaltung, und mit dem Bau eines Hauses für das erste öffentliche Museum der Stadt und des Landes.

Peter I. erließ zahlreiche Verordnungen, nach denen sich die Einwohner vor allem auf dieser Insel anzusiedeln hatten. Da aber Brücken über die Große und die Kleine Newa fehlten und die Insel nach dem Zufrieren der Flüsse sowie bei Eisgang und Stürmen von der übrigen Stadt abgeschnitten war, konnten diese nicht realisiert werden, was nicht zuletzt das Schicksal der Wassili-Insel bestimmte.

Petersburg. XVIII. Jahrhundert. Blick auf die Wassili-Insel (Aquarell)

Die Idee, das Verwaltungszentrum dort zu bauen, wurde Mitte des 18. Jahrhunderts endgültig verworfen. Der Kern der Stadt bildete sich an dem anderen, dem linken Newa-Ufer heraus, zu dem die wichtigsten Verkehrsstraßen aus anderen Gebieten des Landes hinführten. Die Kanäle auf der Wassili-Insel mußten zugeschüttet werden. Aus der Zeit Peters I. erbte die Stadt die klare rechtwinklige Planung dieses Teils. Parallel zur Newa verlaufen anstelle der drei Hauptkanäle drei Prospekte: Bolschoi (der Große), Sredni (der Mittlere) und Maly (der Kleine). Sie werden rechtwinklig von Straßen gekreuzt, die „Linien" heißen. Jede Seite der Linie trägt ihre laufende Nummer und erinnert an die Ufer der schmalen Kanäle, die zu Peters Lebzeiten geplant wurden. Es gibt insgesamt 29 Linien, abgesehen von einer, die sich mit dem Bolschoi-Prospekt nicht rechtwinklig schneidet und deshalb Kossaja-Linie (die Schräge) heißt.

1733 wurde der Seehafen an die Strelka der Wassili-Insel verlegt und bis 1855 benutzt. In der Nähe des neuen Hafens entstanden das Handelszentrum mit der Börse, den Lagerhäusern und dem Zollamt. So bildete sich das Bauensemble der Strelka.

Mit der Zeit gestaltete sich die Insel, der es nicht beschieden worden war, das Hauptverwaltungszentrum der Stadt zu werden, zu einem ihrer wichtigsten Kultur- und Wissenschaftszentren. Manchmal wird die Strelka als Museumsviertel bezeichnet. Dort befinden sich 8 Museen, 4 Hochschulen, darunter die Universität, viele Institutionen der Akademie der Wissenschaften der UdSSR sowie Forschungs- und Projektierungsinstitute.

Als auf der Strelka der Wassili-Insel die wichtigsten Bauten aufgeführt wurden, existierte die Kirow- (ehemalige Troizki-)Brücke noch nicht. Die Achse der Strelka ist aber so gelegen, daß das Bauensemble gerade von dieser Brücke, besonders von ihrer Mitte, den schönsten Anblick bietet.

> ... Ich eilte zum Palais-Ufer nahe der Troizki-Brücke, von wo man mir empfohlen hatte, die Stadt zu besichtigen.
>
> Ich muß sagen, daß dies einer der besten Ratschläge war, die mir je im Leben gegeben wurden.
>
> Ich weiß wirklich nicht, ob es noch irgendwo in der Welt eine Landschaft gibt, die sich mit dem Panorama vergleichen ließe, das sich meinen Augen bot.
>
> ... Stellt man sich mit dem Rücken zur Festung und mit dem Gesicht gegen die Flußströmung, so verändert sich das Panorama, das jedoch überwältigend bleibt...
>
> A. DUMAS

An der Strelka befindet sich eine der breitesten Stellen der Newa: bis zu 600 m. Breiter ist sie nur an der Mündung. Von der Strelka sieht man, wie sich die Newa in zwei Arme teilt, — die Kleine Newa und die Große Newa.

DIE NEWA

Sie enströmt dem Ladogasee und mündet in den Finnischen Meerbusen. Ihre Länge beträgt 74 km, von denen 32 km das Weichbild der Stadt durchqueren. (Diese Strecke vergrößert sich aber mit dem Wachstum der Stadt.) Die durchschnittliche Breite erreicht 400—600 m, die Tiefe bis zu 24 m, größtenteils aber 8—11 m. Der Strom ist in seiner ganzen Länge schiffbar. Eisfrei ist er etwas mehr als 200 Tage im Jahr.

Betrachtet man die Newa auf dem Stadtplan, versteht man die architektonische Plankomposition der Stadt, die sich historisch herausgebildet hat.

Die Errichtung der Stadt begann an mehreren Uferstellen der Newa gleichzeitig, so daß der Bau die Mündung erreichte und weit stromaufwärts rückte. Die Hauptwasserader der Stadt wurde zu ihrer Hauptstraße. Ab 1716 durften laut einer Verordnung längs des Flusses nur noch Steinbauten errichtet werden. Nach und nach entstanden an beiden Ufern einheitliche Bauensembles aus den schönsten Gebäuden der Stadt. Durch eine einheitliche künstlerische Idee verbunden, bildeten sie ihr architektonisches Zentrum.

Die Schönheit des Hauptstroms der Stadt wurde von vielen Dichtern besungen. Die Newa wurde „ewig", „unübersehbar", „weitläufig" und „geheimnisvoll" genannt... Über die Newa schrieben und schreiben aber nicht nur Dichter, sondern auch Wissenschaftler. Es gibt wohl kaum einen anderen Fluß, dem so viele Abhandlungen gewidmet wären. Das liegt am „schwierigen Charakter" der Newa. Sie bleibt immer wasserreich und trägt ebenso viel Wasser ins Meer wie der Nil. Seit dem Bestehen der Stadt stieg ihr Wasserspiegel gut 300mal auf mehr als anderthalb Meter über den Normalwasserstand, ja mehrmals bis zu einem Pegelstand, der katastrophale Überschwemmungen verursachte. Zum Schutz der Stadt vor den Überschwemmungen wurden viele Projekte vorgeschlagen. Gegenwärtig besteht ein Projekt zum gründlichen Schutz Leningrads vor dem Element. Einzelheiten darüber können Sie im Kapitel „Neubaugebiet auf der Küste der Wassili-Insel" erfahren.

PANORAMA DER NEWA-UFER

Stellen Sie sich in die Mitte des Strelka-Ufers mit dem Gesicht zur Newa, und Sie erblicken direkt vor sich die langen, gedrungenen grauen Mauern der Peter-und-Pauls-Festung. Auf dem Festunggelände ragt der berühmte Glockenturm der Peter-und-Pauls-Kathedrale mit ihrer schlanken vergoldeten Spitze empor. Bis in die Mitte des 20. Jahrhunderts blieb die Kathedrale mit ihren 122,5 m der höchste Bau der Stadt. Als sie errichtet wurde, pflegte Peter I. mit einem Fernrohr auf das Baugerüst zu klettern, um von dort das Panorama der entstehenden Stadt zu betrachten.

Heute ist der Turm der Leningrader Fernsehzentrale mit 321 m der höchste Bau der Stadt. Seine durchbrochene Konstruktion ist beim klaren Wetter links von der Festung in der Ferne sichtbar.

Rechts von der Festung erblicken Sie eine der neun Newabrücken: die **Kirow-Brücke** (errichtet 1903; der bewegliche Brückendurchlaß wurde 1965—1967 umgebaut. Die Brücke ist 600 m lang, die Schiffahrtsöffnung — 43,2 m breit). Es ist die zweitlängste Brücke der Stadt. (Die längste ist die **Alexander-Newski-Brücke,** die den Strom hinter der Biegung flußaufwärts überspannt, sie erreicht 905 m.) Die Kirow-Brücke zeichnet sich durch eine geglückte architektonische Gestaltung aus. Sie gehört zu den schönsten Bauwerken dieser Art. Außer der Kirow-Brücke finden Sie in Leningrad noch 21 aufziehbare Brücken.

Hinter der Kirow-Brücke erhebt sich das 12geschossige **Intourist-Hotel „Leningrad"** (errichtet 1970, der Entwurf stammt von einer Arbeitsgemeinschaft unter der Leitung von S. Speranski und wurde 1973 mit einem Staatspreis ausgezeichnet). Das gewaltige Bauwerk mit Granitauffahrten und Treppen, die zum Ufer hinabführen, fügte sich organisch in die Landschaft ein. Hotel „Leningrad" können Sie auf anderen Spaziergängen durch die Stadt besichtigen.

An der linken Newaseite endet die Kirow-Brücke am Palais-Ufer (Dworzowaja nabereshnaja), dessen Bauensembles Sie noch in allen Einzelheiten kennenlernen werden. Schauen Sie aber von der Strelka zum Palais-Ufer hinüber, erblicken Sie viele Bauwerke, zu denen Sie auf Ihren weiteren Spaziergängen gelangen werden.

Unweit der Kirow-Brücke fällt am Palais-Ufer rechterhand ein dreigeschossiges graues Gebäude mit hellen Pilastern auf, die im ersten Stock beginnen. Es ist das sogenannte Marmor-Palais, in dem heute die Leningrader Filiale des Zentralen Lenin-Museums untergebracht ist.

Gehen sie von der Mitte der halbrunden Strelka-Terrasse etwas nach rechts, gelangen Sie zur Palais-Brücke, gebaut 1908—1914, 1939 bekam sie ihr Eisengeländer, 1977 umgebaut. Länge 250 m, Breite 27,8 m. Den Ausmaßen des beweglichen Brückendurchlasses nach gehört sie zu den bedeutendsten Bauwerken dieser Art. Von der Palais-Brücke aus erblicken Sie am gegenüberliegenden Ufer die Gebäude des Winterpalais und der Ermitage.

Hinter der Palais-Brücke sind an der nächsten linken Uferstraße, dem Admiralitäts-Ufer, die Seitengebäude der Admiralität sichtbar und über dem Zentralteil des Gebäudes die schlanke Turmspitze mit dem kleinen Schiff.

Später können Sie stundenlang in der Stadtmitte umherspazieren und sich an den Uferstraßen und Prospekten ergötzen; die erlesene Schönheit der Admiralitätsspitze, einer Zierde der Stadt, wird Ihnen stets in Erinnerung bleiben. Über sie gibt es die unsterblichen Zeilen Puschkins:

> *Wenn ich im Zimmer, traumerwacht,*
> *Schreib', lese ohne Licht und Lampe,*
> *Wenn klar vor meines Fensters Rampe*
> *Das hehre Bild der Stadt ersteht*
> *Und von der Admiralität*
> *Mich grüßt der Nadel Goldgefunkel ...*

Noch weiter rechts erkennen Sie die goldene Kuppel der Isaaks-Kathedrale.

Das Palais-Ufer wurde als eines der ersten angelegt. Das große städtebauliche Vorhaben — die Einfassung der Newa-Ufer in Granit —, das in Petersburg in den 60er—80er Jahren des 18. Jahrhunderts verwirklicht wurde, erforderte von den Bauleuten viel Erfindergeist und wahrhaftig titanische Anstrengungen.

> *In einigem Abstand von der Grenze zwischen Wasser und Festland wurden Pfähle in den Grund eingerammt. Zwischen Pfählen und Ufer schüttete man große Steine und Kies auf. Dieses künstlich erhöhte Ufer wurde mit behauenen Granitblöcken ausgelegt, die man mit Metallverbindungen befestigte. Die Granitblöcke sind über zwei Meter lang.*
> *Durch die Uferstraßen wurde das Bild des Zentralteils der Stadt völlig verwandelt. Sie wurden solide gebaut, damit sie jahrhundertelang dienen konnten. Als vor verhältnismäßig kurzer Zeit bemerkt wurde, daß ein Uferabschnitt etwas abzusacken begann, stellte sich heraus, daß dies durch ein Geschoß verursacht wurde,*

das während der Blockade in die Newa gefallen und unter Wasser krepiert war. Offenbar hatte es einen Teil des Pfahlrostes beschädigt und die starke Flußströmung diese Stelle unterwaschen. Die Taucher entdeckten unter Wasser eine ungefähr zehn Meter tiefe Aushöhlung, die zugeschüttet und zugemauert wurde.
    Mit der Zeit wird die granitene Ufereinfassung grau. Man „verjüngt" sie dann mit Hilfe von Sandstrahlern. Der Stein erhält seine natürliche rosige Farbe wieder und die Glimmereinsprengungen ihren Glanz.

Die granitene Newa-Einfassung ist ein wertvoller Schmuck der Stadt.

Auf Ihren Spaziergängen durch Leningrad werden Sie zu zahlreichen verschiedengeformten Treppen gelangen, die sich zur Newa hinunterschwingen. Sie scheinen wie von Bildhauern geschaffen. An ihrer Projektierung beteiligten sich angesehene Baumeister, deren Ideen unter den Händen kunstfertiger Steinmetze Gestalt gewannen. Zu ihnen gehörte auch der begabte russische Meister Samson Suchanow, Sohn eines Hirten. Ihm war es nicht beschieden, Kunstausbildung zu erhalten, er schuf aber den plastischen Schmuck der Kasaner Kathedrale und der Bergbauhochschule mit und leitete den Bau der Uferstraße der Strelka. Unweit vom Winterpalais wird die Granitbrüstung durch eine in ihrer strengen Schlichtheit schöne schräge Fläche unterbrochen, die mit Kopfsteinen gepflastert und mit Eisenringen versehen ist, an denen einstmals Schiffe festmachten. Am linken Newa-Ufer können Sie auf den schmalen bogenförmig angelegten Steintreppen zum Wasser hinabsteigen. Sie beginnen oben, am Halbrund mit einer granitenen Bank, und treffen sich unten auf einer Plattform, die von Newa-Wasser umspült wird. Es gibt auch Abstiege zum Wasser, als breite gerade Treppen. Zwei befinden sich bei der Admiralität. Eine ist mit Porphyrvasen, die andere mit bronzenen Löwenfiguren geschmückt.

Der plastische Schmuck der Stadt und ihrer Umgebung weist zahlreiche Löwenfiguren auf: in Eisen, Bronze und Stein, mit und ohne Flügel, auch in Gestalt von Sphinxen und Greifen. Sie bewachen die Hauseingänge, schmücken Fontänen, Brücken und Uferstraßen.

Die Granitbrüstung längs des Strelka-Ufers ist von der Newaseite mit Löwenmasken geschmückt. Sie tragen Ringe, an denen die einlaufenden Schiffe festmachten.

Einstmals wallte an der Stelle, wo sich heute das Halbrund der granitenen Strelka-Terrasse befindet, die Newa. Um dort einen Platz zu schaffen (Puschkin-Platz, früher Börsen-Platz), wurde der Fluß durch Erdaufschüttung um 100 bis 120 m zurückgeschoben. Die an bei-

den Seiten sanft zum Wasser hinabführenden Rampen hatten ursprünglich lediglich eine praktische Bestimmung: Sie dienten für die Be- und Entladung der Schiffe. Heute scheinen diese bepflasterten Böschungen eigens für Spaziergänge geschaffen zu sein. Dicht am Wasser werden sie von massiven Granitblöcken abgeschlossen, die als Sockel für riesige, ebenfalls granitene Kugeln dienen. Diese scheinen sich wie durch ein Wunder auf dem Sockel zu halten, den sie nur an einem Punkt berühren.

An der Strelka-Terrasse beginnt der Weg, auf dem Sie die wichtigsten Sehenswürdigkeiten des rechten Ufers der Newa, dieses „Chefarchitekten der Stadt", richtig kennenlernen werden.

BAUTEN DER STRELKA DER WASSILI-INSEL
BÖRSE

1805—1810, Entwurf T. de Thomon unter Teilnahme von A. Sacharow. Höhe 30 m. 44 Säulen von je 11 m Höhe. Breite der Außentreppen 40 m. Fläche der Haupthalle 900 m², Höhe 25 m. Figurengruppen von S. Suchanow. Als Fondsbörse diente das Gebäude bis 1885. Seit 1940 beherbergt es das Zentrale Kriegsmarinemuseum.

Der Architekt Thomas de Thomon orientierte das Börsengebäude streng auf die Achse der Strelka. Schon von weitem konnten Sie sehen, daß die Börse das Kernstück des Bauganzen bildet. Das Gebäude ruht auf einem mächtigen Granitsockel und erinnert an einen antiken Tempel. Die Säulen umgeben das Gebäude in regelmäßigen Abständen und bilden eine weitläufige offene Terrasse.

Die Attika der Hauptfassade und der ihr gegenüberliegenden Fassade schmücken allegorische Figurengruppen: die eine stellt Neptun, den Gott des Meeres, dar, der in Begleitung zweier Flüsse, der Newa und des Wolchow, mit einem Wagen aus den Wogen steigt, die andere — die Göttin der Schiffahrt und Merkur, den Gott des Handels, umgeben von den zwei Flüssen.

An beiden Seiten führen breite Freitreppen und Rampen zur Terrasse der Börse. Die Treppen sind so breit, daß sie schon zweimal als Bühnen dienten. Schon in der sowjetischen Zeit wurden dort Schauspiele unter Mitwirkung von 2000 Personen veranstaltet.

Fast das ganze Innere des Gebäudes nimmt der mit Marmor bedeckte und mit Skulpturen geschmückte Zentralsaal ein. Am Eingang stehen allegorische Figuren: Zeit, Überfluß und Gerechtigkeit, auf der gegenüberliegenden Seite Handel und Schiffahrt.

Das Zentrale Kriegsmarinemuseum, das heute seine Räume im Gebäude der ehemaligen Börse hat, gehört mit zu den ältesten und interessantesten der Stadt. Es wurde 1805 gegründet. Seine Vorgängerin war die 1709 von Peter I. geschaffene „Modell-Kammer", eine Aufbewahrungsstätte für Modelle und Zeichnungen von Kriegsschiffen. Heute besitzt das Museum mehr als eine halbe Million Gegenstände, unter ihnen eine überaus wertvolle Sammlung von Schiffsmodellen (etwa 1500). Dort sind ferner Kampf- und Ehrenbanner, Waffen, verschiedene mit der Geschichte der russischen und der sowjetischen Flotte verbundene Dokumente sowie Werke von Marinemalern ausgestellt.

ROSTRASÄULEN

1805—1810. Architekt T. de Thomon. Höhe 32 m. Höhe der Plastiken 5 m. Meister S. Suchanow

Nachdem das Projekt der Börse von der Akademie der Künste bestätigt worden war, fand die feierliche Grundsteinlegung statt. Unter dem Grundstein verbarg man eine Goldmedaille, auf der das Gebäude der Börse, die Uferstraße und die Rostrasäulen abgebildet sind, die damals alle erst auf dem Papier bestanden.

Der Name der Säulen stammt vom lateinischen Wort „rostrum" — Schiffsschnabel — und ist auf eine alte römische Tradition zurückzuführen, nach der der abgesägte Schnabel der eroberten feindlichen Schiffe nach gewonnener Schlacht als Trophäe an Triumphsäulen angebracht wurde. Die Säulen auf der Strelka sind als Monumente des Kriegsruhms der Seemacht Rußlands gedacht und mit kupfernen Rostren geschmückt. Während der Blockade wurden sie stark beschädigt. Die heute angebrachten sind nach dem Krieg neu gegossen worden.

Die Rostrasäulen sind aus Steinblöcken zusammengefügt und haben oben Plattformen mit metallischen Unterlagen für Leuchten. Zu diesen Plattformen führen im Inneren der Säulen Wendeltreppen, die man benutzte, um riesige Fackeln anzuzünden. Die Rostrasäulen dienten ja für den Seehafen auch noch als Leuchttürme. 1957 bekamen sie Gasanschluß, so daß dort jetzt an Festtagen wirkungsvolle Fackeln von 7 m Höhe lodern.

Aus der Nähe betrachtet, scheint die Gestaltung der Säulen etwas grob. Auch die massiven allegorischen Sockelfiguren, die die russischen Ströme Newa, Wolchow, Wolga und Dnepr versinnbildlichen, weisen keine detaillierte Ausführung auf. Die Rostrasäulen sind für eine Betrachtung aus großer Ferne berechnet.

Die symmetrisch angeordneten Rostrasäulen betonen das Halbrund des Platzes vor der Börse. Das dumpfe Ziegelrot der Rostrasäulen sticht scharf vom grellen Weiß der Säulen am Börsengebäude ab. Einen günstigen Vordergrund bildet die 1926—1927 auf dem Platz entstandene Grünfläche. Im Frühling werden dort Tausende Tulpen gepflanzt. Ihre Zwiebeln wurden der Stadt von holländischen Blumenzüchtern geschenkt.

Gebäude der ehemaligen Börse (rechts ein Fragment der Rostrasäule)

SÜDLICHES UND NÖRDLICHES LAGERHAUS

1826—1832. Entwurf A. Sacharow, errichtet unter der Leitung von I. Luchini, ursprünglich für die Lagerung von Hafenfrachten bestimmt. Im Südlichen Lagerhaus befindet sich seit 1900 das Zoologische Museum, im Nördlichen seit 1904 das Zentrale Bodenkundemuseum „W. Dokutschajew".

Die neben der Börse symmetrisch angeordneten Lagerhäuser, zwei weniger geräumige Bauten von heller graugrüner Farbe und unauffälligen Formen, ziehen den Blick des Betrachters kaum an. Das entspricht durchaus der Idee der Baumeister, denn drei majestätische Gebäude würden miteinander konkurrieren. In der Gestalt, die ihnen verliehen wurde, dienten die Häuser als neutraler Hintergrund für das monumentale Gebäude der Börse.

Die zweigeschossigen halbrunden Lagerhausfassaden verlaufen an der dem Puschkin-Platz gegenüberliegenden Seite in einem Bogen von gleichem Durchmesser wie die Uferstraße der Strelka.

Nachdem der Seehafen die Strelka „verlassen" hatte, erhielten die Lagerhäuser eine neue Zweckbestimmung. In das innen umgebaute Südliche Lagerhaus zogen das Zoologische Institut und das Zoologische Museum der Akademie der Wissenschaften der UdSSR ein. Das Museum besitzt über 40 000 Exponate, die dem Besucher die Fauna der Welt veranschaulichen. Viele sind einmalig. Im Mammut-Saal des Museums ist ein ausgestopftes Mammut zu sehen.

Festmachering auf der
Strelka-Uferstraße

Rostrasäule

Das im Nördlichen Lagerhaus untergebrachte Zentrale Bodenkundemuseum wurde auf der Grundlage der Sammlungen des hervorragenden russischen Gelehrten W. Dokutschajew gegründet. Die Museumsschau vermittelt eine Vorstellung von der Struktur verschiedener Bodenarten und von den Methoden zur Erhöhung ihrer Ertragsfähigkeit.

ZOLLAMT

1829—1832. Architekt I. Luchini (vermutlich unter Beteiligung von W. Stassow). Heute Institut für russische Literatur der A. d. W. der UdSSR („Puschkin-Haus") und Literaturmuseum des Instituts für russische Literatur der A. d. W. der UdSSR.

Das Zollamtsgebäude steht unweit des Nördlichen Lagerhauses, rechterhand von der Fondsbörse (von der Strelka-Ufer zu sehen). Seine Hauptfassade ist der Kleinen Newa zugekehrt. Mit diesem Bauwerk fand die Gestaltung des Strelka-Ensembles ihren Abschluß. Es hat einen Achtsäulen-Portikus, am Giebel befinden sich Kupferfiguren des Merkur, des Neptun und der Ceres. Die Kuppel des Zollamtes diente als Beobachtungstelle, von der die Ankunft von Handelsschiffen signalisiert wurde.

Im ehemaligen Zollamt befindet sich heute das Literaturmuseum. Seine Gründung begann mit der Anschaffung der privaten Bibliothek Alexander Puschkins und seiner Manuskripte nach der Ausstellung von

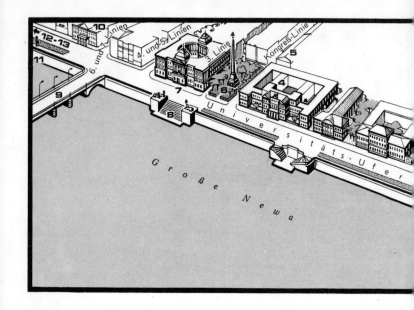

1899, die dem 100. Geburtstag des großen Dichters gewidmet war. Heute ist dieses Museum, das in der UdSSR über die größte Sammlung von Kunstwerken und Dokumenten zur Geschichte der russischen Literatur verfügt, ein großes wissenschaftliches Zentrum. Zu seiner Schau gehören Gedenkstücke, die mit dem Schaffen von Puschkin, Lermontow, Gogol, Turgenjew, Lew Tolstoi, Dostojewski und anderen russischen Schriftstellern verbunden sind, Manuskripte, Erstausgaben ihrer Werke und Porträts.

UNIVERSITÄTS-UFER
(Universitetskaja nabereshnaja)

Sie haben das Bauganze der Strelka besichtigt. Nun schlagen wir Ihnen vor, sich in die Zeit zurückzuversetzen, als die Geschichte der Wassili-Insel erst begann.

Dazu brauchen Sie nur vom Puschkin-Platz auf das Universitäts-Ufer hinter der Palais-Brücke hinüberzugehen.

Bei Ihren Spaziergängen durch Leningrad werden Sie ganz bestimmt auf den Platz der Dekabristen und zu dem Denkmal kommen, das „der Eherne Reiter" genannt wird (siehe: „Zentral-plätze").

Wir empfehlen Ihnen, von dort, vom anderen Newa-Ufer aus, das Panorama des Universitäts-Ufers zu überblicken. Am Morgen

1. Kunstkammer. Ethnographisches Institut d. A. d. W. d. UdSSR. „Miklucho-Maklai". Museum für Antropologie und Ethnographie „Peter der Große". Lomonossow-Museum. Universtitäts-Ufer 3 2. Akademie der Wissenschaften (Hauptgebäude). Universitäts-Ufer 5 3. „Zwölf Kolegien". Leningrader Staatsuniversität „A. Shdanow". Universitäts-Ufer 7 4. Menschikow-Palais. Universitäts-Ufer 45 5. Erstes Kadettenkorps. Kongreßlinie 1—5 6. Obelisk zu Ehren der Siege der russischen Armee von 1768—1774. Rumjanzew-Obelisk 7. Akademie der Künste. Universitäts-Ufer 17 8. Anlegestelle mit Sphinxen 9. Leutnant-Schmidt-Brücke 10. Haus der Akademiemitglieder. Leutnant-Schmidt-Ufer 2 11. Admiral-Krusenstern-Denkmal 12.—13. Zum Marine-Kadettenkorps. Leutnant-Schmidt-Ufer 17. Zum Bergbauinstitut und Bergbaumuseum. Leutnant-Schmidt-Ufer 45

wie in der Abenddämmerung, am Tage wie spät abends wird sich Ihnen ein unvergeßlicher Anblick bieten.

Das Universitäts-Ufer ist in Leningrad der einzige Ort, wo so gut wie jedes Haus ein Baudenkmal aus dem 18. Jahrhundert ist.

Ganz am Anfang des Universitäts-Ufers steht das Gebäude der ehemaligen

KUNSTKAMMER

1718—1734. Architekten G. Mattarnovi, G. Chiaveri, M. Semzow, N. Gerbel und S. Tschewakinski. Länge über 95 m, Höhe des Turms 45 m. Seit 1728 Museum, öffentliche Bibliothek, Observatorium, verschiedene Institutionen der Russischen Akademie der Wissenschaften. Seit 1903 Museum für Anthropologie und Ethnographie „Pjotr Weliki". Dort befinden sich auch das Institut für Ethnographie „N. Miklucho-Maklai" und das Michail-Lomonossow-Museum.

Die Fassade der Kunstkammer besteht aus drei Teilen: zwei gleichartigen Baukörpern und dem sie verbindenden, abgestuften Turm. Das „heidnisch-heitere" Bild der Kunstkammer ist so eigenartig und malerisch, daß man dieses Gebäude mit keinem anderen verwechseln wird.

In der Stadt gibt es wohl kaum ein anderes Bauwerk, das in seiner Geschichte so viele Male umgestaltet worden war wie die Kunstkam-

mer. Wir haben bei weitem nicht alle Baumeister genannt, die sich an ihrem Umbau beteiligten — sie lassen sich schwerlich aufzählen.

Dreimal mußte der Turm aufgeführt werden. Der erste stürzte bald nach der Errichtung ein, der zweite brannte ab, und der dritte unterschied sich derart von dem ursprünglich konzipierten, daß er das ganze Ensemble störte. 1947—1949 errichteten sowjetische Architekten nach den erhalten gebliebenen alten Zeichnungen und Stichen den jetzigen Turm mit der schlanken Silhouette, die der ersten und besten Variante nahekommt.

Die Stuckdecke im Erdgeschoß der Kunstkammer wurde 1760 im Barockstil ausgeführt. Die allegorischen Flachreliefs „Rußland" und „Das feiernde Europa" sind aus den 70er Jahren des 18. Jahrhunderts erhalten geblieben, ebenso das Bildnis des großen Mathematikers L. Euler.

Das repräsentative Äußere der Kunstkammer war nicht nur durch den Standort des Gebäudes, sondern auch durch seine Zweckbestimmung bedingt worden. Die Kunstkammer ist das erste Bauwerk Rußlands, das ausschließlich für wissenschaftliche Institutionen und Bildungsstätten geschaffen wurde.

Seinen Namen hat das Gebäude dem ersten naturwissenschaftlichen Museum Rußlands zu verdanken. (Ursprünglich wurden die Sammlungen der Kunstkammer in anderen Räumlichkeiten ausgestellt.) Astronomische Instrumente, geographische Karten, seltene Bücher, Mineralien und verschiedene andere Raritäten wurden seit 1714 auf Anweisung Peters I. und von ihm selbst zusammengetragen. Um

Universitätskai

die Besucher anzulocken, für die ein Museum damals etwas völlig Unbekanntes war, war nicht nur der Eintritt frei, man wurde auch noch mit einem Glas Wodka bewirtet.

In diesem altertümlichen Gebäude und einem Ende des 19. Jahrhunderts in der Nähe aufgeführten Bau ist heute das Museum für Anthropologie und Ethnographie „Pjotr Weliki" untergebracht, das zu den größten der Welt gehört. Seine Sammlung zählt heute mehr als 400 000 Gegenstände, die die Geschichte, Wirtschaft und Kunst der Völker der Welt veranschaulichen.

Das Gebäude der Kunstkammer beherbergt auch eine Gedenkstätte Michail Lomonossows, dieses russischen Universalgelehrten des 18. Jahrhunderts, der hier von 1741 bis 1765 arbeitete. Außer Büchern und Gebrauchsgegenständen des Gelehrten sind hier auch einmalige Forschungsgeräte aus dem 18. Jahrhundert zu sehen. Beachtenswert sind die Sammlung der von Lomonossow zusammengestellten Rezepte für die Herstellung von Buntglas, die Muster desselben und die Mosaikbilder aus Buntglas.

Im 5. Turmgeschoß ist ein einzigartiger Globus von über 3 m Durchmesser ausgestellt. An seiner Außenseite ist eine Karte der Erde, an der Innenseite der Sternenhimmel dargestellt. Im Globus finden 12 Menschen Platz. Durch einen Mechanismus entsteht der Eindruck, als bewege sich der Sternhimmel. Dieser Vorgänger der heutigen Planetarien wurde 1748—1754 in den Werkstätten der Petersburger Akademie der Wissenschaften unter Lomonossows Mitarbeit hergestellt.

Turm der Kunstkammer

Globus im Turm der Kunstkammer

Im zweiten Weltkrieg wurde der Globus, der sich seit 1901 in Zarskoje Selo (heute Puschkin) befand, von den Hitlerfaschisten nach Lübeck verschleppt. 1947 wurde er nach Leningrad zurückgebracht und nach seiner Restauration in der Kunstkammer aufgestellt.

AKADEMIE DER WISSENSCHAFTEN
(Hauptgebäude)

1783—1789. Architekt G. Quarenghi. Grundriß rechteckig. Fassadenlänge etwa 100 m. Heute Sitz der Leningrader Filiale des Instituts für Sprachkunde und anderer Institutionen der A.d.W. der UdSSR.

Dieses Gebäude mit dem monumentalen Achtsäulenportikus und dem auf den Gehsteig vorgeschobenen Paradeaufgang gehört zu den Bauwerken, die ganz besonders aus gewisser Entfernung wirken. Es ist eine der ersten und interessantesten Schöpfungen von Giacomo Quarenghi.

Die 1724 auf einen Erlaß Peters I. gegründete Akademie der Wissenschaften wurde zunächst im Gebäude der Kunstkammer untergebracht. Seit den 90er Jahren des 18. Jahrhunderts war das die Russische Akademie der Wissenschaften und seit 1925 die Akademie der Wissenschaften der UdSSR. 1934 wurde ihre Leitung nach Moskau überführt. In Leningrad befinden sich aber auch heute 30 Forschungsstätten der Akademie, unter ihnen, abgesehen von dem bereits erwähnten In-

Bergbauhochschule „G. Plechanow"

hat inzwischen auch benachbarte und mehr als 20 andere Bauten in
Besitz genommen —, es ist ihr darin zu eng geworden. Die Universität,
die 15 Fakultäten, rund 200 Lehrstühle, 7 Forschungsstätten und an die
100 Lehrlabors hat, zählt über 20 000 Studenten. Deshalb wurde im
Raum von Petrodworez, 29 km von Leningrad entfernt, der Bau eines
Universitätsviertels in Angriff genommen. Die Lehrgebäude und For-
schungslabors, Wohnhäuser und Sportanlagen werden inmitten eines
Parks an der Küste des Finnischen Meerbusens 850 ha einnehmen. Die
ersten Fakultäten haben dort bereits Einzug gefeiert.

MENSCHIKOW-PALAIS

1710—1714. Entwurf D.-M. Fontana, G. Schädel. Erbaut für A. Menschikow, den
ersten Gouverneur der Stadt und engsten Freund Peters I. Das Gebäude wurde
der Ermitage für die ständige Ausstellung „Die Kultur Rußlands im ersten Drittel des 18. Jahrhunderts" zur Verfügung gestellt.

Das Menschikow-Palais — der erste Wohnbau auf der Wassili-Insel, gehört zu den ältesten Gebäuden des Universitäts-Ufers. Der
Wohnsitz des Gouverneurs entstand zugleich mit dem Sommerpalais
Peters I., wurde jedoch großzügiger angelegt und reicher ausgestattet.
Auf dem Gesims der Fassade, deren Hauptschmuck Pilaster waren, die
jeweils nur ein Stockwerk erfaßten, standen Holzskulpturen. Zur Newa
führte eine Paradetreppe, denn vornehme Gäste kamen zu den Emp-

97

fängen und Audienzen auf dem Wasser. Das Palais wurde damals häufig als „Gesandtenpalais" bezeichnet.

Nach dem Tode Peters I. fiel A. Menschikow in Ungnade und wurde in die Verbannung geschickt. Das Gebäude erhielt eine Militärlehranstalt: das Erste Kadettenkorps.

Damals und in der Folgezeit wurde das Palais umgebaut. Wo es wissenschaftlich gerechtfertigt und praktisch möglich ist, soll das Palais sein ursprüngliches Aussehen und seine ursprüngliche Innenausstattung wiedererhalten.

Zur Zeit werden von Wissenschaftlern, Restauratoren und ihren freiwilligen Helfern, Mitgliedern der Unionsgesellschaft für Denkmalsschutz, Untersuchungen vorgenommen. Die Restauratoren entdeckten z. B. zwei symmetrisch angeordnete, gleich große Säle mit riesigen Bogen und Säulen in der Mitte sowie zwölf Arten Steingewölbe. Unter der Erdschicht im Souterrain wurden mit roten Ziegeln gemusterte Fußböden freigelegt und unter dem Rauhputz der Decke des Obergeschosses eine schöne Freskomalerei. Es wurden auch Dokumente aus Menschikows Archiv entdeckt. Seit den 20er Jahren des 18. Jahrhunderts ist das Gebäude um anderthalb Meter abgesackt. Es ist vorgesehen, die Souterrainfenster der südlichen Fassade freizulegen.

ERSTES KADETTENKORPS

1758—1760. Architekt unbekannt (vermutlich unter Mitwirkung von W. Bashenow). In der Folgezeit mehrere Anbauten. Sein heutiges Aussehen erhielt das Gebäude 1938.

Für das Kadettenkorps wurde neben dem Menschikow-Palais ein spezielles Gebäude aufgeführt, dessen Hauptfront der heutigen Sjesdowskaja-Linie, die im rechten Winkel zum Universitäts-Ufer verläuft, zugewandt ist.

Eine an der Wand des ehemaligen Kadettenkorpsgebäudes angebrachte Gedenktafel berichtet: „Vom 3. bis 24. Juni 1917 tagte in diesem Haus der Erste Gesamtrussische Sowjetkongreß der Arbeiter- und Soldatendeputierten, auf dem Wladimir Iljitsch Lenin zweimal das Wort ergriff. Am 4. Juni erklärte W. I. Lenin die Bereitschaft der bolschewistischen Partei, die Macht in ihre Hände zu nehmen. Am 9. Juni hielt W. I. Lenin eine Rede über den Krieg, in der er den Weg zum Abschluß eines demokratischen Friedens wies." Zum Andenken an dieses Ereignis wurde die Kadetten-Linie in die Sjesdowskaja(Kongreß)-Linie umbenannt.

RUMJANZEW-OBELISK

1799. Architekt V. Brenna. 1818 Komposition vom Architekten C. Rossi umgeändert.

Im Garten hinter dem Menschikow-Palais steht ein Obelisk zu Ehren der Siege der russischen Truppen unter Befehl von Feldmarschall Pjotr Rumjanzew-Sadunaiski im Krieg gegen die Türkei 1768—1774. Ursprünglich stand der Obelisk auf dem Marsfeld. Auf Anregung von C. Rossi wurde das Monument auf die Wassili-Insel gebracht und in der Nähe des Kadettenkorps aufgestellt, wo der Feldherr studiert hatte.

AKADEMIE DER KÜNSTE

1764—1788. Architekten A. Kokorinow und J.-B. Vallin de la Mothe. Das Gebäude hat einen beinahe quadratischen Grundriß mit einem eingezeichneten Kreis (großer runder Innenhof von 40 m Durchmesser). Im Gebäude sind die Leningrader Hochschule für Malerei, Bildhauerei und Baukunst „I. Repin", die größte Kunsthochschule der Welt, und das Forschungsmuseum der Akademie der Künste der UdSSR untergebracht. 1964 wurde dort auch die Wohnung Taras Schewtschenkos zu einem Museum gestaltet.

Am Ende des Universitäts-Ufers ragt das majestätische Gebäude der Akademie der Künste empor. Das Erdgeschoß bildet wie bei anderen großen Bauwerken der 60er und 70er Jahre des 18. Jahrhunderts einen Sockel. Die beiden Obergeschosse sind durch Säulen und Pilaster verbunden. Zwischen den vier Säulen des Portikus stehen Skulpturen des Herkules und der Flora.

„Die Akademie der drei herrlichsten Künste" (Malerei, Bildhauerei und Architektur) kann sich vieler begabter Maler, Bildhauer und Baumeister rühmen wie D. Lewizki, K. Brüllow, I. Repin, W. Serow; F. Schubin, P. Klodt, M. Antokolski; W. Bashenow, A. Woronichin, A. Sacharow.

A. Kokorinow, Mitschöpfer des Gebäudeentwurfs, war in der Folgezeit Professor und Direktor der Akademie der Künste. Viele im ganzen Lande bekannte Meister der bildenden Kunst, die unserer Kultur zum Ruhm verhalfen, wurden hier schon in den Jahren der Sowjetmacht ausgebildet.

Im Gebäude hat auch eines der ältesten Kunstmuseen des Landes sein Heim gefunden, das zur gleichen Zeit wie die Akademie entstanden ist. Seine Sammlung enthält die Diplomarbeiten ihrer Studenten seit dem Bestehen der Akademie. Bemerkenswert ist auch die Sammlung von Abgüssen hervorragender antiker und westeuropäischer Bildwerke. Viele Exponate veranschaulichen die Entwicklung der russischen Baukunst vom 11. Jahrhundert bis in unsere Tage. Dort befinden sich die Originalentwürfe und Skizzen von Architekten, unikale Modelle von Gebäuden wie der Isaaks-Kathedrale, des Smolny-Klosters und der Akademie der Künste selbst.

Es gibt dort außerdem das zu einer Gedenkstätte gemachte Atelier des großen ukrainischen Dichters und Malers Taras Schewtschenko, der an der Akademie der Künste studierte. Nach seiner Rückkehr aus der Verbannung (1858—1861) wohnte und arbeitete er in diesem Atelier.

> *1832—1834 wurde vor der Hauptfront der Akademie der Künste nach einem Entwurf des Architekten K. Thon eine Anlegestelle errichtet. Auf der oberen Terrasse sind zwei bronzene Leuchten angebracht, auf der unteren geflügelte Löwen: Greife. Oben wird die breite Treppe von zwei Steinfiguren (jede 3,6 m hoch und über 5 m lang) auf hohen Granitsockeln flankiert. Sie tragen die Aufschrift: „Dieser Sphinx wurde 1832 aus dem alten Theben in Ägypten in die Stadt des Heiligen Peter gebracht." Die Hieroglyphen an den Skulpturen rühmen den ägyptischen Pharao Amenhotep III., der von 1455 bis 1419 v. u. Z. lebte. Wie die Inschriften bezeugen, hat der Bildhauer den Skulpturen die Gesichtszüge dieses Herrschers verliehen. Die Sphinxe wurden bei Hochwasser vom Nil überflutet und lagen bis 1820 unter dem Schlamm begraben. Die russische Regierung kaufte sie Ägypten ab. Das Schiff mit den beiden Sphinxen, von denen jede über 23 Tonnen wiegt, brauchte vom Nil bis zum Newa-Ufer nahezu ein Jahr.*

LEUTNANT-SCHMIDT-UFER

Das Universitäts-Ufer wird vom Leutnant-Schmidt-Ufer durch die Leutnant-Schmidt-Brücke (Most lejtenanta Schmidta) getrennt.

LEUTNANT-SCHMIDT-BRÜCKE

1842—1850. Erste standfeste Brücke über die Newa (einstmals Blagowestschenski, später Nikolai-Brücke). 1937—1938 umgebaut und um 4 m verbreitet; 1975—1976 Belag des beweglichen Brückenteils modernisiert.

Zeugen ihrer Einweihung waren von ihrem Anblick begeistert.

„Am liebsten geht man jetzt auf der Blagowestschenski-Brücke spazieren, diesem wunderschönen Geschmeide der herrlichen Newa, einem in jeder Hinsicht brillanten Kunstwerk! Am Tage scheint sie durchsichtig zu sein, bei nächtlicher Beleuchtung aber ersteht sie als gewaltige Masse vor Ihnen...", lesen wir in den Erinnerungen eines Zeitgenossen. 80 Jahre später wurden die gußeisernen Bogen durch geschweißte Stahlkonstruktion ersetzt. Wieder war diese Brücke in einer Hinsicht die erste im Lande, nämlich die erste allseitig geschweißte Brücke. Sie behielt aber ihr schönes Eisengeländer, dessen Muster das Meereselement symbolisiert.

1918 wurden die Uferstraße und die Brücke umbenannt und führen seitdem den Namen des Helden der ersten russischen Revolution (1905) Pjotr Schmidt, der den Aufstand auf dem Kreuzer „Otschakow" leitete. P. Schmidt war Absolvent der Petersburger Marineschule.

HAUS DER AKADEMIEMITGLIEDER

50er Jahre des 18. Jh. Entwurf S. Tschewakinski, umgebaut 1808–1809 von den Architekten A. Sacharow und A. Beshanow. Zur Besichtigung steht die Wohnung von Akademiemitglied Iwan Pawlow frei.

Das dreigeschossige alte Gebäude an der Ecke der Uferstraße und der Şiebenten Linie (Sedmaja Linija) mit den Säulen und den eleganten Fenstereinfassungen ist eine Sehenswürdigkeit besonderer Art. An seiner Fassade sind 26 Gedenktafeln angebracht. In reichlich anderthalb Jahrhunderten wohnten und arbeiteten in diesem Haus Koryphäen der einheimischen und der Weltwissenschaft: der Erfinder des Lichtbogens W. Petrow, der hervorragende Mathematiker, Begründer der russischen Schule der Zahlentheorie, der Getriebelehre und der Funktionentheorie, P. Tschebyschew, der Umgestalter der russischen Orthographie J. Grot, der große Physiologe I. Pawlow u. a.

Die Wohnung, in der Iwan Pawlow von 1918 bis 1936 wohnte, kann als Museum besichtigt werden.

*

MARINE-KADETTENKORPS

1796–1798. Entwurf F. Wolkow. Heute Kriegsmarine-Hochschule „M. Frunse".

Anfang des 18. Jahrhunderts war der Abschnitt der Uferstraße, wo sich dieses Gebäude befindet, mit Wohnhäusern bebaut. Der Architekt F. Wolkow vereinigte die alten Bauten durch eine gemeinsame Fassade. Es war der erste Versuch der Modernisierung eines Stadtviertels.

Heute beherbergt das Gebäude eine der ältesten Kriegsmarine-Hochschulen unseres Landes, aus der zahlreiche hervorragende Flottenführer, Seefahrer und Wissenschaftler hervorgegangen sind. Admiral F. Uschakow, Begründer der russischen Kriegstaktik der Segelflotte, Admiral P. Nachimow, Held der Verteidigung von Sewastopol im Krim-Krieg von 1853–1856, Admiral M. Lasarew, Teilnehmer der Expedition des russischen Seefahrers F. Bellingshausen, die 1820 die Antarktis entdeckte, sowie andere angesehene Flottenführer.

Am 8. (21.) Mai 1917 referierte W. I. Lenin auf einer Stadtversammlung der Petrograder bolschewistischen Parteiorganisation in diesem Gebäude über die Ergebnisse der VII. Allrussischen (April-) Konferenz der Bolschewiki, die den konkreten Plan des Übergangs von der bürgerlich-demokratischen zur sozialistischen Revolution entworfen hatte.

DENKMAL DES ADMIRALS I. KRUSENSTERN

1873. Bildner I. Schröder, Architekt I. Monighetti.

Vor dem Gebäude der Kriegsmarine-Hochschule steht am Newa-Ufer das Denkmal „Für den ersten russischen Weltumsegler, Admiral Iwan Fjodorowitsch Krusenstern" (Aufschrift am Denkmal). Es ehrt die erste russische Weltumsegelung 1803—1806. I. Krusenstern hatte das Marine-Kadettenkorps absolviert und war später sein Direktor.

BERGBAU-HOCHSCHULE

1806—1811. Architekt A. Woronichin. Skulpturengruppen: „Der Kampf zwischen Herkules und Antäus", Bildhauer S. Pimenow; „Die Entführung Proserpinas durch Pluto", Bildhauer W. Demut-Malinowski. Im Gebäude ist auch das Bergbaumuseum untergebracht. 1956 wurde der Bergbau-Hochschule der Name G. Plechanows verliehen.

Die der Newa zugekehrte zweigeschossige Fassade des Gebäudes erstreckt sich weit am Ufer, was jedoch nicht sogleich auffällt, weil der Baumeister eine leichte Biegung der Uferstraße für einen Portikus ausnutzte.

> *Der mächtige Zwölfsäulen-Portikus ist von einem monumentalen Giebel gekrönt. Der Skulpturenschmuck harmoniert mit der architektonischen Eigenart des Gebäudes und veranschaulicht symbolisch seine Zweckbestimmung. Eine der beiden Skulpturengruppen am Eingang verkörpert die Entführung der jungen Göttin Proserpina durch Pluto, den Gott der Unterwelt. Die andere — den Kampf des Zeussohnes Herkules mit dem Sohn der Erde Antäus, der nicht zu besiegen war, solange er die Erde berührte. Auch der Flachrelieffries an der Fassade ist voller Symbolik. Seine Sujets betreffen den Besuch der Venus und des Apollo bei Vulkanus, dem Gott des Feuers und Schutzherrn der Schmiede.*

Die Leningrader Bergbau-Hochschule (gegründet 1773 als Bergbauschule, auf deren Grundlage später das Bergbau-Kadettenkorps entstand; Hochschule seit 1866) trägt den Namen G. Plechanows, des bedeutenden russischen Revolutionärs und hervorragenden Propagandisten des Marxismus in Rußland, der von 1874 bis 1876 dort studiert hat. Auch die bekannten russischen Schriftsteller des 19. Jahrhunderts W. Garschin und W. Korolenko waren Studenten dieser Hochschule.

Bei der Bergbau-Hochschule wurde ein Bergbau-Museum eingerichtet, in dem Material über die Geschichte der Bergbautechnik (Prospektierung und Abbau von Bodenschätzen, Aufbereitung, Hüttenwesen usw.) zusammengetragen ist. Unter den Exponaten befinden sich solche Unika wie ein über 300 Kilogramm wiegender Meteorit, ein 1504 Kilogramm schwerer Block Ural-Malachit, ein Klumpen gediegenen Kupfers aus Kasachstan von 842 Kilogramm sowie prächtige Diamanten aus Jakutien. Die Schau vermittelt eine anschauliche Vorstellung von den reichen Bodenschätzen der Sowjetunion.

Lenin- und Revolutionsgedenk- stätten

In unserem Stadtführer werden wir bei der Beschreibung der Sehenswürdigkeiten auf verschiedene Ereignisse aus der Zeit der Revolution wie auch auf das Leben und Wirken W. I. Lenins eingehen. Zählen doch die Geschichtsforscher in Leningrad mehr als 250 Stätten, die mit Lenin verbunden sind.

In diesem Kapitel empfehlen wir Ihnen einen Weg, auf dem Sie zwar nicht alle Lenin-Gedenkstätten und Erinnerungsstätten der Revolution in dieser Stadt kennenlernen, aber viele mit der Chronik der Revolutionsereignisse von 1917 zusammenhängende Denkmäler zu sehen bekommen.

Die Besichtigungsobjekte befinden sich in verschiedenen Stadtbezirken und liegen oft in ziemlicher Entfernung voneinander. Wenn Sie unseren Ratschlägen folgen wollen, benutzen Sie die öffentlichen Verkehrsmittel. Die Reihenfolge der Besichtigung ist aus unseren Schemen ersichtlich (in der Erläuterung dazu sind die Adressen der Objekte angegeben). Die Besichtigungsobjekte sind fortlaufend numeriert. Auf dem Schema sind geschichtlich-kulturelle Sehenswürdigkeiten vermerkt, denen Sie auf ihrem Wege begegnen werden, die sich aber nicht unmittelbar auf das Thema der Besichtigung beziehen.

Wir empfehlen Ihnen, den Spaziergang am Lenin-Platz vor dem Finnländischen Bahnhof zu beginnen.

Ihr weiterer Weg wird durch die Reihenfolge der Ereignisse bestimmt, von denen wir nachstehend erzählen. Er führt Sie in die Kuibyschew-Straße, zur ehemaligen Villa der Kszesinska 1, in der heute das Museum der Großen Sozialistischen Oktoberrevolution untergebracht ist.

Auf dem Wege vom Lenin-Platz zur Kuibyschew-Straße können Sie den legendären Kreuzer „Aurora" besichtigen (über die Besucherregeln siehe unter „Museen", der am Petrograder-Ufer liegt.

Vom Museum der Revolution führt Ihr Weg zum linken Newa-Ufer, in die Woinow-Straße, wo sich das Taurische Palais befindet. Durch die Woinow-Straße kommen Sie zum Rastrelli-Platz, rechterhand befinden sich der Platz der Proletarischen Diktatur und der Smolny.

Vom Smolny aus begeben Sie sich zum Marsfeld, zu dessen Ensemble das eigentliche Marsfeld, das Denkmal für die Kämpfer der Revolution, die ehemalige Kaserne des Pauls-Regiments und das Marmorpalais gehören, in dem heute die Leningrader Filiale des Zentralen Lenin-Museums untergebracht ist.

Mit der Besichtigung dieses Museums, das dem Leben und Schaffen W. I. Lenins gewidmet ist, findet Ihr Spaziergang seinen Abschluß.

Öffentlicher Stadtverkehr: zu einigen Besichtigungsobjekten: Lenin-Platz: Obus 3, 8, 12, 13, 18, 19, 21, 23, 25, 30; Bus 2, 3, 7, 47, 49, 53, 57, 75, 78, 104, 106, 107, 262; U-Bahnstation „Plostschadj Lenina". Museum der Großen Sozialistischen Oktoberrevolution: Bus 1, 23, 25, 46, 65; Strb. 3, 6, 12, 25, 30, 34, 51; U-Bahnstation „Gorkowskaja". Kreuzer „Aurora": Bus 49; Strb. 2, 6, 22, 25, 26, 30. Taurischer Palast: Bus 6, 14, 26, 43. Smolny: Obus 5, 15, 16, 25; Bus 1, 6, 14, 23. Marsfeld: Obus 2, 3, 12, 22, 34, 51; Bus 1, 2, 23, 25, 46, 65, 100.

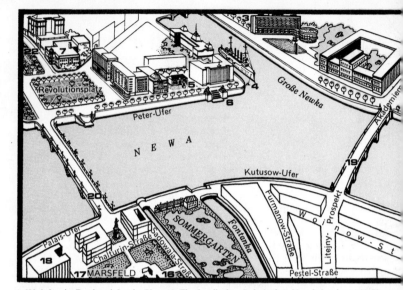

1. W.-I.-Lenin-Denkmal. Lenin-Platz 2. Finnländischer Bahnhof 3. Hotel „Leningrad". Piro-gow-Ufer 7 4. Kreuzer „Aurora". Filiale des Zentralen Kriegsmarinemuseums. Petrograds-kaja-Ufer 5. Haus Peters I. Peter-Ufer 3 6. Granitbildwerke „Schi-Tsy". Peter-Ufer 7. Mu-seum d. Großen Oktoberrevolution (Kszesinska-Villa). Kuibyschew-Straße 4 8. Taurisches Palais. Woinow-Straße 4 9. Haus des Bojaren Kikin. Woinow-Straße 10. Smolny-Kloster. Rastrelli-Platz 11. Smolny (Smolny-Institut). Platz der Proletarischen Diktatur 12. Propylä-

Das Städtische Ausflugsbüro organisiert Rundfahrten und Spaziergänge zu den Lenin-Gedenkstätten und zu den Stätten, die mit der Revolution verbunden sind. Falls Sie sich für das Thema „Leningrad — die Stadt des großen Lenin" interessieren, können Sie sich auch an Intourist wenden. Bei Besuch der Museen für die Geschichte der Revolution werden die Fremdenführer Sie über die Re-volutionsereignisse und die mit Leningrad zusammenhängenden Episoden aus Lenins Leben informieren. Näheres über die Museen, die der Geschichte der Revolution in Leningrad und seiner Umgebung gewidmet sind, erfahren Sie in dem Kapitel „Museen".

„.. Der Schauplatz der großen Ereignisse im Oktober 1917, die das Schicksal unseres Landes entschieden, war gerade Petrograd. Dutzen-de und Hunderte Petrograder Arbeiter folgten als erste dem Genossen Lenin ... Die revolutionäre Tätigkeit W. I. Lenins kam in Petrograd zur Entfaltung. In dieser Stadt wurde die erste Arbeiter-und-Bauernregie-rung der Welt gebildet.

In Anbetracht all dessen erachtet es der II. Sowjetkongreß der Union der Sozialistischen Sowjetrepubliken für völlig gerecht, der Bit-te des Petrograder Sowjets der Arbeiter-, Bauern- und Rotarmistende-putierten nach einer Umbenennung der Stadt Petrograd in Leningrad, die durch Resolutionen der Arbeiter aller Petrograder Fabriken und Werke unterstützt wird, nachzukommen.

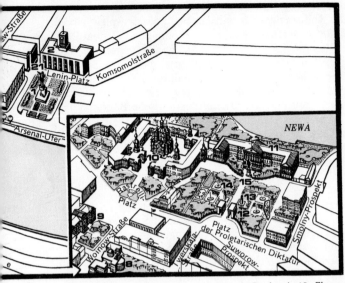

en **13.** Marx-Denkmal **14.** Engels-Denkmal **15.** Lenin-Denkmal **16.** Ehrenmal für die Kämpfer der Revolution. Marsfeld **17.** Kasernen des Pawel-Regiments. Marsfeld **18.** Leningrader Filiale d. Zentralen Lenin-Museums (Marmorpalais). Chalturin-Straße 5 **19.** Litejny-Brücke **20.** Kirow-Brücke **21.** U-Bahnstation Lenin-Platz **22.** Zur U-Bahnstation Gorkowskaja

Möge dieses größte Zentrum der proletarischen Revolution von nun an und für immer mit dem Namen des größten aller Führer des Proletariats, Wladimir Iljitsch Uljanow-Lenin, verbunden sein."

Aus dem Beschluß des II. Sowjetkongresses
der Union der SSR vom 26. Januar 1924

Um unsere Erzählung über die Lenin-Gedenkstätten in Leningrad zu vervollständigen, wollen wir Sie an einige Etappen aus dem Leben und der Tätigkeit von W. I. Lenin erinnern, die mit der Newastadt eng zusammenhängen.

W. I. Lenin kam Ende August 1890 erstmalig nach Petersburg und ersuchte um die Genehmigung, die Prüfungen für den vollständigen Lehrgang an der juristischen Fakultät der Universität als Externer abzulegen. Im April und im September-November 1891 erhielt er als einziger, die mit ihm zusammen die Prüfungen ablegten (im Frühjahr waren es 87 und im Herbst 134), in allen Fächern die beste Zensur, so daß die Prüfungskommission ihm ein Diplom erster Klasse zusprechen mußte.

Abgesehen von einigen kurzen Aufenthalten in der Stadt, unterscheiden die Geschichtsforscher im Leben und in der revolutionären

105

Tätigkeit W. I. Lenins in Petersburg-Petrograd drei Perioden, die eine historische Rolle in den Geschicken des Landes gespielt haben:

1893—1897. Aufnahme von Verbindungen zu den Petersburger Marxisten. Ideologischer Kampf W. I. Lenins gegen die Volkstümler und die „legalen Marxisten" — ideologisch-politische Strömungen, die zu einem Hindernis für die sozialdemokratische Bewegung und Verbreitung des Marxismus in Rußland geworden waren. Propaganda des Marxismus in den Arbeiterzirkeln. Theoretische Begründung der Notwendigkeit, eine selbständige politische marxistische Partei zu schaffen, zu deren Keim die im Herbst 1895 von W. I. Lenin gegründete Petersburger sozialdemokratische Organisation „Kampfbund zur Befreiung der Arbeiterklasse" wurde. Verhaftung am 9. (22.) Dezember 1895, Verbannung nach Sibirien für drei Jahre (1897—1900) und nachfolgende Emigration.

1905—1907. Rückkehr aus der Emigration am 8. (21.) November 1905. Leitung des Zentralkomitees und des Petersburger Komitees der Bolschewiki sowie der Parteiorganisationen anderer Städte, die sich in der Zeit der ersten russischen bürgerlich-demokratischen Revolution an die Spitze der revolutionären Bewegung der Massen stellten. Der Kampf W. I. Lenins für die Einheit der Arbeiterklasse und ihrer Partei, für die Reinheit der marxistischen Theorie. Revolutionäre Tätigkeit in der Illegalität. Beschluß des bolschewistischen Zentrums über die Emigration W. I. Lenins nach der Niederlage der ersten russischen Revolution.

1917—1918. Rückkehr W. I. Lenins aus der Emigration am 3. (16.) April 1917. Kampf für das Hinüberwachsen der bürgerlich-demokratischen Revolution 1917 in die sozialistische Revolution. Nach den Juli-Ereignissen 1917 Arbeit in der Illegalität. Illegale Rückkehr nach Petrograd. Leitung der Vorbereitung des bewaffneten Oktoberaufstandes vom 25. Oktober (7. November) 1917. Beschluß des II. Gesamtrussischen Sowjetkongresses über die Bildung der ersten Arbeiter-und-Bauernregierung der Welt — des Rates der Volkskommissare, an dessen Spitze W. I. Lenin stand.

Nachdem der Sitz der Regierung im März 1918 nach Moskau verlegt worden war, weilte Lenin im Juli 1920 in Petrograd zur feierlichen Eröffnung des II. Kongresses der Kommunistischen Internationale.

LENIN-PLATZ

Dieser Platz wurde in der Sowjetzeit, d. h. in den 20er Jahren umgebaut und mit Grünanlagen versehen. Sein heutiges Gepräge erhielt der Platz nach dem Generalplan für die Rekonstruktion Leningrads nach dem Großen Vaterländischen Krieg.

Mit dem Vorplatz des Finnländischen Bahnhofs sind Ereignisse verbunden, die sich nach der bürgerlich-demokratischen Revolution 1917 abspielten.

Durch die Februarrevolution hatte sich die Situation in Rußland von Grund auf verändert. Die vordringlichste Aufgabe, die sich die Leninsche Partei seit ihrer Gründung gestellt hatte, — der Sturz der zaristischen Selbstherrschaft, — war verwirklicht. Sofort begann Lenin mit der Festlegung neuer Aufgaben für das Proletariat und die bolschewistische Partei. Er war bestrebt, so schnell wie möglich aus der Emigration in die Heimat, in das revolutionäre Petrograd zurückzukehren.

Am 3. April verbreitete sich in Petrograd die Nachricht, daß Lenin am Abend eintreffen sollte. Es war ein Ostertag, die Zeitungen erschienen nicht, und die Betriebe standen still. Dennoch erfuhr man davon in allen Bezirken der Stadt und unter den Truppenteilen. Arbeiter, Soldaten und Matrosen bereiteten sich auf diese Begegnung vor. Auf dem Bahnsteig des Finnländischen Bahnhofs nahm eine Ehrenwache Aufstellung. Der große Augenblick war gekommen — Wladimir Iljitsch stieg aus dem Wagen.

Nach einer kurzen Ansprache begab sich Lenin mit seiner Frau Nadeshda Krupskaja zum Auto. Wegen des Menschenandrangs kam dieses jedoch nicht von der Stelle. Den damals noch engen Bahnhofsvorplatz und die anliegenden Straßen füllten Tausende Arbeiter und Soldaten. Die Arbeiter hoben Lenin auf die Arme und trugen ihn über den Köpfen der Menge zum Turm eines der Panzerautos, die den Platz bewachten. (Heute steht dieses historische Panzerauto in der Leningrader Filiale des Lenin-Museums.) Lenin hielt eine Rede, die nur zehn Minuten dauerte, aber das weitere Schicksal Rußlands bestimmte. Seine erste Rede vor den Arbeitern und Soldaten des revolutionären Petrograd beendete Lenin mit dem flammenden Aufruf: „Es lebe die sozialistische Revolution!"

„Lenins charakteristische Geste, der expressiv vorgestreckte rechte Arm, wird jenen, die Lenin am Finnländischen Bahnhof auf dem Panzerauto gesehen und gehört haben, für immer in Erinnerung bleiben", schrieb später ein Teilnehmer dieses historischen Empfangs im April 1917 durch das revolutionäre Petrograd.

LENIN-DENKMAL

1924—1926. Bildhauer S. Jewsejew, Architekten W. Gelfreich und W. Stschuko. Höhe der Bronzefigur 4,35 m. Gesamthöhe des Denkmals 10,7 m. Enthüllt am 7. November 1926, dem 9. Jahrestag der Großen Sozialistischen Oktoberrevolution.

Ursprünglich stand das Denkmal genau an der Stelle, wo W. I. Lenin, aus der Emigration nach dem revolutionären Petrograd zurückgekehrt, im April 1917 vom Turm des Panzerautos vor dem zu seinem

Empfang erschienenen Volk sprach. Beim Umbau des Bahnhofsvorplatzes wurde es 180 Meter näher ans Newa-Ufer versetzt. Ringsum legte man einen kleinen Park mit Rasen und Blumenbeeten an. Das Monument wurde entsprechend den neuen Dimensionen des Platzes auf einer Erhöhung von anderthalb Metern errichtet.

Die Grundsteinlegung fand am 16. April 1924 statt. Diesem Ereignis ging ein Wettbewerb voraus, zu dem die besten Bildhauer und Architekten unseres Landes mehr als 60 Entwürfe eingereicht hatten. Die Errichtung des Monumentes wurde zu einem gemeinsamen Anliegen des gesamten Volkes. Die Arbeiter sammelten Mittel und leisteten somit ihren Beitrag zur Schaffung des Denkmals. Für das Standbild Lenins brauchte man rund 10 Tonnen Bronze, die nach dem Bürgerkrieg nicht leicht aufzutreiben war. Man schmolz Geschoßhülsen um ...

Die Statue zeigt W. I. Lenin aufrecht stehend. Alles an ihm ist schlicht, ohne äußere Effekte. Seine große Aussagekraft verleiht dem Monument die bereits erwähnte „charakteristische Geste Lenins" — der energisch ausgestreckte Arm —, eine Geste, die bejaht und zugleich zur Vorwärtsbewegung auffordert.

Während der 900tägigen Blockade Leningrads war das Denkmal sorgfältig mit Sandsäcken zugedeckt worden. Einer seiner Schöpfer, der Bildhauer Sergej Jewsejew, ging im kalten und hungrigen Blockadewinter 1942 tagtäglich zu Fuß — die öffentlichen Verkehrsmittel lagen damals still — vom Theaterplatz zum Finnländischen Bahnhof, um sich von der Unversehrtheit des Lenin-Denkmals zu überzeugen.

Die Monumentalstatue W. I. Lenins auf dem Vorplatz des Finnländischen Bahnhofs bleibt in der sowjetischen Kunst bis heute unübertroffen. Sie ist zu einem Symbol Leningrads geworden.

FINNLÄNDISCHER BAHNHOF

Altes Gebäude von 1870. Nur ein kleiner Teil der westlichen Seite erhalten geblieben. Neubau 1955—1960. Die Zentralhalle (35 × 35 m) hat ein Stahlbeton-Schalengewölbe ohne Widerlager. Der Hochrelieffries in Eisenguß zeigt Szenen aus der Geschichte der Revolution.

An der Ostseite des Neubaus wurde 1964 unweit vom Bahnsteig ein verglaster Pavillon errichtet, der die kleine Lokomotive alter Konstruktion mit der Nummer 293 vor Unwetter schützt.

W. I. Lenin, der wenige Monate nach seiner Ankunft in Petrograd (im April 1917) durch die konterrevolutionären Juli-Ereignisse gezwungen war, erneut in die Illegalität zu gehen, fuhr auf dieser Lokomotive unbemerkt nach Finnland. Mit derselben Lokomotive, gelenkt vom selben Lokführer, dem Finnen H. Jalava, kehrte

Lenin im Herbst 1917 nach Petrograd zurück, um den bewaffneten Oktoberaufstand zu leiten. Die Lokomotive wurde später zusammen mit anderen der finnischen Serie an Finnland übergeben. Zum 40. Jahrestag des Oktober kehrte sie nach Leningrad zurück. Am 22. April 1961, als W. I. Lenins 91. Geburtstag begangen wurde, ist die Lokomotive Nr. 293 als Erinnerungsstück der Revolution zur Besichtigung freigegeben worden.

An der Lokomotive befindet sich eine Messingtafel mit der Inschrift in russischer und finnischer Sprache: „Am 13. 6. 1957 schenkte die Regierung Finnlands diese Lokomotive der Regierung der Union der Sozialistischen Sowjetrepubliken zum Andenken an die Reisen, welche W. I. Lenin mit ihr in einer schwierigen Zeit auf dem Territorium Finnlands unternommen hat."

KREUZER „AURORA" — FILIALE DES ZENTRALEN KRIEGSMARINEMUSEUMS

Gebaut 1900. 1903 in Dienst gestellt. Wasserverdrängung 6731 t, Länge 123,7 m, Breite 16,8 m. Tiefgang 6,4 m, Geschwindigkeit 37,2 km/h, Besatzung 570 Mann. 1948 für immer vor Anker gegangen, seit 1956 — Filiale des Zentralen Kriegsmarinemuseums.

Der Kreuzer „Aurora" führt seine Kampfgeschichte auf den russisch-japanischen Krieg von 1904—1905 zurück. Das Schiff nahm am 27. Mai 1905 an der Seeschlacht bei Tsushima teil, in der das Geschwader der Zarenflotte eine Niederlage erlitt.

Nach der Rückkehr nach Petersburg Anfang 1906 wurde die Besatzung als „politisch unzuverlässig" aufgelöst, weil es auf dem Schiff wegen der unerträglichen Bedingungen, unter denen die Matrosen der Zarenflotte ihren Dienst leisteten, mehrfach zu Unruhen gekommen war.

Die freiheitlichen Traditionen, das Bewußtsein und der revolutionäre Geist der Besatzung der „Aurora" fanden ihren Ausdruck darin, daß die Matrosen des Kreuzers bereits am zweiten Tage der Februarrevolution 1917 als erste in der Baltischen Flotte die rote Flagge hißten. Die Matrosen übernahmen das Kommando über den Kreuzer, verweigerten der Provisorischen Regierung den Gehorsam, und die „Aurora" wurde zu einer zuverlässigen Stütze der Bolschewiki.

W. I. Lenin maß der Teilnahme der Matrosen an der Revolution eine außerordentliche Bedeutung bei. Als der bewaffnete Oktoberaufstand begann, verhinderte die Besatzung des Kreuzers auf Befehl des Revolutionären Militärkomitees, daß die ehemalige Nikolai-Brücke (heute Leutnant-Schmidt-Brücke) über der Newa hochgezogen wurde. Wäre das geschehen, hätten die Petrograder Arbeiterbezirke voneinander und vom Zentrum des Aufstandes isoliert werden können.

In der Nacht zum 25. Oktober (7. November) fuhr der Kreuzer in die Newa ein, ging am mittleren Durchlaß der Nikolai-Brücke vor Anker und richtete seine Geschützmündungen auf das Winterpalais, das damals der Provisorischen Regierung als Zuflucht diente.

Um 21.45 Uhr gab das Buggeschütz der „Aurora" mit einem Blindschuß das Signal zum Beginn des Sturmes auf das Winterpalais. Unter den Angreifenden befanden sich auch Matrosen vom Kreuzer „Aurora".

Seit 1923 war die „Aurora" ein Schulungsschiff für die Ausbildung von Offizieren der Sowjetflotte. Im Großen Vaterländischen Krieg des Sowjetvolks gegen den Faschismus versetzten Matrosen vom Kreuzer „Aurora" mit Geschützen größten Kalibers, die vom Kreuzer abmontiert worden waren, dem Feind vernichtende Schläge. Das Schiff selbst gehörte zum Fliegerabwehrsystem der Leningrader Front. Das Geschütz, das den Beginn des Oktober-Sturms angekündigt hatte, wurde selbst in jenen harten Tagen als historisches Gedenkstück sorgfältig gepflegt.

1927 wurde die „Aurora" mit dem Rotbanner-Orden ausgezeichnet. 1968 wurde ihr am Vorabend des 50. Jahrestages der Sowjetischen Streitkräfte der Orden der Oktoberrevolution zuerkannt (in der Mitte des Ordens ist der legendäre Kreuzer dargestellt).

Das Gedenkmuseum für die Geschichte der Revolution an Bord des Kreuzers „Aurora" zählte in den letzten 15 Jahren 7 Millionen Besucher, unter ihnen Gäste aus 127 Ländern. Dort werden auch Geschenke gezeigt, die das „Aurora"-Museum erhielt: eine in Frankreich zu Ehren des Fliegerregiments „Normandie-Néman", das an der Seite der Sowjetunion gegen Hitlerdeutschland gekämpft hatte, geprägte Gedenkmedaille, ein Geschenk von Angehörigen der Kriegsmarine der Volksrepublik Polen: eine Medaille des Torpedobootzerstörers „Wirbelsturm"; Fahnen italienischer Partisanen, die im zweiten Weltkrieg gegen den Faschismus gekämpft hatten; ein Modell des Schoners „Granma", der von den Kubanern als jügeren Bruder der „Aurora" bezeichnet wird, u. a.

MUSEUM DER GROSSEN SOZIALISTISCHEN OKTOBERREVOLUTION
(Villa der Kszesinska)

1902. Architekt A. Gauguin. Das Gebäude wurde für die Ballerina des Mariinski-Theaters M. Kszesinska errichtet. Seit 1957 Museum der Großen Sozialistischen Oktoberrevolution.

Hier wollen wir auf die Ereignisse vom April 1917 zurückkommen. Nach der Kundgebung auf dem Vorplatz des Finnländischen Bahnhofs fuhr W. I. Lenin, vom Volk umgeben, mit dem Panzerwagen zur Villa der Kszesinska, wo damals das Zentrale und das Petersburger Komitee der Bolschewiki untergebracht waren. Dort traf er sich mit seinen Kampfgefährten und Aktivisten der Parteiorganisation der Stadt und legte seine Ansichten über die Aufgaben und die Perspektiven der Revolution dar.

„Es war kein Vortrag. Es war aber auch keine Rede", erinnert sich N. Podwojski, der an dieser Versammlung teilnahm. „Lenin führte ein offenherziges Gespräch mit der alten Parteigarde, mit seinen Kampfgefährten, die sich lange nach ihrem Führer gesehnt hatten und nun jedes seiner Worte aufnahmen."

Auf Bitte der Werktätigen unterbrach Lenin mehrmals das Gespräch, das bis zum Morgen dauerte, und sprach in jener Nacht vor Tausenden Menschen, die sich vor der Villa versammelt hatten.

Bis zum Juli 1917, als die Kräfte der Konterrevolution zum Angriff übergingen und die Partei der Bolschewiki Verfolgungen ausgesetzt war, weilte Lenin fast täglich in der Villa. Hierher, in den Stab der bolschewistischen Partei, kamen Hunderte Menschen, um von Lenin und seinen Kampfgefährten Ratschläge und Anweisungen zu erhalten, wie sie die Massen über das Programm der Bolschewiki aufklären und es in die Tat umsetzen sollten. Wie können der Krieg beendet und der Frieden herbeigeführt werden? Wie, in welcher Richtung, wird sich die Revolution entfalten? Was sind die Sowjets der Arbeiter-, Soldaten- und Bauerndeputierten? Worin besteht ihre klassenmäßige Bedeutung, welche Rolle spielen sie in der Revolution? Auf alle diese Fragen mußte das revolutionäre Volk exakte und eindeutige Antworten erhalten. Lenin war Seele und Hirn der Partei bei ihrer politischen und organisatorischen Arbeit unter den Massen. In der Zeitspanne zwischen seiner Rückkehr nach Rußland und seiner letzten Illegalität, d. h. in 90 Tagen, verfaßte er mehr als 170 Artikel, Broschüren, Entwürfe von Resolutionen und Aufrufen usw. Er ging ganz in der Arbeit auf und riß alle mit durch seine sprudelnde Energie und seinen Glauben an den Sieg der sozialistischen Revolution. Es sind Zeugnisse von Arbeitern erhalten geblieben, die sich an damaligen Kundgebungen beteiligt hatten. Der Arbeiter Wassili Jemeljanow erinnert sich: „... ganz zu Beginn des Jahres 1917 wohnte ich Versammlungen bei, die von verschiedenen Parteien veranstaltet wurden, hörte ihre Redner, aber keiner von ihnen konnte sich mit Lenin messen. Sein Wort vereinigte die Menschen und wies jedem Arbeiter den Weg, den er zu gehen hatte..." Der Arbeiter des einstigen Putilow- (heute Kirow-)Werks Pjotr Danilow sagt: „... das, was Lenin sagte, fesselte und begeisterte. Die Angst verschwand, die Müdigkeit verging. Es schien, nicht Lenin allein, sondern alle 40 000 Arbeiter auf einmal sprachen, daß sie sitzend, stehend, ihre verborgensten Gedanken äußerten. Es schien, daß alles, was die Arbeiter bewegte, in den Worten von Iljitsch seinen Ausdruck fand."

Am 4. (17.) Juli sprach Lenin zum letzten Mal vom Balkon dieser Villa; am 6. Juli wurde sie von Soldaten der Provisorischen Regierung besetzt und ihre Räumlichkeiten wurden völlig demoliert.

Die revolutionären Ereignisse von 1917 werden in allen Einzelhei-

Museum der Großen Sozialistischen Oktoberrevolution (ehemalige Villa von Kszesinska)

ten in den Sälen des Museums der Großen Sozialistischen Oktoberrevolution und in dem benachbarten Gebäude verdeutlicht.

Die Entstehung des Museums fällt in das Ende des Jahres 1919, als unter der Leitung von A. Lunatscharski, M. Gorki und anderer Persönlichkeiten des öffentlichen Lebens, Kulturschaffender und Wissenschaftler eine Arbeit zur Sammlung von Zeugnisse der Geschichte der Revolution, von Materialien und Dokumenten entfaltet wurde. Ursprünglich befand sich diese Sammlung im Winterpalais. Am 40. Jahrestag des Großen Oktober wurde das Museum in seinen neuen Räumlichkeiten feierlich eröffnet.

Das Museum besitzt zahlreiche Dokumente, Fotos und Kunstwerke, die dem Thema der Revolution gewidmet sind, sowie verschiedene Erinnerungsstücke an die Revolution. Die Exponate veranschaulichen die Geschichte des Volkskampfes gegen die russische Selbstherrschaft sowie die Vorbereitung und Durchführung der Großen Sozialistischen Oktoberrevolution.

Im größten Saal, der W. I. Lenin mehrmals gehört und gesehen hat, werden häufig Abende zum Andenken an die revolutionären Ereignisse und Ehrungen von Veteranen der Revolution veranstaltet.

Im Filmvorführungssaal können Sie die nun schon der Geschichte angehörenden Wochenschauen und Dokumentarfilme über Leningrad, die Revolution und W. I. Lenin sehen sowie Tonbandaufzeichnungen seiner Reden hören.

Taurisches Palais

TAURISCHES PALAIS

1783—1789. Entwurf I. Starows unter Beteiligung von F. Wolkow. Länge der Hauptfassade 260 m. Fläche der Anlage 65 000 m². 1802—1804 vom Architekten L. Ruska restauriert. 1906 teilweise zum Sitz der Staatsduma umgebaut. Heute Tagungsort von Konferenzen, Kongressen und Versammlungen. Hier ist auch die Leningrader Parteihochschule untergebracht.

Das Taurische Palais befindet sich in der Woinow-Straße, die einstmals Spalernaja hieß. Umbenannt wurde sie zu Ehren des Petrograder Eisenbahners Iwan Woinow, der Arbeiterkorrespondent der bolschewistischen Zeitung „Prawda" war. Am 6. Juli 1917 wurde er in der Spalernaja-Straße von konterrevolutionären Kosaken und Offiziersschülern ermordet.

Das Gebäude weist heute noch das ihm vom Architekten Ende des 18. Jahrhunderts verliehene Gepräge auf.

> *Der russische Dichter Gawriil Dershawin schrieb über das Taurische Palais: „Es zeichnet sich nicht durch Schnitzwerk, Vergoldung oder anderen prunkvollen Schmuck aus. Der von alters her kultivierte feine Geschmack ist sein Kennzeichen. Es ist schlicht, aber erhaben."*

Anfang des 20. Jahrhunderts zog in das Gebäude die Staatsduma ein (gesetzgebende Körperschaft mit beschränkten Rechten, die von der zaristischen Selbstherrschaft unter dem Ansturm der ersten russischen Revolution einberufen worden war).

Der Sitz der Staatsduma wurde während der Februarrevolution 1917 zum Mittelpunkt stürmischer politischer Ereignisse.

Am 27. Februar (12. März) um 21 Uhr begann im linken Flügel des Taurischen Palais die erste Sitzung des Petrograder Sowjets der Arbeiter- und Soldatendeputierten, der die Interessen des revolutionären Volkes vertrat. Im rechten Flügel bezog das reaktionäre Provisorische Komitee der Staatsduma Quartier, das später die bürgerliche Provisorische Regierung bildete.

Bereits am Tage nach der Ankunft in Petrograd, am 4. (17.) April, sprach W. I. Lenin dreimal in diesem Gebäude. In seinen Reden über den Krieg und die Aufgaben der Revolution begründete er seine berühmten „Aprilthesen", die die Partei mit einem wissenschaftlich fundierten Plan des Kampfes für den Übergang von der bürgerlich-demokratischen Revolution zur sozialistischen Revolution ausgerüstet hatten.

Nach dem Sieg der Oktoberrevolution sprach Lenin mehrmals im Taurischen Palais. Zum letztenmal sprach er dort am 19. Juli 1920 bei der Eröffnung des II. Kongresses der Kommunistischen Internationale über die internationale Lage und die Aufgaben der Komintern.

Nach der Revolution wurde das Taurische Palais zum traditionellen Tagungsort wichtiger gesellschaftlicher Veranstaltungen in Leningrad.

SMOLNY-ENSEMBLE

Smolny-Kloster

Grundsteinlegung 1748. Im wesentlichen 1764 vollendet. Architekt B. Rastrelli. 1832—1835 von W. Stassow beendet. In der Klosterkathedrale ständige Ausstellung „Leningrad heute und morgen".

> *Das Smolny-Kloster bietet sich Ihrem Blick in der Perspektive der Woinow-Straße dar. Es ist wohl das schönste Werk des genialen Rastrelli. Der Architekt wollte den Bau als Kloster und zugleich als Palast gestalten. Den Mittelpunkt der Komposition bildet die Kathedrale. Der schmucke Fünfkuppelbau erinnert an altrussische Kirchen.*

1764 entstand beim Kloster die erste weibliche Lehranstalt in Rußland: die Kaiserliche Erziehungsgesellschaft für adlige Fräulein. Die Klosterräume eigneten sich aber nicht für Klassenzimmer, so daß für das Smolny-Institut ein spezielles Gebäude errichtet wurde. 1917 war hier der Stab der Oktoberrevolution untergebracht.

Smolny (Smolny-Institut)

1806—1808. Architekt G. Quarenghi. Fassadenlänge 220 m. Die vorgeschobenen, je 40.Meter langen Seitenflügel bilden einen Paradehof. Heute befinden sich in diesem Gebäude das Leningrader Gebietskomitee und das Stadtkomitee der Kommunistischen Partei der Sowjetunion.

Das Smolny-Institut steht auf dem Platz der Proletarischen Diktatur, der rechts an den Rastrelli-Platz angrenzt.

Der Name „Smolny" reicht in die Zeit Peters I. zurück, als sich an der Stelle, wo heute das Institut liegt, Teerbrennereien und Teerlager für die sich damals stürmisch entwickelnde russische Flotte befanden.

Quarenghi entschloß sich dazu, das einfach und lakonisch gestaltete Gebäude neben Rastrellis prunkvollen Barockbau zu stellen. Beide Bauten bilden ein eigenartiges, auf harten Kontrasten beruhendes Ensemble und „vertragen" sich gut miteinander.

„Das Institut für höhere Töchter" existierte in Quarenghis Gebäude bis zum Sommer 1917. Nach dem Sturz der Monarchie wurden die Schülerinnen in andere Petrograder Lehranstalten versetzt. In den leer gewordenen Räumlichkeiten richteten sich am 4. (17.) August 1917 der Petrograder Sowjet und das Gesamtrussische Zentralexekutivkomitee des Sowjets der Arbeiter- und Soldatendeputierten ein. Der erstere zog aus dem Taurischen Palais dorthin.

Die ruhmreichsten Kapitel der Geschichte des Smolny hängen mit jener Zeit zusammen, als er zum Stab der Oktoberrevolution wurde. Das Revolutionäre Militärkomitee der Bolschewiki, das den bewaffneten Aufstand leitete, hatte drei Zimmer im zweiten Stock inne.

Am Abend des 24. Oktober (6. November) 1917 traf dort W. I. Lenin ein.

... Lenins letzte Illegalität war zu Ende. In dieser ganzen schwierigsten Periode seines Lebens und Wirkens schützten Arbeiter, einfache Parteimitglieder unter Lebensgefahr Lenins Leben, umgaben ihn mit Fürsorge und Achtung. Wladimir Iljitsch wußte die Herzenswärme des Volkes zu schätzen.

Im Stab der Revolution angelangt, übernahm Lenin sofort unmittelbar die gesamte Leitung des bewaffneten Aufstandes.

Der Smolny bot in jener historischen Nacht ein majestätisches Bild. Das Gebäude war von Licht überflutet und voller Menschen. Rotgardisten, Vertreter von Regimentern und Betrieben kamen aus allen Bezirken Petrograds her, um Anweisungen zu holen. Im zweiten Geschoß tagte das Revolutionäre Militärkomitee ohne Unterbrechung. In der Aula des Smolny versammelten sich Arbeiter und Bauern, Soldaten und Matrosen: Delegierte des II. Gesamtrussischen Sowjetkongresses.

Früh am Morgen des 25. Oktober (7. November) 1917 befand sich praktisch die ganze Stadt, mit Ausnahme des Winterpalais, des letzten Zufluchtortes der Provisorischen Regierung, sowie des Militärbezirksstabsgebäudes, in den Händen des aufständischen Volks. Die konterre-

Smolny

Lenin-Denkmal am Smolny

volutionäre Provisorische Regierung wurde gestürzt. Im Smolny verfaßte Lenin den historischen Aufruf „An die Bürger Rußlands!", in dem die Machtübernahme durch die Sowjets bekanntgegeben wurde. In der Außerordentlichen Sitzung des Petrograder Sowjets sagte W. I. Lenin um 14.30 Uhr unter dem begeisterten Beifall der in der Aula des Smolny Anwesenden die historischen Worte: „Die Arbeiter- und Bauernrevolution, von deren Notwendigkeit die Bolschewiki immer gesprochen haben, ist vollbracht."

Kurz nach 3 Uhr früh am 26. Oktober (8. November) 1917 nahm der II. Gesamtrussische Sowjetkongreß die Meldung über die Einnahme des Winterpalais, des letzten Bollwerks der Konterrevolution, entgegen.

Am Abend desselben Tages begann in der Aula des Smolny die denkwürdigste Sitzung des II. Gesamtrussischen Sowjetkongresses.

> *„Es war genau 8 Uhr 40, als ein Ausbruch jubelnder Begeisterung den Eintritt des Präsidiums, mit Lenin — dem großen Lenin — in seiner Mitte, ankündigte. Eine untersetzte Gestalt mit großem, auf stämmigem Hals sitzendem Kopf, ziemlich kahl, kleinen beweglichen Augen, großem sympathischem Mund und kräftigem Kinn; jetzt rasiert, der bekannte Bart jedoch, den er fortan wieder tragen sollte, schon wieder sprossend. In armseligen Kleidern, mit Hosen, viel zu lang für ihn. Unempfänglich für den Beifall der Menge und doch geliebt und verehrt, wie selten ein Führer nur*

Aula im Smolny

dank der Überlegenheit seines Intellekts; farblos, humorlos, un-
nachgiebig. Als Redner nüchtern, aber mit der Fähigkeit, tiefe Ge-
danken in einfachste Worte zu kleiden, die Analyse konkreter
Situationen zu geben; und verbunden mit großem Scharfsinn, eine
außerordentliche Kühnheit des Denkens", schrieb über W. I. Lenin
der amerikanische Journalist, John Reed, Augenzeuge der Ok-
toberereignisse, Verfasser des Buches „Zehn Tage, die die Welt
erschütterten".

Die ersten Worte des soeben entstandenen Sowjetstaates waren
Worte über den Frieden. Der Kongreß beschloß seine ersten historischen Dokumente — das Dekret über den Frieden und das Dekret über
den Grund und Boden — und bildete für die Leitung des Landes die
erste Arbeiter-und-Bauernregierung der Welt, den Rat der Volkskommissare mit Wladimir Iljitsch Lenin an der Spitze.

Die **Aula,** in der die Sowjetmacht verkündet wurde, ist eines der
drei Gedenkobjekte des Smolny.

Der weiße Marmor der Innenausstattung, die Stuckdecke, der Fries
(ein Werk von I. Terebenew) und die doppelseitig angeordneten Fenster verleihen dem Raum ein feierliches Aussehen. Diese Aula ist wohl
das beste Werk G. Quarenghis im Bereich der Innengestaltung.

W. I. Lenins erstes Arbeitszimmer im Smolny. An der Tür eines
kleinen Zimmers im Obergeschoß des südlichen Smolnyflügels steht

117

auf einer Gedenktafel: „In diesem Zimmer befand sich nach der Bildung der Sowjetregierung auf dem Zweiten Gesamtrussischen Sowjetkongreß das erste Arbeitszimmer des Vorsitzenden des Rats der Volkskommissare, Wladimir Iljitsch Lenin . . ."

Hier unterzeichnete Lenin die ersten Dekrete und Verordnungen der Sowjetregierung. Hier versiegte nie der Besucherstrom: Arbeiter, Bauern und Soldaten kamen zu Lenin. Die Einrichtung des Arbeitszimmers ist einfach: Schreibtisch, Stühle — kein überflüssiges Möbel. Lenin wohnte damals Chersonstraße 5 (siehe unter „Museen"). Es kam aber oft vor, daß er sich nicht leisten konnte, wertvolle Minuten für den Hin- und Rückweg zu vergeuden. Deshalb wurde hinter einer Trennwand des Arbeitszimmers ein Feldbett aufgeschlagen. Die Bescheidenheit der Einrichtung und die völlige Anspruchslosigkeit des Menschen, der hier gewohnt und gearbeitet hat, zeichnen alle Leninschen Wohnungen und Arbeitszimmer aus.

W. I. Lenins Wohnraum im Smolny. Zwei Wochen später, Mitte November, richtete man für Lenin und seine Frau N. Krupskaja im ersten Stock des Smolny ein Zimmer ein. „Wir zogen mit Iljitsch in den Smolny. Uns wurde dort ein Zimmer zur Verfügung gestellt, das früher eine der Klassendamen bewohnt hatte. Das Zimmer, in das man durch einen Waschraum gelangen konnte, hatte eine Zwischenwand, hinter der ein Bett stand", berichtete Nadeshda Krupskaja in ihren Erinnerungen.

Heute sind diese beiden Räume Gedenkstätte. Im Durchgangszimmer, dem einstigen Waschraum, sind Dokumente und Materialien untergebracht, die sich auf W. I. Lenins Aufenthalt im Smolny beziehen. Dort können Sie die Stimme Lenins hören, die von einer alten Schallplatte auf Tonband aufgenommen worden ist.

In den 124 Tagen, die Lenin im Smolny zubrachte, verfaßte er mehr als 200 Artikel, Reden, Resolutionen und Aufrufe, und das abgesehen von den Arbeitsentwürfen, Notizen und Skizzen zu verschiedenen Beiträgen, abgesehen von den dringenden Angelegenheiten bei der praktischen Leitung eines Staates von neuem Typus, der ja zum erstenmal in der Geschichte geschaffen worden war.

PLATZ DER PROLETARISCHEN DIKTATUR

Der Platz vor dem Smolny ist heute nicht wiederzuerkennen. Wo sich vor der Revolution ein schlecht gepflastertes ödes Terrain befand, erstreckt sich heute eine schattige gut geplante Gartenanlage. Zwei symmetrisch angeordnete Fünfsäulen-Portikusse bilden als Eingang feierliche Propyläen (1923—1924. Architekten W. Stschuko und W. Gelfreich). Ein Pavillon trägt die Aufschrift: „Der Erste Sowjet der proletarischen Diktatur", der andere den unsterblichen Aufruf des Manifestes der Kommunistischen Partei: „Proletarier aller Länder, vereinigt euch!"

Von den Propyläen führt eine breite gerade Allee zum Smolny. Zu beiden Seiten stehen auf Granitsockeln **Bronzebüsten** der Begründer des wissenschaftlichen Kommunismus **Karl Marx** und **Friedrich Engels** (1934. Bildhauer S. Jewsejew). Vor dem Eingang zum Smolny erhebt sich das am 10. Jahrestag der Oktoberrevolution eingeweihte **Lenin-Denkmal** (1927. Bildhauer W. Koslow, Architekten W. Stschuko und W. Gelfreich. Höhe des Denkmals 6 m, der Bronzefigur 2,15 m). Ebenso, wie die Plastik auf dem Vorplatz des Finnländischen Bahnhofs, gehört auch dieses Standbild des Führers der Revolution zu den Wahrzeichen Leningrads.

ENSEMBLE DES MARSFELDES
MARSFELD

Fläche rund 12 ha. Grenzt an die Lebjashja-Kanawka (Schwanengraben) und die Anlage des Sommergartens, die Moika und den Michailow-Garten an.

Seit der Stadtgründung war dieses Gelände nie bebaut worden. Der Sumpf, der sich dort einstmals befand, wurde 1710 in Zusammenhang mit der Anpflanzung des Sommergartens trockengelegt. Seinen heutigen Namen verdankt der Platz dem Umstand, daß er seit Ende des 18. Jahrhunderts lange Zeit als Ort von Truppenschauen und Paraden sowie als Exerzierplatz diente.

Betrachten wir das üppige Grün des heutigen Marsfeldes, können wir uns schwerlich vorstellen, daß der Exerzierplatz vor der Revolution die „Petersburger Sahara" genannt wurde, weil das staubige Gelände keinen einzigen Strauch, ja nicht einmal Gras aufwies.

In den 20er Jahren unseres Jahrhunderts wurde der Platz städtebaulich gestaltet und bekam eine Grünanlage.

Die Eigenart des heutigen Marsfeld-Ensembles besteht darin, daß die Grünanlage in der Mitte des Platzes und die angrenzenden Parks und Gärten den Eindruck einer einheitlichen Komposition erwecken, obgleich auch die umstehenden Gebäude architektonisch verschiedenartig sind.

DENKMAL FÜR DIE KÄMPFER DER REVOLUTION

Grundsteinlegung am 24. März (5. April) 1917. Eingeweiht im Sommer 1920. Architekt L. Rudnew. Im Grundriß — ein an allen vier Seiten geöffnetes Quadrat, gebildet durch stufenförmig angeordnete Mauern aus rosa Granit. An den Stirnseiten der Mauern sind Epitaphien eingemeißelt:

Die Namen aller Helden des Kampfes ungewußt,
Die ihr Blut vergossen haben für die Freiheit
Würdigt das menschliche Geschlecht die
                                        Namenlosen.
Ihnen zum Andenken und zu Ehren ist dieser
Stein errichtet für lange Zeiten

ANATOLI LUNATSCHARSKI

In den Tagen der Februarrevolution 1917 hatten die zaristischen Schergen auf den Straßen und Plätzen Petrograds Hunderte Arbeiter und Soldaten getötet oder verwundet. Am 23. März (4. April) ergossen sich unter den Klängen von Trauermärschen Menschenströme durch die Hauptstraßen auf das Marsfeld. 180mal donnerten die Abschiedssalven der Geschütze, denn 180 gefallene Helden wurden auf dem Platz bestattet. Am Tage nach ihrer Beisetzung fand die Grundsteinlegung des Denkmals statt.

Einige Jahre später wurden an den Granitblöcken des Memorials die in feierlichen Hexametern abgefaßten begeisterten Zeilen aus der Feder des hervorragenden Publizisten und Schriftstellers A. Lunatscharski, des ersten Volkskommissars für Bildungswesen der Sowjetrepublik, eingemeißelt: „Nicht Opfer, sondern Helden ruhen unter diesem Grabstein. Nicht Kummer, sondern Neid erweckt ihr Schicksal in den Seelen der dankbaren Nachwelt..."

Zwischen dem Februar und dem Oktober 1917 nahmen die Massenkundgebungen und Demonstrationen auf dem alten Platz kein Ende. Mit dem Marsfeld sind viele Episoden der Großen Sozialistischen Oktoberrevolution verbunden. Das Marsfeld ist in die Chronik der Stadt als eine der bedeutsamsten Revolutionsgedenkstätten eingegangen.

Am 1. Mai 1920 beteiligten sich mehr als 11 000 Einwohner Petrograds an ihrem freien Tag am kommunistischen Subbotnik, einem freiwilligen und unentgeltlichen Arbeitsaufgebot für die städtebauliche Gestaltung und Begründung des Marsfeldes. Sie arbeiteten unter der Leitung des Chefarchitekten von Petrograd I. Fomin. Die Rekonstruktion des historischen Platzes nach seinem Entwurf war am 19. Juli 1920, dem Eröffnungstag des II. Kongresses der Komintern in Petrograd, im wesentlichen abgeschlossen.

Am Abend dieses Tages kamen die aus verschiedenen Gebieten unseres Planeten eingetroffenen Kongreßdelegierten zusammen mit W. I. Lenin auf das Marsfeld und legten an der Grabstätte der gefallenen Helden einen Kranz aus roten Rosen und Eichenlaub nieder. Die Trauerschleife trug die Aufschrift: „Von den Proletariern aller Länder für die im Kampf für den Kommunismus Gefallenen". Das war der letzte Aufenthalt W. I. Lenins in der Newastadt. An diesem Tag sprach er zum letzten Mal auf einer Massenkundgebung der Petrograder Werktätigen auf dem Palaisplatz.

In den trauervollen Tagen des Januar 1924, als das ganze Land von W. I. Lenin Abschied nahm, loderten auf dem Marsfeld 53 Feuer nach der Zahl seiner Lebensjahre. Am Tage, da Lenin beigesetzt wurde, bekam die Stadt den Namen Leningrad.

1957 wurde in der Mitte des granitenen Vierecks auf dem Marsfeld zu Ehren des 40. Jahrestages der Oktoberrevolution und zum Andenken an die Kämpfer der Revolution eine ewige Flamme angezündet. An diesem geheiligten Feuer wurden später die nie verlöschenden Flammen an den Grabstätten der heldenhaften Verteidiger Leningrads auf dem Piskarjowskoje-Friedhof, am Grab des Unbekannten Soldaten bei der Kremlmauer in Moskau und an vielen anderen Gedenkstätten des Landes entzündet.

KASERNEN DES PAULS-REGIMENTS

1817—1821. Architekt W. Stassow. Fassadenlänge 140 m. Heute befindet sich in diesem Gebäude „Lenenergo", die Verwaltung des Leningrader Energiesystems.

Das Gebäude nimmt fast die ganze westliche Seite des Marsfeldes ein. Die enorme Fassade weist im hohen Sockelgeschoß drei Portikusse auf. Der mittlere ist mit plastischen Schmucktafeln versehen, auf denen militärische Attribute (Waffen und Rüstzeug) dargestellt sind. Das in strengen Formen gehaltene Gebäude wirkt majestätisch und feierlich.

Das Pauls-Grenadierregiment erwarb im Vaterländischen Krieg von 1812 Ruhm und wurde zum Garderegiment. Dieses prunkvolle Gebäude wurde eigens als Kaserne für dasselbe errichtet.

Im Februar 1917 gingen die Angehörigen des Pauls-Regiments als die ersten in der zaristischen Armee auf die Seite des revolutionären Volkes über. Über einen Befehl Nikolais II., sich an der Erschießung von Arbeitern zu beteiligen, empört, gingen die Soldaten des Pauls-Garderegiments aus ihren Kasernen auf die Straße und machten bei einem Zusammenstoß mit der berittenen Polizei von den Waffen Gebrauch. 19 „Rädelsführer des Aufruhrs" wurden in die Kerker der Peter-und-Pauls-Festung geworfen, ihnen drohte die Todesstrafe. Aber einen Tag später stürzte das aufständische Volk die Selbstherrschaft und befreite die Häftlinge.

Im Oktober 1917 wurde in den Kasernen des Pauls-Regiments ein Stab des Aufstandes untergebracht. Gemeinsam mit den Soldaten aus der Wache der Peter-und-Pauls-Festung hielt das Regiment die Kirow- (damals Troizki-)Brücke. Es beteiligte sich, da es einen Teil der Straßen zwischen dem Marsfeld und dem Palaisplatz einnahm, am Sturm auf den Winterpalais.

Gegenüber den ehemaligen Kasernen des Pauls-Regiments steht an der Newa-Seite das Marmorpalais.

LENINGRADER FILIALE DES ZENTRALEN LENIN-MUSEUMS
(Marmorpalais)

1768−1785. Architekt A. Rinaldi. Skulpturen und dekorativer Schmuck: Bildhauer F. Schubin und M. Koslowski. Bei der Ausstattung des Palais wurden 32 Arten farbigen Marmors benutzt. Seit 1937 − Leningrader Filiale des Zentralen Lenin-Museums.

„Alles, was das Proletariat an wirklich Großem und Heroischem besitzt − Verstand, eiserner, unbeugsamer, beharrlicher Willen, geheiligter Zorn, ein Haß gegen Sklaverei und Unterdrückung, der den Tod verschmäht, revolutionäre Leidenschaft, die Berge verschiebt, grenzenloser Glaube an die schöpferischen Kräfte der Massen, immenses organisatorisches Genie −, all das fand seine großartige Verkörperung in Lenin, dessen Name zu einem Symbol der neuen Welt vom Westen bis zum Osten, vom Süden bis zum Norden geworden ist..."

Aus dem Aufruf des Plenums des Zentralkomitees
der Kommunistischen Partei vom 22. Januar 1924

10.30 Uhr. Die Museumspforten öffnen sich. Die Stimme des Fremdenführers ertönt: „Wladimir Iljitsch Lenin wurde am 22. April 1870 im Simbirsk geboren..." Für die ersten Besucher beginnt der Bericht über Lenin.

Die 25 Museumssäle und ihre 7000 Exponate sind ein authentischer Bericht über den Denker und Kämpfer, der sein Leben der revolutionären Erneuerung der Welt gewidmet hat, über den Menschen, der, wie Wladimir Majakowski gesagt hat,

ist heut lebender,
als die am Leben sind.

Erstausgaben von Büchern und Broschüren W. I. Lenins, Fotokopien seiner Manuskripte, Zeitungen und Zeitschriften, Gegenstände, die Wladimir Iljitsch benutzte, seltene Aufnahmen, Werke der Malerei, Graphik und Bildhauerei, die Lenin gewidmet sind, findet man in den 18 ersten Museumssälen. Eingehend und folgerichtig, streng und ausdrucksvoll, bringen sie uns einen Lebenslauf nahe, der unermeßlich wie die Geschichte selbst ist. Viele Seiten aus dieser Biographie kennen Sie schon − Leningrad hat sie vor Ihnen aufgeschlagen.

Saal 19 ist der Gedenksaal. Auf den Fotos, Zeichnungen und Gemälden ist der letzte trauervolle Abschied des Landes von seinem Führer und Lehrer festgehalten.

Angefangen vom Saal 20 berichtet die nicht nur chronologisch, sondern auch thematisch aufgebaute Museumsschau über die Verwirklichung des Leninschen Plans zur Industrialisierung des Landes und Umgestaltung der Landwirtschaft, über den nationalen und kulturellen

Aufbau. Ein weiteres Kapitel des Berichtes über die Unsterblichkeit der Leninschen Ideen und vorgezeichneten Pläne ist die Schilderung der Gegenwart der UdSSR.

Das Thema des Saals 25 ist die Leniniana. „Lenin — der meistgelesene Autor der Welt", „Mit dem Leben und Schaffen W. I. Lenins verbundene Stätten in der Sowjetunion und im Ausland" —, diese Themen werden durch zahlreiche Exponate illustriert, die die Museumsschau abschließen.

Im Museum werden regelmäßig „Leninlesungen" veranstaltet und Wochenschauen sowie Dokumentarstreifen „Der lebendige Lenin", „Die letzte Illegalität Iljitschs", „Lenins Manuskripte" u. a. vorgeführt. Die Aufmerksamkeit der Sammlerfreunde fesseln im Museum die Lenin gewidmeten Briefmarken und Abzeichen.

Das Leningrader Museum, die größte Filiale des Zentralen Lenin-Museums, das sich in Moskau befindet, hat in der Stadt und ihrer nächsten Umgebung eigene Filialen, von denen Sie im Kapitel „Museen" und in anderen Kapiteln unseres Reiseführers erfahren.

Peter-und-Pauls-Festung, Sommergarten

Die Peter-und-Pauls-Festung und der Sommergarten liegen an entgegengesetzten Ufern der Newa, lassen sich aber nach historischen Gesichtspunkten zu einem Spaziergang zusammenfassen, da sie der Stadt altersgleich sind, wenn auch der Sommergarten ein Jahr später entstand.

Stadtverkehr zur Peter-und-Pauls-Festung (ab Revolutionsplatz): Bus 1, 23, 25, 46, 65, 80; Strb. 2, 3, 6, 12, 22, 25, 26, 30, 34, 51, 53; U-Bahnstation „Gorkowskaja".

Von der Peter-und-Pauls-Festung können Sie in zehn bis fünfzehn Minuten zum Peter-Ufer (Petrowskaja nabereshnaja) wandern (links vom Revolutionsplatz, wenn Sie der Newa zugekehrt stehen), wo sich ein weiteres Denkmal aus der Zeit der Stadtgründung befindet: Das Haus Peters I.

Von dort kehren Sie zum Revolutionsplatz zurück und fahren oder gehen über die Kirow-Brücke nach dem linken Newa-Ufer zum Sommergarten. Seine Besichtigung beginnt man am besten von der Newaseite aus.

Stadtverkehr zum Sommergarten: Bus 1, 23, 25, 46, 65, 80; Strb. 2, 3, 12, 22, 34, 51, 53.

Um die Sehenswürdigkeiten des Sommergartens zu betrachten, können Sie die Reihenfolge selbst auswählen, bestimmt bietet er Ihnen einen schönen Spaziergang. Sie können sich aber auch an die Route unseres Schemas halten.

Um die in diesem Kapitel erwähnten Sehenswürdigkeiten kennenzulernen, sollten Sie dieselben jedoch nicht nur von außen betrachten, sondern auch die Museen besuchen.

Marsfeld

Der Revolutionsplatz (ehemals Troizkaja-Platz), von wo Ihr Spaziergang beginnt, ist der älteste der Stadt. 1917 wurde er zur Stätte großer Kundgebungen und Demonstrationen. Heute gehört er zu den schönsten Plätzen der Newastadt.

Um von diesem Platz in die Peter-und-Pauls-Festung zu gelangen, überqueren Sie den Kronwerk-Graben auf der

JOHANNES-BRÜCKE

1703 als Holzbrücke erbaut. Architekt D. Trezzini. 1738 teilweise in Stein umgebaut. Länge 74,5 m, Breite 10,5 m. In der Folgezeit mehrmals umgebaut. 1953 mit Eisengeländern und Kandelabern versehen.

Ursprünglich befand sich an dieser Stelle eine schwimmende Brücke, die später durch eine hölzerne auf Pfählen ersetzt wurde. Es war die erste ortsfeste Brücke der Stadt. Bei allen späteren Umbauten war man bemüht, ihr altertümliches Gepräge zu bewahren.

PETER-UND-PAULS-FESTUNG

1703 Grundsteinlegung. 1706–1725 und 1779–1787 wurden die ursprünglichen Erdwälle durch Backsteinmauernwerk ersetzt, das später mit Granitplatten ver-

Leningrader Filiale des Zentralen Lenin-Museums (Marmorpalais)

kleidet wurde. Größte Mauerhöhe 12 m, durchschnittliche Dicke 2,5 bis 4 m. Ausdehnung der Mauer längs der Newa 700 m. 1717–1918 politisches Gefängnis. Seit 1922 revolutionsgeschichtliche und baukünstlerische Pflegestätte.

Der Tag, an dem mit dem Festungsbau begonnen wurde, der 16. Mai 1703, ist als Gründungstag von St. Petersburg in die Geschichte eingegangen. Die von Peter I. für die Errichtung der Festung gewählte Haseninsel (Sajatschi ostrow) erstreckt sich zwischen der Newa und einem Wasserarm, der später den Namen Kronwerk-Graben bekam. Von oben gleicht die Festung einem Sechseck, das die Umrisse der Insel wiederholt. Drei der Bastionen sind der Newa zugewandt und drei dem Kronwerk-Graben.

Die Bastionen erhielten die Namen der Würdenträger, denen der Zar den Bau aufgetragen hatte: Naryschkin, Trubezkoi, Sotow, Golowkin, Menschikow. Die Bastion an der heutigen Kirow-Brücke wurde nach dem Zaren benannt (Gossudarew Bastion). Später errichtete man als Ergänzung zum Hauptbau zwei Ravelins, wie man in früheren Zeiten Befestigungsanlagen nannte, die den Bau im Rücken und an den Flanken schützen sollten. An die Bastionen wurden 1790 „Granitlaternen" auf steinernen Konsolen für die Wachposten angebaut.

Der Bau der Festung auf der öden Insel erfolgte in einem für die damalige Zeit schnellen Tempo: der Nordische Krieg hatte begonnen, und vom Finnischen Meerbusen her drohte eine Invasion schwedischer Marine und Infanterie, die im nördlichen Vorfeld der künftigen Stadt stand. Es waren gleichzeitig etwa 20 000 Arbeitskräfte beschäftigt. Die Menschen hausten in Reisighütten, ja sogar unter freiem Himmel, und arbeiteten Tag und Nacht. Die Sterblichkeitsquote war enorm. Vermutlich hat der Bau dieser Festung insgesamt etwa 100 000 Menschenleben gekostet. Die Arbeiten wurden im Mai begonnen, und bis zum Herbst 1703 waren alle Erdarbeiten bewältigt. Auf den Bastionen wurden 300 Geschütze aufgestellt, und es wurden Vorräte an Kugeln, Pulver und Proviant herbeigeschafft.

Während des ganzen Nordischen Krieges ist es dem Gegner kein einziges Mal gelungen, sich der Festung auch nur zu nähern. Die feindlichen Landtruppen konnten in großer Entfernung gehalten werden, und den Zugang zur Newa vom Meer aus schützte ein Fort, das auf einer Insel des Finnischen Meerbusens errichtet worden war.

Dennoch war die Festung aus Erdwällen kein verläßlicher Schutz der Stadt, weshalb an ihrer Stelle Mauern aus Backstein errichtet wurden, die man Ende des 18. Jahrhunderts an der Newaseite mit Granitplatten verkleidete. Sie sind bis auf den heutigen Tag vorhanden.

Das Schicksal der Festung fügte sich so, daß im Verlaufe von mehr als 200 Jahren aus ihr kein einziger Gefechtsschuß abgegeben worden war.

Wer zur Mittagsstunde in die Festung kommt, kann beobachten, wie heute noch punkt 12 Uhr von der Naryschkin-Bastion (an der Newaseite) aus einer Haubitze ein Blindschuß abgegeben wird. Diese Tradition entstand im 18. Jahrhundert. Durch den Schuß erfuhren die Einwohner die genaue Uhrzeit. Die Kanonen der Peter-und-Pauls-Festung feuerten Blindschüsse ab, wenn die Schiffahrt eröffnet wurde oder das Eis auf der Newa betretbar wurde, wenn Monarchen verstarben oder Hochwasser drohte.

Noch waren seit der Gründung der Festung keine zehn Jahre vergangen, da wurde diese mächtigste Anlage der neuen Stadt zum politischen Gefängnis gemacht.

Zu seinen ersten Häftlingen gehörte der Sohn Peters I., Zarewitsch Alexej, der sich an einer Verschwörung gegen seinen Vater beteiligt hatte. Die Historiker vermuten, daß Alexej dort in der Festung auch erdrosselt wurde.

Die Geschichte der Peter-und-Pauls-Festung steht in engem Zusammenhang mit der Geschichte der revolutionären Bewegung Rußlands.

Schon in den ersten Jahrzehnten des 18. Jahrhunderts wurde sie zum Kerker der besten Söhne des Volks. Hier nur einige Geschehnisse aus der tragischen 200jährigen Geschichte der Peter-und-Pauls-Festung.

Sechs Wochen wartete der erste adlige Revolutionär, der Schriftsteller und Denker Alexander Radistschew, der auf Befehl Katharinas II. in die Peter-und-Pauls-Festung geworfen wurde, auf die Vollstreckung seines Todesurteils, das dann aber durch Verbannung ersetzt wurde.

Im „geheimen Haus" des Alexej-Ravelins (Gefängnis für besonders wichtige Verbrecher) wurden die Dekabristen eingekerkert, die den Aufstand von 1825 geleitet hatten. Sergej Murawjow-Apostol, einer von ihnen, schrieb darüber, die Festung stehe „wie ein infames Denkmal der Selbstherrschaft vor dem Zarenpalast, wie eine unheilvolle Warnung, daß beide ohne einander nicht existieren können".

Vier Jahrzehnte später wurden die Kasematten der Festung zum Kerker führender Vertreter der nächsten Generation russischer Revolutionäre. 1862 schlossen sich die Gefängnistore des Alexej-Ravelins hinter dem revolutionären Demokraten, Schriftsteller, Kritiker und Philosophen Nikolai Tschernyschewski.

Im „geheimen Haus" des Alexej-Ravelins war dreizehn Jahre zuvor Fjodor Dostojewski gehalten worden, der sich an den Zusammenkünften des revolutionären Zirkels von M. Butaschewitsch-Petraschewski beteiligt hatte. 1884 wurde das Gefängnis des Alexej-Ravelins geschlossen, aber bereits vorher hatte ein neuer Kerker — in der Trubezkoi-Bastion — die ersten Häftlinge aufgenommen.

In den Einzelzellen der Trubezkoi-Bastion waren die meisten der in den achtziger Jahren verurteilten Revolutionäre aus der Partei „Narodnaja wolja" eingekerkert: A. Sheljabow, N. Morosow, M. Frolenko, V. Figner u. a.

1887 sah hier Alexander Uljanow, Lenins älterer Bruder, der wegen Beteiligung am Attentat auf den Zaren Alexander III. inhaftiert war, seine Mutter zum letzten Mal. Zehn Tage später wurde das Todesurteil gegen die fünf in dieser Angelegenheit Verurteilten vollstreckt. Alexander Uljanow war 21 Jahre alt.

In den Kampf gegen das System der Bourgeoisie und der Großgrundbesitzer trat nun die dritte Generation Revolutionäre unter Leitung W. I. Lenins, seiner Mitstreiter und Schüler.

Am Eingang zu den Einzelzellen der Trubezkoi-Bastion sehen Sie Fotos derer, die dort in Haft gehalten wurden, und erfahren vom Leben N. Baumans (Zelle 561), P. Lepeschinskis (Zelle 23, später 54), M. Olminskis (Zelle 53) und anderer Kampfgefährten Lenins.

Im Januar 1905 wurde Maxim Gorki wegen einer von ihm verfaßten revolutionären Proklamation ins Gefängnis der Trubezkoi-Bastion geworfen. Dort in der Kasematte schuf er trotz der Verschlimmerung seiner Tuberkulose und seines Gelenkrheumatismus das Bühnenstück „Kinder der Sonne".

Die revolutionären Ereignisse von 1917 öffneten die Türen dieses Gefängnisses, in dem zwei Jahrhunderte lang viele ruhmreiche und tausende namenlose Kämpfer gegen die Zarentyrannei geschmachtet hatten. Als die Monarchie im Februar 1917 gestürzt wurde, trug das jubelnde Volk die politischen Häftlinge auf seinen Schultern aus der Festung. Schon am ersten Tage der Großen Sozialistischen Oktoberrevolution ging die Garnison der Festung auf die Seite des aufständischen Proletariats über, Waffen und Munition wurden an die Arbeiter verteilt. In der Festung richtete sich der Stab des Aufstandes ein. Ge-

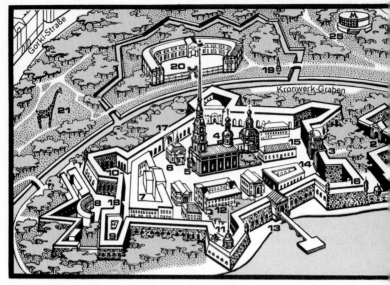

1. Johannes-Brücke **2.** Johannestor. Haupteingang der Festung **3.** Peterstor **4.** Peter-und-Pauls-Kathedrale **5.** Glockenturm der Kathedrale **6.** Bootshaus Peters I. **7.** Münze **8.** Alexej-Ravelin **9.** Trubezkoi-Bastion. Gefängnis der Trubezkoi-Bastion **10.** Sotow-Bastion **11.** Naryschkin-Bastion und Signalkanone **12.** Oberkommandantenhaus **13.** Newa-Tor. Kommandanten-Anlegestelle **14.** Ingenieurhaus **15.** Artillerie-Zeughaus **16.** Zaren-Ba-

mäß dem Leninschen Plan des Sturmes auf das Winterpalais, das letzte Bollwerk der bourgeoisen Regierung, wurde am Flaggstock einer der Bastionen eine Laterne angezündet — das verabredete Zeichen für den Kreuzer „Aurora". Danach donnerte der historische Schuß der „Aurora", das Signal für den Sturm auf das Winterpalais, wo die konterrevolutionäre Provisorische Regierung Zuflucht gefunden hatte. Die Minister dieser Regierung wurden die letzten Gefangenen der Festung.

Heute stehen 30 Baulichkeiten und Anlagen der Peter-und-Pauls-Festung unter staatlichem Schutz. Auf dem Gelände der Pflegestätte sind jegliche Veränderungen oder Verschiebungen historischer Denkmäler sowie die Errichtung neuer Bauten untersagt.

PETERSTOR

1707—1718. Architekt D. Trezzini. Bildwerke P. Pineau und K. Osner. Als Triumphbogen aus Holz gebaut und 1717—1718 in Stein nachgebildet.

Das Peterstor diente als Haupteingang der Festung. Deshalb war der Architekt bemüht, ihm ein festliches, schmuckes Gepräge zu geben.

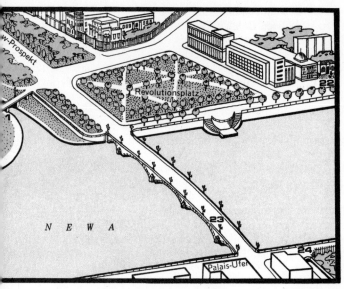

stion **17.** Nikolai-Tor **18.** Wassili-Tor **19.** Dekabristendenkmal **20.** Kronwerk. Kriegshistorisches Museum für Artillerie, Ingenieurtruppen und Meldedienst. Lenin-Park 7 **21.** Zoologischer Garten. Lenin-Park 1 **22.** Häuschen Peters I. Granitskulpturen „Schi-Tsy". Peter-Ufer 3 **23.** Kirow-Brücke **24.** Sommergarten **25.** U-Bahn-Station Gorkowskaja

Vom ursprünglichen Dekor sind nur die Flachreliefs in Holz erhalten geblieben.

Das hölzerne Flachrelief „Der Sturz des Königs Simeon" hat einen allegorischen Sinn. Durch die Kraft seines Gebetes warf der Apostel Petrus einen heidnischen Zauberer zu Boden, gleich ihm sollte Peter I. seine Feinde besiegen. Im Antlitz des Apostels erkennt man das Gesicht des Zaren.

In den Nischen des Peterstors stehen Statuen antiker römischer Göttinnen: der Kriegsgöttin Bellona und der Minerva — mit Spiegel und Schlange in den Händen — als Beschützerin der Handwerke und Künste. Die Bildwerke versinnbildlichten das Genie Peters I. als Feldherr und Staatsmann.

Das Peterstor ist das einzige Bauwerk der Festung von Anfang des 18. Jahrhunderts, das fast unverändert erhalten geblieben ist.

PETER-UND-PAULS-KATHEDRALE

1712—1732. Architekt D. Trezzini. Länge des Innenraums 61 m, Höhe etwa 16 m. Ikonostas 1722—1726. Begräbnisstätte russischer Zaren. Seit 1924 Museum.

Vom Peterstor führt eine gerade Allee zur Peter-und-Pauls-Kathedrale, dem wertvollsten Baudenkmal der Pflegestätte. In der Komposition und Innengestaltung hat die Kathedrale wenig Ähnlichkeit mit den herkömmlichen russischen Sakralbauten jener Zeit. Ihr Außenbild ist majestätisch und feierlich, der Innenraum hell und festlich. Die Kathedrale wird durch Kronleuchter aus Kristall, vergoldeter Bronze und Buntglas erhellt (Ende d. 18. Jh.).

Die Ikonenwand mit ihren 43 Heiligenbildern ist eine Meisterleistung der Holzschnitzerei, das Werk von über 40 kunstfertigen Tischlern, Schnitzern und Vergoldern, die den Grundgedanken des Architekten und Malers Iwan Sarudny verwirklicht haben.

Peter I. hatte den Ort seiner Beisetzung schon zu Lebzeiten gewählt. Unweit vom Altar sieht man seine Grabstätte rechts vom Südeingang der Kathedrale. Dreißig andere Gräber von Zaren und Großfürsten haben im wesentlichen gleichartige weiße Marmorplatten.

Durch die in den letzten Jahren vorgenommenen Restaurationsarbeiten wurde nicht nur die ursprüngliche Bemalung der Wände wiederhergestellt, sondern auch die Malerei aus dem 18. Jahrhundert über den Fenstern.

GLOCKENTURM DER PETER-UND-PAULS-KATHEDRALE

1712–1733. Architekt D. Trezzini. Höhe 122,5 m, Höhe der Engelsfigur auf der Turmspitze 3,2 m, Spannweite der Flügel 3,8 m, Höhe des Kreuzes 6,4 m.

Dieser höchste Glockenturm der Stadt wurde mehr als einmal durch Naturunbilden beschädigt. Vor der Errichtung des Blitzableiters im Jahre 1778 waren durch Blitzschläge oft Brände entstanden. Während eines solchen Brandes um die Mitte des 18. Jahrhunderts stürzte die Turmspitze zusammen, die Uhr mit dem Glockenspiel aus 35 Glocken wurde zerstört, die Mauerung der Wände wurde beschädigt. Danach wurde der Glockenturm bis zu den Fenstern des ersten Obergeschosses abgetragen und im Grunde genommen neu errichtet. Diese Arbeiten dauerten zwanzig Jahre. Auch eine neue Uhr mit Schlagwerk wurde eingebaut.

Viele Sorgen und Umstände bereitete die Engelsfigur auf der Turmspitze. Statt der starr angebrachten und vom Winde zerbrochenen Figur errichtete man eine neue, die sich wie eine riesige Wetterfahne drehen konnte, aber auch sie wurde zusammen mit dem Kreuz durch eine starke Windböe aus dem Gleichgewicht gebracht. Die Geschichte, wie es gelang, die Krönung auf der Turmspitze ohne Baugerüst wieder aufzurichten, scheint unvorstellbar. Diesen Auftrag übernahm der russische Dachdecker Pjotr Teluschkin, der sich nicht nur durch Körperkraft, sondern auch durch ungewöhnliche Findigkeit auszeichnete. Der Wagehals kletterte empor, sich an den aufgebogenen senkrechten Rändern der Kupferplatten festhaltend, mit denen die Turmspitze verkleidet war, wobei er dieselbe spiralförmig mit einem Seil umwickelte. Als

Teluschkin die glatte Kugel von drei Metern Durchmesser, die die Basis der Wetterfahne bildet, erreicht hatte, brachte er es fertig, sich an der Turmspitze anzubinden, und warf das Seil um die Basis des Kreuzes über der Kugel. Danach ließ er eine Strickleiter herab, an der er später sechs Wochen lang emporstieg, um die Reparaturarbeiten vorzunehmen. Das war im Jahre 1830.

Um die Mitte des 19. Jahrhunderts wurde beschlossen, die Holzkonstruktionen der Turmspitze durch Metall zu ersetzen. Die neue Turmspitze wurde in einem Werk im Ural angefertigt und zerlegt nach Petersburg gebracht, wo man sie auf dem Platz vor der Kathedrale zusammenbaute und mit vergoldeten Kupferplatten verkleidete. In zwei Drittel ihrer Höhe wurde eine Leiter eingebaut. Sie führt zu einer Luke, wo eine Außenleiter beginnt, die bis zur Basis des Kreuzes reicht.

1941 erkletterten Bergsteiger diese Leitern, um die blinkende Turmspitze zu verhüllen, damit sie den hitlerfaschistischen Fliegern und Artilleristen nicht als Orientierungspunkt dienen konnte. Dennoch wurde die Turmspitze durch einen Bombensplitter durchlöchert und die berühmte Uhr durch die Explosionswelle beschädigt.

1957, am Vorabend eines Jubiläums der Stadt, wurde beschlossen, der Turmnadel der Peter-und-Pauls-Festung ihr ursprüngliches Aussehen zurückzugeben. Durch 36 000 feine Goldplättchen, die man manuell anklebte, wurde die Oberfläche der Verkleidung wiederhergestellt, und die Turmspitze bietet einen Anblick, den Sie selbst beurteilen können.

Nach dem Krieg wurde auch der Mechanismus des Glockenspiels repariert. Zu diesem Zweck ließ man die Glocken herab. Die Fachleute — ein Ingenieur und ein Musiker — stimmten die elf Glocken ab, von denen die kleinste 16 Kilo und die größte 5 Tonnen wiegt. Das Aufziehen der Uhr erfolgt nicht wie früher von Hand, sondern durch einen Elektroantrieb.

Seit 1950 läßt das Glockenspiel viermal rund um die Uhr die Staatshymne der Sowjetunion erklingen: um 6 Uhr morgens und um 18 Uhr sowie zur Mittags- und zur Mitternachtsstunde. Jede Viertelstunde hört man den Glockenschlag.

Alle fünf Jahre wird in den Metallteilen des Turmspitzengerüstes mit Hilfe von Gebern die Spannung ermittelt. Die letzte Untersuchung hat bestätigt, daß die Turmspitze nach wie vor stabil ist.

Neben der Kathedrale zieht ein schmucker Pavillon, der keine Ähnlichkeit mit den anderen Baulichkeiten der Festung hat, die Blicke auf sich. Er weist eine Säulenreihe und ein dekoratives Bildwerk der Schiffahrtsgöttin auf. Das ist das sogenannte Bootshaus, das 1861 für ein Boot errichtet wurde, mit dem der junge Peter I. noch auf der Moskauer Jausa gefahren war. Das Boot Peters I. gilt als der „Urvater der russischen Flotte" und wird gegenwärtig im Zentralen Museum der Kriegsmarine gezeigt.

Peter-und-Pauls-Festung ▶

MÜNZE

1798—1806. Architekt A. Porto (vermutlich). Eines der besten Zeugnisse der russischen Industriebaukunst des 18. Jahrhunderts.

Dieses gelbweiße monumentale Bauwerk von ausgezeichneten Maßverhältnissen, das von einem Giebel geschmückt ist und ein eigenwilliges architektonisches Gepräge aufweist, sehen Sie beim Verlassen der Peter-und-Pauls-Kathedrale, denn es steht ihr gegenüber. Vor seiner Errichtung wurden die Silbermünzen in einer der Festungsbastionen geprägt. Die Entstehung der Petersburger Münze wird in das Jahr 1724 datiert, also noch zu Lebzeiten Peters I. wurden in der Festung Münzen hergestellt.

In dieser Münze wurde 1811 erstmalig in der Welt das Modell einer Hebelpresse zum Münzprägen gebaut. Das Prinzip dieser Erfindung wird praktisch auch heute von den Münzen der Welt angewandt. Die Leningrader Münze ist an Leistungsstärke im Weltmaßstab ein großer Betrieb.

1974 feierte die Münze ihr 250jähriges Bestehen.

Heute wird dort Wechselgeld hergestellt, außerdem werden dort Orden, Medaillen und verschiedene Abzeichen gefertigt. Besonders stolz sind die Meister der Leningrader Münze auf ihre Wimpel, die von den sowjetischen Raumschiffen zur Oberfläche des Mondes, der Venus und des Mars befördert wurden.

Hinter dem Münzgebäude befindet sich die Trubezkoi- und die Sotow-Bastion, wo den Besuchern Kasematten gezeigt werden, in denen viele Häftlinge der Peter-und-Pauls-Festung gefangengehalten wurden.

OBERKOMMANDANTENHAUS

1743—1746. Erbaut als Wohnhaus für den Festungskommandanten. Dort befanden sich auch die Festungskanzlei sowie der Raum für Gerichtssitzungen in Angelegenheiten der Häftlinge. Seit 1975 Ausstellungsraum des Museums der Geschichte von Leningrad.

Der zweigeschossige weißrosa Bau mit dem hohen Dach steht gegenüber der Kathedrale an der Newaseite. Er beherbergt die Ausstellung „Geschichte von Petersburg—Petrograd 1703—1917".

Die Schaustücke — angefangen von archäologischen Fundstücken auf dem Boden der Stadt bis zu Gedenkstücken der Revolution — berichten vom gesellschaftlichen, politischen, wirtschaftlichen und kulturellen Leben der einstigen Hauptstadt, von deren Gründung bis zum Sieg der bürgerlich-demokratischen Februarrevolution.

Ins Kommandantenhaus wurden die Häftlinge der Peter-und-Pauls-Festung zur Vernehmung geführt. In den Ausstellungsräumen wurde

Peter-und-Pauls-Festung.
Peterstor

Glockenturm der
Peter-und-Pauls-Kathedrale

die Einrichtung des sogenannten Memorial-Saals, wo den Teilnehmern
des Dekabristen-Aufstandes 1826 das Urteil verkündet wurde, in allen
Einzelheiten nachgeschaffen. An der Stelle, wo die Dekabristen das
Urteil anhören mußten, liegt heute eine Marmorplatte; daneben stehen
an einer Marmorstelle die Namen derer, die zum Tode bzw. zur Verbannung verurteilt wurden.

INGENIEURHAUS

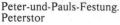

1748—1749. Errichtet für das Ingenieurkommando der Festung und deren
Werkstätten. Seit 1971 Ausstellungsräume des Museums für die Geschichte von
Leningrad.

In einiger Entfernung steht ebenfalls an der rechten Seite ein langer
eingeschossiger Bau, der in rosa-sandgelber und weißer Farbe gehalten
ist. Ursprünglich stand dort ein Holzgebäude, das später durch das
steinerne Ingenieurhaus ersetzt wurde. Während der Renovierungen
wurde das Äußere des Hauses mehrmals verändert. 1957 stellten sowjetische Restauratoren den Steinbau in seiner ursprünglichen Form
wieder her. Heute befindet sich darin die ständige Ausstellung „Architektur von Petersburg—Petrograd vom Beginn des 18. bis zum Beginn
des 20. Jahrhunderts". Der Besucher findet die Originalzeichnungen,
nach denen zahlreiche berühmte Bauten der Stadt errichtet wurden,

ebenso Stiche, Aquarelle und Gemälde mit Ansichten der Stadt aus dem 18., 19. und 20. Jahrhundert und Modelle von Denkmälern. Für Brückenmodelle wurde ein besonderer Saal eingeräumt.

Andere historisch-baukünstlerisch Objekte auf dem Gelände der Peter-und-Pauls-Festung

Das „**Artillerie-Zeughaus**" befindet sich gegenüber dem Ingenieurhaus auf der anderen Seite der von der Kathedrale zum Peterstor führenden Allee. Dieses Bauwerk stammt vom Beginn des 19. Jahrhunderts.

Das **Newa-Tor** im Südteil der Festungsmauer mit seinem Portikus aus vier Säulen mit einem Giebel gehört zu den schönsten Baulichkeiten der Festung. Es wurde als „Tor mit baulichen Verzierungen an der Wasserseite der Festung" errichtet (1787, Architekt L. Lwow).

Eine Dreifelderbrücke aus Granit vereinigt das Newa-Tor mit einem weit in den Strom reichenden kleinen Platz, der **Kommandanten-Anlegestelle.**

Gerade durch das Newa-Tor führte man nachts die Häftlinge aus den Kasematten zu dieser Anlegestelle, um sie zur Festung Schlüsselburg oder auf die Lissi Nos (Örtlichkeit am Finnischen Meerbusen), der „Hinrichtungsstätte der russischen Revolution", zu befördern, wo die Todesurteile vollstreckt wurden.

Hinter dem Newa-Tor befindet sich die **Zarenbastion,** in deren „steinernen Säcken" Häftlinge der Peter-und-Pauls-Festung schmachteten.

DENKMAL FÜR DIE DEKABRISTEN

1975. Bildner A. Petrow und A. Ignatjew, Architekt A. Leljakow. Höhe des Obelisken 9 m.

Sie verlassen die Festung durch das Peterstor. Von der Mitte der Johannes-Brücke an der anderen Seite des Grabens, auf dem Kronwerk-Wall, ist dieser Obelisk gut sichtbar.

Er steht an der Stelle, wo sich eines der dramatischsten Kapitel in der Geschichte der russischen revolutionären Bewegung abspielte. Dieser Ort wurde auf Befehl des Zaren Nikolai I. als Hinrichtungsstätte der fünf Führer des Aufstandes von 1825 bestimmt.

> *Die Aufstellung des Galgens beendete man in Anwesenheit der Dekabristen. Sie waren gefaßt und bewahrten eine außerordentliche Standhaftigkeit. Einer der Verurteilten, Kondrati Rylejew, sagte zum Gefängnispriester: „Legen Sie mir die Hand aufs Herz und prüfen Sie, ob es heftiger schlägt!" Vor der Hinrichtung*

umarmten und küßten die Dekabristen einander. Die Henker ho-
ben sie auf eine Bank, streiften ihnen die Schlingen und weiße
Leinensäcke über. Als die Bank unter ihren Füßen weggestoßen
wurde, riß bei dreien der Strick. Sie stürzten herab und verletzten
sich an einem Brett des flüchtig zusammengezimmerten Gerüstes.
Es ist bekannt, daß einer der Verurteilten sich dabei ein Bein
brach. Brauchgemäß wurde die Hinrichtung in solchen Fällen ab-
gesetzt. Aber auf Befehl des Generalgouverneurs brachte man
nach einer Stunde neue Stricke, und die Hinrichtung wurde vollzo-
gen.

An der Vorderseite des Obelisken sieht man ein Flachrelief mit Bildnissen der fünf hingerichteten Dekabristen und liest man ihre Namen. An der anderen Seite des Obelisken stehen Verse von Alexander Puschkin, dem Zeitgenossen und nahen Freund vieler Dekabristen. Sie enden mit den prophetischen Worten: „Und auf des Thrones morschen Trümmern wird unser Name leuchtend stehn!"

An der Basis des Obelisken sieht man auf dem Granitpostament in Kupfer geschmiedete Degen, Epauletten und gesprengte Ketten.

HAUS PETERS I.

1703. Länge 12 m, Höhe vom Fußboden bis zur Decke 2,5 m. Erbaut aus Balken, die wie Ziegelmauerwerk bemalt sind. 1844 Errichtung eines verglasten Steinbaus über dem Haus. Seit 1930 historische Gedenkstätte. In der Grünanlage davor sieht man eine Büste Peters I. (1835, Bildhauer P. Sabello).

An dem stillen Peter-Ufer (Petrowskaja nabereshnaja) sehen Sie das erste Wohnhaus der Stadt, das Haus Peters I.

Von dort aus konnte Peter I. nicht nur dem Verlauf der Bauarbeiten der Peter-und-Pauls-Festung, sondern auch dem der in der Nähe entstehenden Gebäude ungestört folgen.

Sofort nach der Grundsteinlegung der Festung errichtete man das kleine Haus im Mai 1703 binnen wenigen Tagen. Die Zimmerer bauten es so, wie man im Norden des Landes von altersher Bauernhütten zimmerte. Es unterscheidet sich aber von den üblichen Hütten jener Zeit durch breitere Fenster und bleigefaßte Fensterscheiben. In der Mitte des Daches wurde das Holzmodell eines Mörsers angebracht, um zu zeigen, daß hier der Chef einer Artilleriekompanie wohnt, wie Peter I. sich nennen ließ.

Das Haus hat nur zwei Zimmer: Eßzimmer und Schlaf- und Arbeitszimmer, die durch einen Vorraum getrennt sind. Es hatte nicht einmal ein Fundament. Erhalten blieb das Bauwerk dank den zeltartigen Umhüllungen: im 18. Jahrhundert aus Holz und im 19. Jahrhundert aus Stein. Diese Umhüllung ist heute noch erhalten. Das Haus wurde mehrmals instandgesetzt, wobei sein ursprüngliches Aussehen leider verändert wurde.

1974 renovierten Restauratoren das Haus so, wie es unter Peter I. geschaffen worden war.

In Museum werden Möbel und Gerätschaften aus der Zeit Peters I. gezeigt. Unter dem Holzdach befindet sich eine Ausstellung, die den ersten Jahren der Errichtung der Stadt gewidmet ist. Dortselbst wird ein Boot aufbewahrt, das der Überlieferung nach von Peter eigenhändig gezimmert wurde.

Am Ufer gegenüber dem kleinen Haus sehen Sie eine zur Newa hinabführende Granittreppe. Ihren Dekor bilden wunderliche Löwenplastiken. An den Postamenten liest man die Inschrift: „Schi-Fsy aus der Stadt Girin in der Mandschurei, wurde 1907 nach St. Petersburg gebracht." Die Schi-Fsy (chinesisch: Löwe) sind Phantasiewesen, deren Bildnisse man in China vor Palästen und Tempeln sowie auf Friedhöfen aufstellte. Jedes der 4,5 m hohen Bildwerke wiegt 2,4 t. Sie ergänzen die eigenartige Sammlung von Sphinxen, Greifen und Löwen, die man in Leningrad findet.

SOMMERGARTEN (Letni sad)

Gegründet 1704. Fläche über 11 ha, geometrische Planung, etwa 2700 Bäume, vorwiegend Linden, 82 Marmorskulpturen, öffentlicher Garten (Eintritt unentgeltlich).

> *Hin zum einzigen Garten! Rosen warten auf*
> *mich*
> *hinterm Gitter, dem keines auf Erde je glich.*
> *Majestätischer Linden weihvoll ruhendes*
> *Reich —*
> *doch mir träumt ferner Mastbäume*
> *Sturmwindgekreisch.*
> *Und es gleitet wie eh durch die Zeiten der Schwan,*
> *dies mein Ebenbild hat es mir angetan!*
>
> ANNA ACHMATOWA

> *Mit dem schmiedeeisernen Gitter an der Newaseite (1784. Architekten J. Felten, P. Jegorow) ist eine Legende von einem ausländischen Reisenden verbunden, der eigens in die Stadt gekommen sein soll, um es zu bewundern. Er ging nicht an Land, sondern saß den ganzen Tag an Deck seines Schiffs, das unweit der Peter-und-Pauls-Festung Anker geworfen hatte. Nachdem der Reisende das Gitter mit allen Einzelheiten durch sein Fernrohr betrachtet hatte, befahl er davonzusegeln. Er hat aber viel verloren, schon deshalb, weil man das herrliche Gitter aus dem Garten, vor dem Hintergrund des Himmels, viel besser sehen kann.*

Die Massivität des grau-rosa Granits des Unterbaus und der Säulen bringt die besondere Eleganz der zum Himmel weisenden schwarzen Lanzen zur Geltung, die durch ein edles Ornament aus vergoldetem Schmuckwerk vereint werden. Erlesen schön sind auch die hohen Flügel des Gartentors. Interessant ist, daß dieses Gitter das Vorbild für viele andere schmiedeeiserne Umzäumungen in der Stadt wurde. Die schönsten befinden sich vor dem Gebäude der einstigen Assignationsbank (Gribojedow-Kanal 30—32, unweit vom Newski-Prospekt) und in der Peter-und-Pauls-Festung, bei der Kathedrale.

In den ersten nachrevolutionären Jahren, als die junge Sowjetrepublik unter der wirtschaftlichen Zerrüttung zu leiden hatte, machten einige geschäftstüchtige Leute des Westens den Vorschlag, das Gitter des Sommergartens gegen Lokomotiven einzutauschen. Wie sehr Rußland damals auch die Wiederherstellung seines Eisenbahnverkehrs benötigte — der Vorschlag wurde abgelehnt.

Seinen Namen hat der Sommergarten daher, daß er in vergangenen Zeiten in den warmen Monaten der Brennpunkt des gesellschaftlichen und höfischen Lebens der jungen Hauptstadt war. Am Tage des üblichen festlichen Empfanges wurde auf der Bastion der Peter-und-Pauls-Festung die kaiserliche Standarte gehißt. Kanonenschüsse verkündeten die Stunde des Eintreffens der Gäste. Man kam nur in Booten oder in Jachten. Damals gab es im Garten eigens einen Kanal, den sogenannten Gawanez, sowie Landebrücken mit Eichengalerien, auf denen Tische gedeckt und Tanz veranstaltet wurden.

Beliebt waren auch die Feuerwerke im Sommergarten.

Zur Zeit Peters I. war der Sommergarten bedeutend größer als heute. Er nahm auch das Areal des heutigen Marsfeldes ein und reichte beinahe bis zum Newski-Prospekt. Die Springbrunnen des Sommergartens waren gewissermaßen das Vorbild der großartigen Wasserkunst von Petrodworez. Gespeist wurden sie von einem Fluß, der den Namen Fontanka bekam. Im Sommergarten entstand ein ganzes Ensemble von Palästen, die aber nicht mehr erhalten sind. Durch zwei Überschwemmungskatastrophen (1777 und 1824) wurden Springbrunnen, Pavillons sowie zahlreiche Bäume und Marmorbildwerke zerstört. Zur Zeit Peters I. gab es dort 250 Marmorskulpturen italienischer Meister.

Der durch die Überschwemmungen in Mitleidenschaft gezogene Garten wurde in all seiner einstigen Pracht nicht mehr wiederhergestellt. Bälle und Empfänge gab man bereits in anderen, prunkvolleren Zarenresidenzen außerhalb der Stadt.

Seit der Mitte des 18. Jahrhunderts war der Garten für Spaziergänge eines engen Kreises vornehmer Leute geöffnet, und zweimal in der Woche stand er allgemein offen.

Mitte des 19. Jahrhunderts lautete ein Erlaß des Zaren Nikolai I.: „Der Sommergarten steht allen Militärs und anständig gekleideten Leuten zu Spaziergängen offen. Dem einfachen Volk, so den Bauern, ist der Durchgang durch den Garten überhaupt verboten." Dieser Erlaß galt bis 1917.

Ende des 18. Jahrhunderts war der Sommergarten den damals modernen Landschaftsparks ähnlich. Im 19. Jahrhundert erhielt er nahezu sein heutiges Aussehen.

Der von Wasser umgebene Sommergarten mit seinen jahrhundertealten Bäumen, die schattige Alleen bilden, und den Marmorbildwerken auf grünem Hintergrund gehört zu den Kleinoden der Stadt. Zur kalten Jahreszeit werden die Marmorskulpturen vor Witterungsunbilden geschützt. Auch der Grünschmuck des Gartens wird sorgsam gepflegt. Selbst in den Jahren der Blockade, als im Sommergarten Schützengräben ausgehoben wurden und Flacks standen, als die Leningrader nichts zum Heizen hatten, wurde dort kein einziger Baum gefällt. Auch die Bildwerke des Gartens konnten erhalten werden.

Viele Bildwerke, die den Sommergarten heute schmücken, entstanden schon unter Peter I. Da sehen wir die allegorische Gruppe „Frieden und Wohlstand", Büsten des polnischen Königs Jan Sobieski und der schwedischen Königin Christine, die Skulpturengruppe „Amor und Psyche", Statuen der Nemesis, der Ceres, der „Nacht" und anderer. Die einst im Sommergarten aufgestellte antike Venus, ebenfalls ein Original, wird heute in der Ermitage gezeigt.

SOMMERPALAIS PETERS I.

1710—1714. Architekt D. Trezzini. Seit 1934 historische Gedenkstätte.

Unweit vom Eingang des Sommergartens steht an der Newaseite das Sommerpalais Peters I. Sein Gesamtbild weist architektonische Eigenheiten des frühen Petersburg auf: Schlichtheit und Strenge der Formen, exakte Planung, verhaltener Fassadendekor.

Peter I. zog ein, als die Gestaltung des Palais noch nicht ganz beendet war, und verbrachte dort bis zu seinem Tode jeden Sommer.

Das Erdgeschoß bewohnte Peter selbst, das Obergeschoß seine Gemahlin Katharina. Das Obergeschoß ist mit großem Prunk eingerichtet. Im Tanzsaal sind die Wände zwischen den Säulen mit venezianischen Spiegeln bedeckt, die damals modern wurden. Die Deckenbemalung des Thronsaals zeigt Katharina in einem von Adlern gezogenen Wagen. Die Wandteppiche weisen Phantasielandschaften und Genreszenen auf. In den Räumlichkeiten des Erdgeschosses werden Gegenstände gezeigt, die Peter I. gehörten.

1961—1964 wurden im Palais umfangreiche Restaurationsarbeiten vorgenommen. Durch Archivstudium und sorgfältige Erforschung des Gebäudes und analoger Bauwerke des 18. Jahrhunderts wurde es möglich, das Palais außen und innen seinem Urbild ungefähr anzugleichen.

KAFFEEHÄUSCHEN (Rossi-Pavillon)

1826. Architekt C. Rossi, Flachreliefs von W. Demut-Malinowski. Zur Zeit Bibliothek und Ausstellungssaal.

Unweit der Hauptallee sieht man einen kleinen Pavillon, ein wertvolles Parkarchitekturdenkmal des 19. Jahrhunderts. Er wurde von Carlo Rossi an der Stelle einer Grotte errichtet, an deren Schaffung sich unter Peter I. führende Architekten jener Zeit beteiligt hatten. Diese Grotte galt als hervorragendes Bauwerk von Petersburg, man betrachtete sie als ein Wunder. Planung und Ausmaße des Pavillons waren durch die Komposition dieser Grotte vorbestimmt.

Heute kann man dort Kammermusik hören, dem Auftreten von Dichtern und Komponisten beiwohnen sowie Vorträge hören.

TEEHÄUSCHEN

1827. Architekt L. Charlemagne.

Das einzige erhalten gebliebene Holzgebäude des Sommergartens aus dem 19. Jahrhundert.

KRYLOW-DENKMAL

1855. Bildhauer Klodt. Bronze.

An einer Biegung der Hauptallee wurde Mitte des 19. Jahrhunderts ein Denkmal für den berühmten Fabeldichter Iwan Krylow errichtet. Es entstand dank den freiwilligen Spenden der Bevölkerung.

Vor dem Denkmal „Großvater Krylow" befindet sich ein Kinderspielplatz. Mühelos erkennen die Kleinen im Reigen der Krylowschen Fabelgestalten am Denkmalssockel die Helden ihrer geliebten Fabeln.

Von der Seite der Moika ist der Sommergarten mit einem niedrigen Gitter eingefaßt (1826. Architekt L. Charlemagne). An diesem Gitter steht im Garten eine fünf Meter hohe Porphyrvase, ein Geschenk des schwedischen Königs an den russischen Zaren. Sie wurde 1839 dort aufgestellt.

Mit der Geschichte des Sommergartens sind die Namen vieler berühmter Menschen Rußlands verbunden. Häufig weilte dort A. Puschkin. Mit einer Szene im Sommergarten leitete P. Tschaikowski seine Lieblingsoper „Pique Dame" ein. Die alten Linden und Ahornbäume erinnern sich noch an Krylow, Shukowski, Block und viele andere, die durch die Alleen des Sommergartens spazierten.

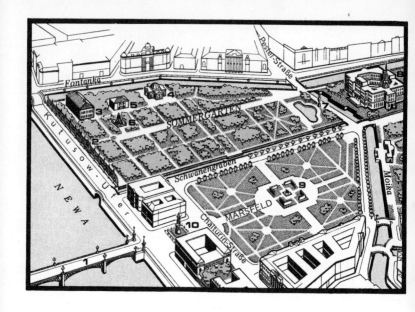

Die Leningrader lieben ihren Sommergarten, der zu den herrlichsten Anlagen der Stadt gehört.

Zentrale Plätze

Eine Übersicht der drei Leningrader Zentralplätze ist einfach: der Platz der Dekabristen und der Isaaks-Platz grenzen aneinander. Eine kurze Wegstrecke (wir raten Ihnen, sie zu Fuß zurückzulegen) führt am Gebäude der Admiralität vorbei zum Platz vor dem Winterpalais.

Die Reihenfolge der Besichtigung der Geschichts- und Baudenkmäler dieser Plätze ist auf unseren Schemen durch Zahlen dargestellt.

Stadtverkehr zum Platz der Dekabristen:
Obus 5, 14; Strb. 21, 26, 31.
Isaaks-Platz:
Obus 2, 5, 9, 10, 14; Bus 2, 3, 10, 22, 27, 60, 100; Strb. 8, 21, 26, 31.
Palaisplatz:
Obus 1, 2, 5, 7, 9, 10, 14, 22; Bus 2, 3, 6, 7, 14, 22, 26, 27, 47, 100; Strb. 8, 21, 22, 26, 31, 51.

Über die bei der Besichtigung der Zentralplätze zu besuchenden Museen wird nachstehend berichtet.

1. Kirow-Brücke 2. Gitter des Sommergartens 3. Sommerpalais Peters I. (Museum) 4. Kaffeehäuschen 5. Teehäuschen 6. Krylow-Denkmal 7. Porphyrvase 8. Ingenieurschloß 9. Denkmal für die Kämpfer der Revolution 10. Suworow-Denkmal

Fragment des Gitterwerks des Sommergartens

Wenn auch die Besichtigung der einzelnen Objekte der Zentralplätze nicht mehr Zeit erfordert, ist dieses Kapitel das längste im Buch. Sind doch die Plätze am linken Newa-Ufer reich an Denkmälern, von denen die meisten unsterbliche Baukunstwerke der Welt sind, die mit der Geschichte des Landes in engster Verbindung stehen.

Der Gedanke, im Herzen der Stadt drei Paradeplätze anzulegen, wurde bereits um die Mitte des 18. Jahrhunderts von der „Kommission für den Steinbau in St. Petersburg" aufgeworfen, die ihre Tätigkeit 1762 begann. Die Kommission war der Auffassung, daß eine Verwirklichung dieses Gedankens der Stadt eine Großartigkeit verleihen würde, die der Hauptstadt eines so mächtigen Staates entspräche. Seine sofortige Verwirklichung gelang allerdings nicht. Die Gesamtheit dieser Plätze entstand im Laufe von mehr als hundert Jahren dank dem Wirken mehrerer Architektengenerationen und dem Fleiß vieler Tausender russischer Meister.

PLATZ DER DEKABRISTEN (plostschadj Dekabristow)

Der der Newa zugekehrte Platz der Dekabristen wirkt besonders großräumig und imposant.

Sein endgültiges Gepräge erhielt er 1874, als in seinem Hintergrund

143

Sommerschloß Peters I.

ein Garten angelegt wurde. In den mehr als hundert Jahren sind die jungen Bäumchen zu mächtigen Baumriesen geworden, die das große und herrliche Rosarium beschützen. Im Winter werden die vielen tausend Rosensträucher auf dem Platz der Dekabristen durch Tannenzweige und Holzgehäuse zugedeckt.

Seit seinem Bestehen hat der Platz nicht nur sein Äußeres, sondern auch seinen Namen mehrfach gewechselt. Ursprünglich hieß er Senatsplatz, denn 1763 wurde aus den „Zwölf Kollegien" der Senat in ein Bauwerk auf dem Platz verlagert. Später, nach der Aufstellung des Standbildes Peters I. im Jahre 1782, erhielt der Platz den Namen Petersplatz. Diese Bezeichnung hat sich aber nicht durchgesetzt, nach der Errichtung des neuen Senatsgebäudes hat sich der frühere Name des Platzes lange gehalten. 1925, zur Hundertjahrfeier des revolutionären Dekabristenaufstandes, dessen Schauplatz dieser Platz gewesen war, wurde derselbe in Platz der Dekabristen umbenannt.

Vor anderthalb Jahrhunderten, im Jahre 1825, war der Platz weniger bebaut. Das neue Gebäude des Senats und des Synods existierte damals noch nicht. Die Isaaks-Kathedrale, deren gewaltiger Komplex heute direkt vor unseren Augen emporragt, wurde damals erst errichtet.

Am trüben Wintermorgen des 14. Dezember 1825 erschienen auf dem Senatsplatz an der Spitze von Regimentern mit entfalteten Kriegsfahnen jene Menschen, die die russische Geschichte Dekabristen getauft hat.

In den einleitenden Ausführungen der Geschichte Leningrads wie auch im Kapitel über die Peter-und-Pauls-Festung wurden die Dekabristen bereits erwähnt. Hier, auf dem Platz der Dekabristen, wird es Zeit, auf sie näher einzugehen. Wer waren die Dekabristen? „... Die besten Menschen unter den Adligen...", antwortete W. I. Lenin auf diese Frage. „Es waren aus reinem Stahl geschmiedete Recken", schrieb über sie A. Herzen, Denker und Revolutionär der auf die Dekabristen folgenden Generation. Die Dekabristen waren begabte Menschen mit umfassender Bildung, manche mit vielseitigem Talent, es waren Menschen von hohem moralischem Pflichtgefühl, Edelsinn und Wagemut. Die Mehrheit dieser ersten russischen Revolutionäre waren Helden des Vaterländischen Krieges von 1812 gewesen.

Das bäuerliche Rußland befand sich damals in einem Gärungszustand: Im ersten Viertel des 19. Jahrhunderts kam es zu 280 Aufständen. Der Vaterländische Krieg hatte die Volksmassen aufgerüttelt. Die jungen Offiziere der zaristischen Armee hatten mit den Menschen aus dem Volk den Alltag des Krieges und Waffentaten geteilt und mit eigenen Augen das Heldentum, Standhaftigkeit und Opferbereitschaft der russischen Soldaten, dieser gestrigen Bauern, gesehen. Nach dem siegreichen Ende des Krieges von 1812 konnten sich die späteren Dekabristen nicht damit abfinden, daß die Bauern, die der Zarenarmee den Ruhm einer Befreierin Europas eingebracht hatten, weiter Leibeigene der Grundbesitzer bleiben sollten. Die Ideen der Französischen Revolution und der Enzyklopädisten wie auch die revolutionäre Gärung in Italien, Spanien, Portugal und Griechenland hatten ihren Einfluß auf die Entwicklung der Weltanschauung der fortschrittlichen Menschen aus dem Adel. In Rußland bildeten sich geheime Gesellschaften, deren radikalste Mitglieder sich das Ziel setzten, die Monarchie zu stürzen, die Leibeigenschaft zu beseitigen, eine Republik zu errichten und die Gleichstellung aller Bürger zu erreichen. „Wir hatten... ein Wort, das die Herzen aller Schichten im Volke in gleicher Weise erschütterte: Freiheit", schrieb der Dekabrist P. Kachowski.

Am 19. November 1825 verstarb Zar Alexander I. ganz unerwartet. Die revolutionär gestimmten Offiziere hielten den Zeitpunkt für gekommen, um das zu vollbringen, worauf sie sich schon mehrere Jahre vorbereitet hatten. In heißen Debatten entstand der Plan eines offenen Aufstandes. Seine Leiter hofften den Senat zu zwingen, daß er in seinem Namen ein „Manifest an das russische Volk" veröffentliche, in dem die konstitutionelle Regierungsform verkündet würde.

Zu diesem Zweck wurden Truppen auf den Senatsplatz geführt. Die Aufständischen wußten aber nicht, daß der künftige Zar Nikolai I. von dem bevorstehenden Aufstand Kenntnis hatte und die Senatoren ihm bereits um 7 Uhr 20 Minuten morgens den Treueid geleistet hatten und nach Hause gefahren waren. Die Soldaten des Moskauer Regiments, die als die ersten auf dem Senatsplatz erschienen, standen vor dem leeren Senatsgebäude. Außerdem war der zum Leiter des Aufstandes gewählte Fürst S. Trubezkoi nirgends zu sehen.

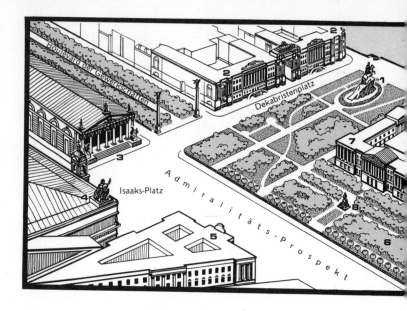

Beim Denkmal Peters I. nahm das Moskauer Regiment im Karree Aufstellung, ihm schlossen sich die Matrosen der Garde-Equipage und die Leibgrenadiere an. Die Zahl der Aufständischen erreichte an die drei Tausend, aber sie waren unschlüssig. Mittlerweile war es bereits ein Uhr mittags geworden, und der Zar hatte Zeit gehabt, die ihm treuen Regimenter herbeizurufen, deren Zahlenstärke die der Aufständischen dreifach übertraf.

„Die Arbeiter der Isaaks-Kathedrale begannen hinter den Gerüsten mit Holzklotzen nach uns zu werfen", schrieb Nikolai I. später in seinen Erinnerungen. „... Der Aufstand konnte auf den Haufen übergreifen." Der Zar hatte sich nicht geirrt. Das Menschenmeer — Zeitgenossen berichteten, es seien Zehntausende gewesen — war in Erregung, das Volk ergriff Partei für die Aufständischen, die aber konnten sich nicht entschließen, es zu Hilfe zu rufen.

Nachdem der Zar die Initiative an sich gerissen hatte, sandte er Kavalerieeinheiten, die an der Newa und im Hintergrund des Platzes standen, mehrere Male in die Attacke. Sie waren aber zum Rückzug genötigt, nicht so sehr wegen des Gegenfeuers der Aufständischen, die kein unnützes Blutvergießen wollten und in die Luft schossen, als vielmehr wegen der von der Menge nach den Angreifern geworfenen Steine und Holzscheite.

Kanonen wurden angefahren, und ein Schießbefehl wurde erteilt. Die Reihen der Aufständischen gerieten ins Wanken. Viele ergriffen

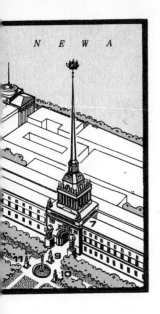

1. Denkmal Peters I. (Eherner Reiter) 2. Gebäude des ehemaligen Senats und Synods 3. Gardekavallerie-Manege. Ausstellungssaal 4. Isaaks-Kathedrale 5. Villa von Lobanow-Rostowski 6. Maxim-Gorki-Garten 7. Admiralität 8. Prshewalski-Denkmal 9. Glinka-Denkmal 10. Lermontow-Denkmal 11. Gogol-Denkmal

die Flucht, wobei sie in den Straßen rings um den Platz Zuflucht suchten, andere versuchten, das bereits von Geschossen durchschlagene Eis der Newa zu überqueren. Um sechs Uhr abends war alles zu Ende. Es begannen Razzien und Verhaftungen. In der Nacht zum 15. Dezember wurden die ersten Häftlinge in die Peter-und-Pauls-Festung eingeliefert. Für 121 Teilnehmer der Geschehnisse am 14. Dezember auf dem Senatsplatz begann ein harter, dreißig Jahre währender Weg durch Gefängnisse, Zuchthäuser und Verbannung. Fünf Leiter des Aufstandes: Paul Pestel, Kondrati Rylejew, Sergej Murawjow-Apostol, Michail Bestushew-Rjumin und Pjotr Kachowski wurden auf dem Kronwerk der Peter-und-Pauls-Festung gehängt. Hunderte Offiziere wurden degradiert und ohne jeden Richterspruch in die Verbannung geschickt. Schwere Strafen hatten auch die am Aufstand beteiligten Soldaten zu erdulden. Zu den fünf hingerichteten Dekabristen kamen noch die zu Tode geprügelten Soldaten, von denen manche zwölfmal Spießruten laufen mußten und von tausend Mann insgesamt zwölftausend Schläge erhielten.

W. I. Lenin nannte den Aufstand der Dekabristen eine große patriotische Heldentat, die bei der Nachwelt Stolz und Begeisterung hervorruft.

Soweit die historischen Hauptereignisse, deren stummer Zeuge der Platz war.

Nun einiges über seine Bau- und Kulturdenkmäler.

DENKMAL PETERS I. (Der Eherne Reiter)

1768—1770 Schaffung des Modells. 1782 Enthüllung des Denkmals. Bildner E. Falconet. Kopf des Reiters von seiner Schülerin M. Collot. Die Schlange unter den Pferdehufen schuf der Bildner F. Gordejew. Höhe des Denkmals 13,6 m.

> *Der Eherne Reiter am herrlichen*
> > *Strom,*
> *In Rußland Freund poetischer*
> > *Inspiration.*
> > *PAWEL ANTOKOLSKI*

Das ist ein Meisterwerk der monumentalen Kunst, voller Majestät und Ausdruckskraft.

Nachdem Alexander Puschkin seine Dichtung „Der Eherne Reiter" geschaffen hatte, ist dieser bildliche Ausdruck in die Literatur und in die Umgangssprache eingegangen.

An seinem Ehernen Reiter hat Falconet zwölf Jahre gearbeitet. Unter den Fenstern seines Ateliers befand sich ein Sandhügel mit einer Plattform, auf dem die besten Pferde des kaiserlichen Gestüts Brillant und Caprice unter geschickten Reitern emporstürmten und sich aufbäumten. In diesen Augenblicken machte der Bildner seine Skizzen.

Während das Denkmal in Bronze gegossen wurde, zersprang die Form, das glühendflüssige Metall rann heraus und im Atelier entstand ein Brand. Falconet stürzte aus der Gießerei und meinte schon, die Frucht seiner langjährigen Arbeit sei unwiederbringlich verloren. Das Werk rettete der Gießer Jemeljan Chailow, dem es gelang, den Sprung mit Lehm zu verschmieren. Er erlitt schwere Verbrennungen, aber der Guß war gerettet.

Falconet entschied sich dafür, den „Ehernen Reiter" nicht auf ein gewöhnliches Postament, sondern auf Naturstein zu stellen.

> *Nach dem für das Postament geeigneten Felsblock wurde lange gesucht, schließlich entdeckte ihn der Bauer Semjon Wischnjakow mehr als zehn Kilometer von der Stadt entfernt im Walde. Einst war der Block durch einen Blitzschlag zerborsten und hatte danach den Namen „Donnerstein" erhalten.*
>
> *Das Gewicht des dreizehn Meter langen und über sechs Meter hohen und breiten Felsblocks erreichte 1600 Tonnen. Mit Hebeln und Walzen beförderte man ihn auf eine Plattform und rollte ihn mit Hilfe kupferbeschlagener Rinnen auf 30 kupfernen Kugeln — dem Urbild eines Walzlagers — zum Finnischen Meerbusen, von wo er mit einem von russischen Schiffbauern eigens konstruierten Frachtkahn nach Petersburg gebracht wurde. Die ganze Beförderung dauerte über ein Jahr. Zur Erinnerung an diese titanische Arbeit wurde eine Medaille geprägt mit der Aufschrift: „Dem Wagemut gleich. 20. Januar 1770."*

Das Denkmal befindet sich unter der ständigen Aufsicht von Restauratoren. Während der Blockade war der „Eherne Reiter" durch Sandsäcke und ein Brettergehäuse geschützt worden, so daß er unbeschädigt blieb.

Der „Eherne Reiter," der Held des Puschkinschen Poems, ist auch von Mickiewicz, Brjussow und vielen zeitgenössischen Dichtern besungen worden. Sein Bild schmückt Medaillen. Er fand auch Verkörperung im Ballett von Glijer „Der Eherne Reiter". Zum 30. Jahrestag der Zerschmetterung der Hitlerfaschisten bei Leningrad wurde er auf einer Briefmarke dargestellt. Er ist Gegenstand zahlreicher geschichtlicher und kunstwissenschaftlicher Forschungen.

SENAT UND SYNOD

1829—1834. Architekt C. Rossi. Höhe der durch einen Bogen verbundenen Gebäude über 18 m. Der linke Flügel war für den Synod (Sinod), die oberste Behörde der russisch-orthodoxen Kirche, bestimmt, der rechte für den Senat. Seit 1955 Zentrales historisches Archiv.

An der rechten Seite des Platzes (wenn man der Newa den Rücken zukehrt) ziehen zwei majestätische gelbweiße Gebäude, die durch einen wirkungsvollen Schwingbogen über die Straße verbunden sind, die Blicke auf sich.

Es ist dies das letzte große Werk von Carlo Rossi. Den Bau leitete der Architekt A. Staubert. Auf die Gestaltung des Gebäudes hatte der Geschmack des Zaren und des Synods Einfluß. Der mit Figurenschmuck versehene Bogen trägt die prunkvollen Wesenszüge des Barocks. Die Krönung der Attika bildet eine Figurengruppe „Gerechtigkeit und Frömmigkeit", welche die Einheit von weltlicher und kirchlicher Macht versinnbildlichen sollte.

Durch ihre Maßverhältnisse, die Kolonnaden und die Farbgebung harmonieren die Gebäude des Senats und des Synods mit der Seitenfassade der gegenüberstehenden Admiralität.

An den Platz der Dekabristen grenzt der Isaaks-Platz. An der Seite, wo sich das Gebäude des Senats und des Synods befindet, steht auf dem Isaaks-Platz die

GARDEKAVALLERIE-MANEGE

1804—1807. Architekt G. Quarenghi. Bildner der Dioskurenstatuen P. Triscarni (1817 nach Petersburg gebracht). Seit 1977 Ausstellungssaal des Künstlerverbandes.

Dekabristen-Platz

Die Gardekavallerie-Manege ist eines der letzten und bedeutendsten Werke von Giacomo Quarenghi. Der Architekt hat in Betracht gezogen, daß die Stirnseite der Manege vom Platz der Dekabristen aus gut zu sehen sein würde. Er versah diese Gebäudeseite mit einem Portikus aus acht Säulen, der an einen antiken Tempel erinnert. Davor stehen Marmorbilder griechischer Sagenhelden, der Dioskuren, die ihre aufgebäumten Pferde halten. Der künstlerische Wert des Bauwerks besteht in der Vollkommenheit seiner Architekturformen und Proportionen.

Nicht immer diente diese für das Gardekavallerieregiment erbaute Manege der Ausbildung von Kavalleristen und Reiterwettkämpfen. Um die Mitte des vorigen Jahrhunderts veranstaltete man dort zum Beispiel eine Ausstellung landwirtschaftlicher Maschinen, später konzertierte in diesem Gebäude Johann Strauß.

ISAAKS-PLATZ (Isaakijewskaja plostschadj)

Der Platz entstand in den dreißiger und vierziger Jahren des 18. Jahrhunderts als Handelsplatz. Seine endgültige Herausbildung erfolgte Ende des 19. und Anfang des 20. Jahrhunderts. Die Umbenennung ist mit dem Bau der Isaaks-Kathedrale in seiner Mitte verbunden. An der Newaseite breitet sich vor der Kathedrale eine malerische Grünanlage

150

Denkmal Peters I. („Eherner Reiter"), Fragment

aus. Sie vereint gleichsam die Bauwerke verschiedener Epochen an dieser Seite des Platzes und gleicht die Unterschiede in den einzelnen Stilen aus. Die andere Seite jenseits der Anlage ist im Stil strenger und einheitlicher, sie erinnert an die Architektur der italienischen Spätrenaissance.

Das dominierende Element bildet die riesige Isaaks-Kathedrale. Bei schönem Wetter ist ihre vergoldete Kuppel 30 bis 40 Kilometer weit erkennbar.

ISAAKS-KATHEDRALE

1818—1858. Architekt A. Montferrand. Grundriß kreuzförmig. Gesamthöhe 101,52 m, Länge 111,2 m, Breite 97,6 m. Mauerdicke bis zu 5 m. Vermutliches Gewicht des Bauwerks 300 000 Tonnen. 112 polierte Granitsäulen. Die 48 unteren Außensäulen sind jeweils 17 m hoch und wiegen je 114 t, die 24 oberen Säulen haben eine Höhe je 13 m und ein Gewicht je 67 t. Durchmesser der Mittelkuppel 22 m. Innenfläche über 4000 m². In der Kirche finden bis zu 14 000 Personen Platz. Seit 1931 Museum.

Um einen Gesamteindruck von der Issaks-Kathedrale zu erhalten, sollte man sich am besten etwas von ihr entfernen.

An diesem Bauwerk überwältigt alles: die gewaltigen Ausmaße, die majestätische Säulenfront, die Menge herrlicher Plastiken und Reliefs, die Vergoldung und der Marmor. Fachleute konstatieren sogar eine gewisse Überladenheit des Dekors, wodurch die Massivität des Bauwerks besonders fühlbar wird.

Seine Entstehungsgeschichte reicht in die Zeit Peters I. zurück.

Bereits 1710 entstand in einem umgestalteten Raum der Zeichenwerkstatt der im Bau befindlichen Admiralität eine Holzkirche, die dem heiligen Isaak geweiht wurde. Nach einiger Zeit vurde dieselbe wegen Baufälligkeit abgetragen.

1719 legte Peter I. eigenhändig den Grundstein einer neuen Isaaks-Kirche. Fast unmittelbar an der Newa, ungefähr am Ort des „Ehernen Reiters", wurde ein Bauwerk mit spitzem Turm errichtet, das an die Kathedrale der Peter-und-Pauls-Festung erinnerte. Zu jener Zeit war das Newa-Ufer jedoch noch nicht befestigt, weshalb das Bauwerk in Verfall geriet. 1768 begann der Bau einer neuen Isaaks-Kathedrale, und zwar an der Stelle der heutigen, die 1802 eingeweiht wurde. Aber Ausmaße und Repräsentativität der Kathedrale entsprachen am Ende der Bauarbeiten schon nicht mehr der groß gewordenen Hauptstadt, und nach der siegreichen Beendigung des Vaterländischen Krieges von 1812 wurde der Bau einer neuen, schon der vierten Isaaks-Kirche beschlossen. Am Wettbewerb um den besten Entwurf beteiligten sich namhafte Architekten. Sieger wurde der damals noch völlig unbekannte August Montferrand. Zar Alexander I. war stark beeindruckt von einem ausgezeichneten Album mit 24 Kathedralentwürfen in den verschiedensten Baustilen. Obgleich es nur schön gezeichnete Bilder waren, aber keine Entwürfe, nach denen man bauen konnte, wurde gerade Montferrand mit dem Bau der Kathedrale beauftragt. Montferrand war ein talentvoller Architekt, hatte aber noch keine bautechnischen Erfahrungen. Er erwarb sie während der Errichtung der Isaaks-Kathedrale, weshalb man die führenden Architekten und Ingenieure jener Zeit W. Stassow, die Brüder Michailow, C. Rossi, A. Melnikow und einige andere als Mitschöpfer des Entwurfes betrachten kann. Sie gehörten zum Komitee, das die Bauarbeiten zu leiten und Montferrands Fehler zu berichtigen hatte.

Die bautechnischen Schwierigkeiten bei der Errichtung der Kathedrale wurden dadurch vergrößert, daß der Zar die Erhaltung der Mauern des früheren Bauwerks zur obligatorischen Bedingung gemacht hatte, weil diese bereits von der Kirche geweiht worden waren. Dieser Umstand und die weitere Einmischung der Zaren führten zu neuen Fehlern. Eine ungleichmäßige Setzung des Gebäudes von kolossalem Gewicht konnte nicht vermieden werden. Nach drei Jahren mußten die Arbeiten eingestellt und die Reste des alten Bauwerks praktisch auseinandergenommen werden. Das Baugeschehen setzte erst wieder ein, nachdem das Komitee einen neuen, technisch einwandfreien Entwurf erarbeitet hatte.

Zur Aufstellung der aus Monolithen hergestellten Säulen (Säulen von solchem Ausmaß aus einem Stück sind in der Baupraxis der Welt unbekannt) bediente man sich origineller Vorrichtungen, die es ermöglichten, diese schwierige Aufgabe ohne Maschinen zu lösen. Dank der Geschicklichkeit der Mechaniker und Baumeister wurden die gewaltigen Säulen in nur 40 bis 45 Minuten aufgestellt. Eine anschauliche Vorstellung von diesem Vorgang vermitteln graphische Blätter und Modelle der Museumsschau in der Kathedrale.

Eine weitere technische Meisterleistung war die Errichtung der großen Kuppel. Ihre Konstruktion besteht aus drei Halbkugeln, die in der Art der russischen Matrjoschka übereinander gestellt wurden. Zwischen den Verstrebungen der mittleren Kuppel und den Platten der äußeren befinden sich etwa 100 000 leere Tontöpfe, die ein leichtes Gewölbe bilden und zugleich eine hervorragende akustische Resonanz hervorrufen.

Die Isaaks-Kathedrale überwältigt durch ihre großzügige Gestaltung. Nicht zufällig dauerte die Ausgestaltung noch siebzehn Jahre nach der Vollendung des Baus. Der Staat geizte nicht mit Ausgaben. Die Gesamtkosten der Kathedrale erreichten beinahe das Zehnfache der Ausgaben für das Winterpalais, die Residenz des Zaren.

Für die innere und äußere Verkleidung wurden vierzehn Marmorarten verwendet. Im Museum der Kathedrale sehen Sie eine mehrfarbige Büste A. Montferrands aus Mustern aller bei der Innengestaltung verwendeten Marmorarten.

Außer Marmor und Granit verschiedener Schattierungen und Farben wurden für die Gestaltung der Kathedrale so viele Arten Naturstein verwendet, daß man dieselbe als ein Museum der Minerale bezeichnen kann.

Über vierhundert plastische Bildwerke und Flachreliefs bester Meister schmücken das Bauwerk innen und außen. Jedes der vier bronzenen Hochreliefs an den Giebeln der Säulenvorbauten wiegt bis zu 600 t. In Bronze wurden zwei Szenen biblischer Sujets verkörpert. Interessant ist, daß an einem der Hochreliefs der westlichen Seite in der linken unteren Ecke eine halbliegende Männergestalt in römischer Toga in den Händen ein Modell der Isaaks-Kathedrale hält. Die Ähnlichkeit ihrer Gesichtszüge mit denen des Baumeisters spricht dafür, daß es sich um eine Art Denkmal für Montferrand handelt. Ein großer Teil der Skulpturen wurde von dem bekannten Moskauer Bildhauer des 19. Jahrhunderts, I. Vitali, ausgeführt.

Etwa zweihundert Gemälde, Fresken und Mosaikbilder, an deren Schaffung 22 Künstler beteiligt waren, bedecken den Ikonostas, die Decken, Wandflächen, Nischen und Pylonen des Innenraums. Im Altar-

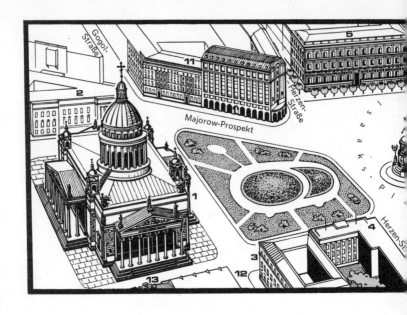

teil befindet sich ein riesiges Glasbild des Gekreuzigten. Die Deckenbemalung der Hauptkuppel stammt von Karl Brüllow, einem der bedeutendsten Maler der russischen akademischen Schule.

Eine Petersburger Zeitung schrieb, die Kathedrale werde zu einem Pantheon der russischen Kunst, da erstklassige Künstler in ihr Zeugnisse ihres Genies hinterließen. Aber ihr künstlerischer Gedanke konnte nur zur Wirklichkeit werden dank der unmenschlichen Mühen Zehntausender namenloser Meister im Verlaufe von vier Jahrzehnten.

Die aus ganz Rußland zusammengetriebenen Bauleute entbehrten der elementarsten Lebensverhältnisse, viele kamen ums Leben. Allein durch die giftigen Quecksilberdämpfe während der Vergoldung der Kuppel starben sechzig Arbeiter. Gearbeitet wurde täglich fünfzehn Stunden, sogar an den Sonn- und Feiertagen. Dazu gibt es eine heuchlerische „Begründung", niedergeschrieben vom Zaren Nikolai I.: „Unter den obwaltenden Umständen gereicht die Müßigkeit des arbeitenden Volks demselben zum Schaden." Der absolute Herrscher hatte nicht vergessen, wie vor seiner Thronbesteigung am Tage des Dekabristenaufstandes von den Baugerüsten der Isaaks-Kathedrale Steine, Bretter, Ziegel und Holzknüppel nach Truppen des Zaren, seinem Gefolge und ihm selbst geflogen kamen.

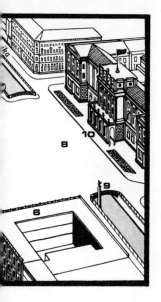

1. Isaaks-Kathedrale 2. Villa von Lobanow-Rostowski 3. Haus der Mjatlews 4. Leningrader Intouristfiliale 5. Institut für Pflanzenschutz. Ehem. Haus des Ministeriums für Staatliche Vermögen 6. Institut für Pflanzenzucht der A. d. W. der UdSSR. Ehem. Haus des Ministeriums für Ackerbau 7. Denkmal Nikolais I. 8. Blaue Brücke 9. Obelisk (mit Pegelstand der größten Überschwemmungen) 10. Haus des Leningrader Stadtsowjets (Marien-Palais) 11. Hotel „Astoria" 12. Zum Hauptpostamt und Postmuseum „A. Popow" 13. Museum für Musikinstrumente

Die Isaaks-Kathedrale wurde feierlich als Hauptkathedrale der Metropole eingeweiht.

Nach dem Sieg der Großen Sozialistischen Oktoberrevolution wurde sie der Gemeinde der Gläubigen zur Verfügung gestellt. Die Geistlichkeit sorgte jedoch in keiner Weise für die Erhaltung, Reparatur und Rekonstruktion dieses hervorragenden Baudenkmals. 1928 beschloß die Regierung, dem Ersuchen der Werktätigen um die Schließung der Kathedrale und ihre Verwandlung in ein Museum stattzugeben. Nach großen Restaurationsarbeiten wurde das Museum 1931 geöffnet. Heute gehört es zu den meistbesuchten Sehenswürdigkeiten der Stadt.

In den Jahren des Großen Vaterländischen Krieges dienten die Räumlichkeiten der Isaaks-Kathedrale zur Unterbringung zahlreicher aus den Palaismuseen der Vorstädte evakuierten künstlerischen Werte. Selbstverständlich hatte das Objekt keine militärische Bedeutung, jedoch auf den feindlichen Meßtischblättern war die Isaaks-Kathedrale als Orientierungspunkt Nummer eins angegeben. Durch Beschuß und Bombardement wurden Säulen, Bedachung und Außenskulpturen beschädigt, durch Explosionswellen Scheiben ausgeschlagen und das ein-

Isksaks-Platz ▶

Isaaks-Kathedrale

zigartige Glasbild des Altars schwer beschädigt. Sofort nach Kriegsende begannen die Restaurationsarbeiten. Heute erfreut die Isaaks-Kathedrale den Blick durch den tadellosen Zustand ihres Äußeren und Inneren.

> *Zur Museumsschau gehört außer den Kunstwerken und den Schaustücken, die über die Errichtung der Kathedrale Aufschluß geben, das größte Foucaultsche Pendel der Welt (Gewicht 54 kg, Länge 93 m). Mit seiner Hilfe wird die Drehung unseres Planeten um seine Achse veranschaulicht. Sehr beliebt ist bei den Besuchern die Aussichtsplattform in der Höhe der oberen Kolonnade.*

VILLA VON LOBANOW-ROSTOWSKI

1817—1820. Architekt A. Montferrand. Plastiken P. Triscarni.

Die Isaaks-Kathedrale ist nicht das einzige von Montferrand entworfene Bauwerk. Er baute auch die Villa des bekannten russischen

Diplomaten Fürst A. Lobanow-Rostowski. Die der Isaaks-Kathedrale zugewandte Fassade des Hauses wiederholt in gewissem Sinne die Komposition ihrer Hauptfassade. Vor dem Hauseingang, an der Seite des Admiralitäts-Prospektes, sieht man auf Granitpostamenten jene Marmorlöwen, die Puschkin in seiner Dichtung „Der Eherne Reiter" beschrieben hat. Auf einem der Löwen rettete sich der Held der Dichtung während der Überschwemmung. Bisweilen nennt man diese Villa auch das Haus mit den Löwen.

HAUS DER MJATLEWS

60er Jahre des 18. Jahrhunderts. Architekt A. Rinaldi (vermutlich).

An der anderen Seite des Platzes steht an der Ecke der Sojusaswjasi-Straße das älteste und an künstlerischer Bedeutung wertvollste Haus des Isaaks-Platzes, bekannt als das Haus der Mjatlews. Seine Fassade schmücken meisterlich ausgeführte Medaillons und Büsten, lange Reliefbilder sowie Kompositionen aus Rüstzeug. In diesem Hause wohnte 1773—1774 der französische Enzyklopädist D. Diderot. Häufig hielt sich dort auch A. Puschkin auf, der mit dem Dichter Iwan Mjatlew befreundet war.

LENINGRADER ZWEIGSTELLE VON INTOURIST
(Ehemalige deutsche Botschaft)

1910—1912. Architekt P. Behrens. Heute Verwaltungsgebäude von Intourist.

Neben dem Haus der Mjatlews befindet sich ein mit rotem rustiziertem Granit verkleidetes Gebäude, das für die deutsche Botschaft errichtet wurde. Diesem Zweck diente es allerdings nur bis zum Beginn des ersten Weltkriegs 1914.
Neben den älteren Bauwerken des Platzes wirkt dieses Haus aus dem 20. Jahrhundert etwas störend.

HÄUSER DER EHEM. MINISTERIEN FÜR LANDWIRTSCHAFT UND STAATLICHE VERMÖGEN

844—1853. Architekt N. Jefimow. Heute Institute der Landwirtschaftlichen Akademie der UdSSR „W. I. Lenin". Im westlichen Hause Wawilow-Institut für Pflanzenzucht, im östlichen — Forschungsinstitut für Pflanzenschutz.

Diese einander gegenüberstehenden gleichartigen Gebäude zeugen davon, daß der Platz ursprünglich in einheitlichem Stil erbaut werden sollte.

Die heute in diesen Gebäuden untergebrachten Forschungsstätten sind weltbekannt durch ihre Leistungen in der Zucht landwirtschaftlicher Nutzpflanzen und deren Schutz vor Schädlingen. Schon vor dem Kriege hatte das Institut für Pflanzenzucht eine einzigartige Sammlung von Samenproben nützlicher Pflanzen aller Kontinente zusammengetragen. Allein von Maissorten gab es über 13 000 Proben und von Weizensorten über 43 000. Während der Blockade, als der Feind bis an die Mauern von Leningrad vordrang, befanden sich die Versuchsparzellen des Instituts in der Vorstadt, in dem von Feind zeitweilig besetzten Frontgebiet. Ihr Leben riskierend, brachten die Mitarbeiter des Instituts unter dem gegnerischen Feuer die kostbare Ernte ein. Die gesamte „eßbare Sammlung" wurde von der kleinen Institutsbelegschaft bis zur letzten Samenknolle, bis zum letzten Körnchen bewahrt, obgleich 29 Mitarbeiter an Hunger zugrunde gingen.

Fürwahr eine patriotische und wissenschaftliche Großtat. Im Südteil des Platzes steht gegenüber der Isaaks-Kathedrale das

DENKMAL NIKOLAIS I.

1856—1859. Bildner P. Clodt, Architekt A. Montferrand. Bronze. Postament aus Granit, Porphyr und Marmor verschiedener Farben. Höhe 16,25 m. Flachreliefs und allegorische Figuren von N. Ramasanow und R. Saleman. Laternen nach Zeichnungen von P. Clodt.

Als Gemahlin und Tochter Nikolais I. das Denkmal bestellten, hatten sie selbstverständlich eine Glorifizierung des verstorbenen Monarchen im Sinn. Aber der Prunk des Clodtschen Denkmals betont nur die

PETRO PRIMO
CATHARINA SECUNDA
MDCCLXXXII·

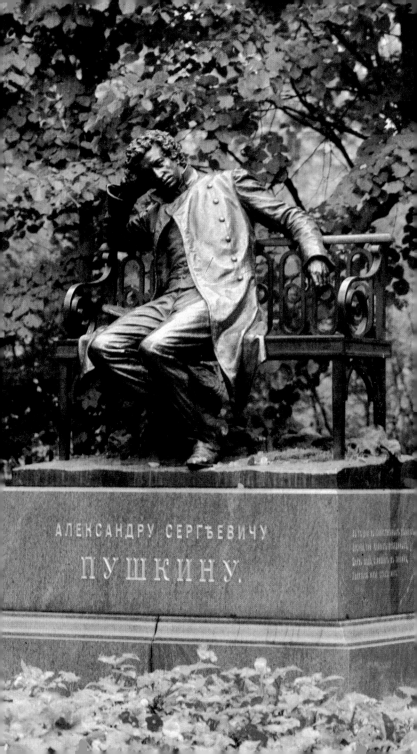

АЛЕКСАНДРУ СЕРГѢЕВИЧУ

ПУШКИНУ.

hochmütige Kälte, den Komißgeist und die für den Gendarmenzaren Nikolai I. typische Vorliebe für theatralische Pose. Einen wahrheitsliebenden Künstler konnte die Gestalt dieses Zaren, den das Volk treffend Nikolai Palkin (Prügel-Nikolai) getauft hatte, schwerlich inspirieren. Die Flachreliefs am Denkmalssockel erinnern an Ereignisse seiner ruhmlosen Regierungszeit. Eines stellt den Zaren Nikolai vor seinen Höflingen nach der Niederschlagung des Dekabristenaufstandes dar. Die vier allegorischen Gestalten an den Ecken des Sockels, denen der Bildner R. Saleman äußerliche Ähnlichkeit mit der Frau und den drei Töchtern des verstorbenen Zaren verlieh, sollten Glauben, Weisheit, Gerechtigkeit und Stärke verkörpern, was bereits von den Zeitgenossen mit Ironie aufgenommen wurde.

Bei all dem fand der Bildner aber ein gutes Maßverhältnis der einzelnen Elemente des Denkmals wie auch der allgemeinen Silhouette und eine interessante technische Lösung: das schwere Reiterstandbild stützt sich auf nur zwei Punkte.

BLAUE BRÜCKE

1818. Renoviert und verbreitert 1842. Breite 99,95 m.

In der Regel sind in den Städten die Brücken über Flüsse oder Kanäle Fortsetzungen der Straßen. Die Blaue Brücke ist die Fortsetzung eines großen Platzes, und es kann einem anfangs entgehen, daß man auf einer Brücke steht, unter der das Flüßchen Moika fließt. Die Blaue Brücke ist in Leningrad die breiteste. Ihr Name rührt von der Farbe des Anstrichs von der Wasserseite her. Flußabwärts gibt es auch eine Grüne und eine Rote Brücke.

Mit dieser Brücke sind tragische und schändliche Kapitel der Geschichte des zaristischen Rußlands verbunden: Gerade hier gab es vor der Abschaffung der Leibeigenschaft im Jahre 1861 eine Art Sklavenmarkt, wo Leibeigene verkauft und erworben wurden.

Neben der Blauen Brücke sieht man am Moika-Ufer auf der Seite des Intouristgebäudes einen vierkantigen Obelisk aus hellem graurosa Granit mit dem Dreizack des Neptun.

Ob an Rastrellis Marmor, ob am Ziegel,
mitunter steht da neben einem Strich
der kurze Satz: „Hier war der Wasserspiegel".
Ergriffen denkt man: Wirklich? Schauerlich!

           VERA INBER

Die fünf den Obelisk umgürtenden Bronzestreifen geben den Pegelstand der größten Überschwemmungen in der Geschichte der Stadt an. In drei Fällen stieg das Wasser über das Gelände der Uferstraße.

Im Hintergrund des Platzes erhebt sich jenseits der Brücke das einstige Marien-Palais.

EXEKUTIVKOMITEE DES LENINGRADER STADTSOWJETS DER VOLKSDEPUTIERTEN
(Marien-Palais)

1839—1844. Architekt A. Stakenschneider. Seit 1948 Exekutivkomitee des Leningrader Stadtsowjets der Volksdeputierten.

An seiner Schauseite hat das Palais wirkungsvolle Säulen und Pilaster, über denen eine massive Attika ruht. Das Palais wurde für Maria, die Tochter des Zaren Nikolai I., erbaut. Die Nachfolger der Großfürstin verkauften das Palais 1894 an den Staat. In der Folgezeit befand sich darin der Staatsrat, die oberste beratende Körperschaft des Russischen Reiches.

Am 7. Mai 1901 wurde die 100-Jahrfeier dieser Einrichtung mit großem Pomp begangen. Der Festakt der Würdenträger in der mit weißen Säulen geschmückten Parade-Rotunde des Marien-Palais ist von I. Repin auf einem riesigen Gemälde festgehalten worden. Während der Arbeit an diesem Werk malte der Künstler etwa hundert Bildnisse von Teilnehmern des Festaktes. Der Realismus und der psychologische Scharfsinn des Repinschen Gemäldes „Festakt des Staatsrats", das sich heute im Russischen Museum befindet, ließen dasselbe zu einem unbarmherzigen satirischen Urteil über die Paladine der russischen Monarchie werden.

Nach dem Sieg der Großen Sozialistischen Oktoberrevolution waren in diesem Palais verschiedene Einrichtungen der jungen Sowjetrepublik tätig. In einer Bürositzung des Obersten Volkswirtschaftsrates sprach Lenin im Dezember 1917 über die Verstaatlichung der Privatbanken, woran eine Gedenktafel am Gebäude erinnert.

Heute weht über dem Gebäude, in dem das Exekutivkomitee des Leningrader Stadtsowjets der Volksdeputierten seinen Sitz hat, die rote Fahne der Russischen Föderation mit dem blauen Streifen am Flaggenstock. An der Attika und den Seitengiebeln sieht man das Wappen der Russischen Föderativen Sozialistischen Sowjetrepublik sowie Nachbildungen der Orden und Medaillen, mit denen die Stadt Lenins für ihre revolutionären, Arbeits- und Kriegsverdienste ausgezeichnet wurde.

HOTEL „ASTORIA"

1910–1912. Architekt F. Lidwal.

Das Gebäude des Hotels „Astoria" ist ein anschauliches Beispiel der architektonischen Versuche zu Beginn des Jahrhunderts. Höher als die anderen Gebäude dieses Platzes, harmoniert das Hotel auch an Form und Gestaltung nicht mit ihnen.

Im Bankettsaal des Hotels „Astoria" wollte Hitler im Herbst 1941 die Einnahme der Stadt feiern. Sogar Einlandungskarten waren schon angefertigt worden, auf denen nicht nur der Monat, sondern auch die Stunde der Veranstaltung angegeben waren, allerdings fehlte das Datum. Dieses Bankett hat bekanntlich nie stattgefunden, und die Einladungskarten sind ein historisches Kuriosum geblieben.

Als eines der elegantesten Hotels der Stadt nimmt das „Astoria" zahlreiche Touristen auf.

Andere Sehenswürdigkeiten des Isaaks-Platzes und der angrenzenden Straßen

Das Haus 72 am Ufer der Moika steht mit der Vorbereitung des Aufstandes vom 14. Dezember 1825 auf dem Senatsplatz in Verbindung: Dort trafen sich Teilnehmer der geheimen Gesellschaft.

Im ehemaligen Departement für staatliche Wirtschaft und öffentliche Gebäude, das sich im **Haus 66 am Moika-Ufer** befand, diente der große Schriftsteller Nikolai Gogol, König des russischen Humors genannt.

Im Haus 23 in der Gogol-Straße wohnte Fjodor Dostojewski vor seiner Verhaftung und Einkerkerung in die Peter-und-Pauls-Festung (April 1849). Dort entstanden seine Werke „Weiße Nächte" und „Netotschka Neswanowa".

In der Sojusa-swjasi-Straße 9 befindet sich das **Hauptpostamt** (1789. Architekt N. Lwow). 1859 baute der Architekt A. Kawos eine Bogengalerie, welche die Bauten des Postamts auf den gegenüberliegenden Straßenseiten verband. An diesem Bogen wurde 1962 **eine „Weltuhr"** angebracht, von der man die Zeit in den Städten aller Erdteile ablesen kann. Neben dem Hauptpostamt und dem Zentralen Telegraphenamt befindet sich in der Podbelski-Gasse 4 das **Zentralmuseum für Fernmeldewesen „A. Popow".** Das Haus Nr. 5 auf dem Isaaks-Platz beherbergt ein **Museum für Musikinstrumente** (siehe Abschnitt Museen).

Um von Isaaks-Platz auf den Palaisplatz zu gelangen, gehe man am besten das Admiralitäts-Ufer oder den Admiralitäts-Prospekt entlang. In beiden Fällen hat man Gelegenheit, eines der bedeutendsten Baudenkmäler der Newastadt zu betrachten, die

Spitze der Admiralität

Admiralität, Fragment des
Skulpturwerks

ADMIRALITÄT

1806—1823. Architekt A. Sacharow. Der Grundriß hat die Form eines doppelten griechischen Länge der Hauptfassade 407 m und jeder Seitenfassade 163 m. Höhe des Mittelturms mit Spitze und Wetterfahne 72,5 m. Die Statuen und Flachreliefs stammen von F. Stschedrin, I. Terebenjew, W. Demut-Malinowski und S. Pimenow. Seit 1925 Kriegsmarine-Hochschule „F. Dsershinski".

Schon die Zeitgenossen betrachteten die Admiralität als eines der besten Schmuckstücke der Stadt. In den vergangenen anderthalb Jahrhunderten hat sich an dieser Wertung nichts geändert: Im Verzeichnis der UNESCO zählt die Admiralität zu den besten Werken der Weltarchitektur.

Die mit einer goldenen Fregatte als Wetterfahne gekrönte Turmspitze der Admiralität ist zum Wahrzeichen der Newastadt geworden. Man sieht es auf der Medaille „Für die Verteidigung von Leningrad" und findet es in der Ausschmückung von Straßen, Verkaufsstätten und Ausstellungen.

Leider gibt es keinen Blickpunkt, von dem man dieses majestätische Bauwerk in seiner Gesamtheit betrachten kann. Nach dem Gedanken des Architekten war das Gebäude der Newa zugewandt und vom Wasser oder vom gegenüberliegenden Ufer aus gut sichtbar. Ende des 19.

Fries am Admiralitätsgebäude

Jahrhunderts verkaufte jedoch der Flottenminister „mit verbrecherischem Leichtsinn, um nicht noch mehr zu sagen", wie die Zeitungen jener Zeit schrieben, die Grundstücke zwischen den Seitenflügeln der Admiralität an Privatleute, und die Nordfassade wurde durch Mietskasernen verbaut. An der Südseite verdeckten das Gebäude die herangewachsenen Bäume eines in den siebziger Jahren des vorigen Jahrhunderts angelegten Gartens.

Einen ungestörten Blick hat man auf den Mittelteil des Gebäudes mit dem Haupttorbogen, dem Turm und seiner vergoldeten Spitze.

Die Geschichte der Admiralität beginnt mit den ersten Tagen der Entstehung dieser Stadt, als Peter I. 1704 den Befehl erließ, nach seinen eigenen Zeichnungen ein „Admiralitätshaus" zu errichten, wie man damals die Schiffswerften mit allem Zubehör nannte.

Schon im ersten Jahrzehnt wurde die Werft einer der größten Industriebetriebe der Stadt und zählte 10 000 Arbeitskräfte. Dortselbst befand sich auch die oberste Leitung der Kriegsmarine des Landes: das Admiralitätskollegium.

Die erste Admiralität war genau wie die heutige der Newa zugekehrt. Den Mittelteil versah man 1711 mit einer hölzernen Turmspitze, auf der sich ein goldener Apfel und ein Schifflein befanden.

Um 1730 vollzog der Architekt I. Korobow einen Umbau der Admiralität, wobei er die Grundformen beibehielt, nur der Turm mit seiner Spitze wurde höher und eleganter.

Die staatliche Bedeutung der Admiralität, ihr wichtiger Standort im Stadtzentrum und die Errichtung des Winterpalais der Zaren in ihrer unmittelbaren Nähe machten es zum Erfordernis, an der Stelle der schlichten Admiralitätshäuser einen repräsentativen Bau zu errichten.

Mit dem Neubau wurde Sacharow betraut, der damals Professor an der Petersburger Akademie der Künste und im Vollbesitz seiner Kräfte und seines Talentes war.

1806 unterbreitete der Architekt seinen Entwurf.

Bei der Planung des Bauwerks war Sacharow bestrebt, die Korobowschen Baulichkeiten nach Möglichkeit auszunutzen. Um dabei aber zu vermeiden, daß die beinahe einen halben Kilometer lange Fassade eintönig wirkte, gliederte der Architekt sie in drei Teile. In der Mitte ordnete er einen massiven Kubus an, auf dem sich ein leichter Turm mit goldener Spitze erhob (Korobows Holzturm blieb innerhalb desselben). Dazu zwei symmetrische Seitenflügel mit drei Portikus. Die ausgezeichneten Maßverhältnisse und der exakte Rhythmus der Aufeinanderfolge der einzelnen Teile schaffen Eleganz, gepaart mit Großzügigkeit. Die Stufengliederung des Turmes erinnert an die Türme der russischen Kirchen und Kreml.

An der Admiralität ist auch bemerkenswert, daß die einheitliche gedankliche Bestimmung des Gebäudes als Sinnbild der Seemacht des Landes durch Skulpturen ausdrucksreich hervorgehoben wird. Ein Blick auf die Gestaltung des Mittelturms veranschaulicht das.

Zu beiden Seiten des Bogens stehen auf Granitpostamenten Skulpturen der Meeresnymphen, die Erde und Himmelskugel tragen. Über dem Torbogen schweben geflügelte Siegesgöttinnen mit Fahnen. Weiter oben findet das würfelförmige Untergeschoß des Turmes seinen Abschluß durch einen Hochrelieffries „Gründung der Flotte in Rußland". In der Mitte der Komposition sieht man Peter I., dem der Meeresgott Neptun seinen Dreizack als Sinnbild der Macht über die Elemente des Meeres überreicht.

Weiter oben gibt es vier Bildnisse antiker Helden: Achilles, Ajax, Pyrrhus und Alexander von Mazedonien.

Den Mittelteil des Turmes umgeben 28 schlanke Säulen, und 28 Statuen auf dem Gesimse über ihnen verkörpern die Naturkräfte Feuer, Luft, Wasser und Erde, die Jahreszeiten und die Winde.

Leider sind diese Bildwerke nur ein Teil des ursprünglichen Gebäudedekors. Alles andere wurde 1860 erbarmungslos vernichtet, da nämlich die Geistlichkeit die Entfernung dieser „heidnischen" Bilder verlangte. Mit Einwilligung des Zaren Alexanders II. sind damals 22 Skulpturen, welche die Portikus schmückten, unwiederbringlich verlorengegangen. In den Blockadetagen wurden auf die Admiralität 26 Sprengbomben und Hunderte Brandbomben abgeworfen, 56 Artillerie-Volltreffer richteten schweren Schaden an. Um die Admiralität zu retten, legten die Leningrader ein ergreifendes Heldentum an den Tag. Nur ein paar Beispiele: Der sechzigjährige Bildhauer J. Troupjanski befestigte unter Beschuß und Wetterunbilden die Flachreliefs der Portikus. Der Maler W. Stscherbakow pauste zur Winterszeit mit frostklammen Händen in den eiskalten Sälen Kopien der einzigartigen Wand- und Deckenmalereien ab. Lenigrader Alpinisten gelang es, die berühmte Turmspitze der Admiralität zu tarnen und vor Volltreffern zu schützen. Die endgültige Wiederherstellung der Admiralität nach dem Kriege nahm über zehn Jahre in Anspruch.

Auf dem Weg zum Palaisplatz lohnt es sich, einen Blick in den Gorki-Garten zu werfen, der auf der Seite gegenüber der Newa an das Admiralitätsgebäude grenzt. Der Garten wurde 1874 für die Besucher freigegeben. Man sieht dort Büsten von Gogol, Lermontow, Glinka, Shukowski und anderen russischen Kulturschaffenden. Seit 1958 veranstaltet man dort Freilichtausstellungen von Blumen, welche die Straßen, Gärten und Parks von Leningrad schmücken.

PALAISPLATZ (Dworzowaja plostschadj)

Baukünstlerisch gesehen gehört dieser Platz zu den schönsten der Welt, wobei die ihn umgebenden wenigen Gebäude zu verschiedenen Zeiten entstanden und verschiedene Stilrichtungen repräsentieren.

Bei der Beschreibung dieses Platzes kann man nicht umhin, seine historische Rolle in der Geschichte des Landes zu erwähnen.

Der Palaisplatz wurde zum Sinnbild des revolutionären Kampfes gegen den Zarismus. Dort nahmen die Ereignisse der ersten russischen Revolution von 1905—1907 ihren Anfang. Am Sonntag, dem 9. (22.) Januar 1905 waren über 140 000 Arbeiter mit Frauen und Kindern zum Winterpalais gezogen, um dem Zaren Nikolai II. eine Bittschrift zu überreichen, in der ihre unerträglichen Lebensverhältnisse geschildert wurden. Es war ein friedlicher Zug mit Ikonen, Kirchenfahnen und Zarenbildnissen. Durch ein Flugblatt hatte die Partei der Bolschewiki die Arbeiter vor diesem sinnlosen Schritt gewarnt.

Die zaristische Regierung hatte sich auf diese Demonstration vorbereitet: Auf ihrem Marschweg standen Militärs, die die wehrlosen Menschen unter Beschuß nahmen und mißhandelten. Über 1000 kamen ums Leben, und über 5000 erhielten schwere Verletzungen. Der 9. Januar 1905 ist in die Geschichte als „Blutsonntag" eingegangen. Der letzte Glaube des Volkes an den Zarismus wurde an diesem Tage vernichtet. Schon am nächsten Tag war ganz Petersburg von einem Streik erfaßt, der überall im Lande unterstützt wurde. Während des zunehmenden revolutionären Aufschwungs entstand eine in der Geschichte noch nicht dagewesene Form der politischen Massenorganisation des werktätigen Volks: die Sowjets der Arbeiterdeputierten, die zum Vor-

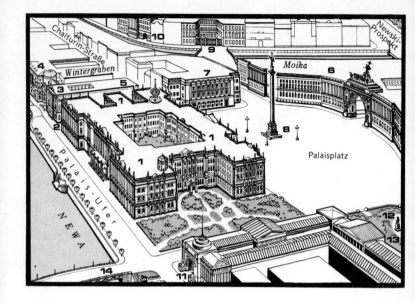

bild der Sowjetmacht wurden. Der Petersburger Sowjet der Arbeiterdeputierten wurde am 13. (26. Oktober) 1905 gebildet.

Nicht von ungefähr nennt man das Jahr 1905 den Prolog der Oktoberrevolution von 1917. Nur zwölf Jahre trennten die 300jährige Despotie der beim Volk verhaßten Romanow-Dynastie von ihrem ruhmlosen Ende.

Die bürgerlich-demokratische Februarrevolution 1917 zog unter die russische Monarchie den Schlußstrich. Für immer verschwand die Standarte des Zaren vom Winterpalais.

Aber erst die dritte Revolution, die proletarische, unter der Führung der Partei der Bolschewiki brachte den Werktätigen im Oktober 1917 den endgültigen Sieg. Mit ihr ist das ruhmreichste Kapitel der Geschichte des Palaisplatzes verbunden.

Gerade hier begann am 25. Oktober (7. November) der Sturm auf das letzte Bollwerk der Konterrevolution, die einstige Zarenresidenz, in der sich die bürgerliche Provisorische Regierung eingenistet hatte.

Um das Winterpalais vor Schäden zu bewahren, beeilte sich das Revolutionäre Militärkomitee (die auf Vorschlag des ZK der Partei der Bolschewiki beim Petrograder Sowjet geschaffene Körperschaft zur Leitung des Aufstandes) nicht mit dem Beginn der Kampfhandlungen. Die Provisorische Regierung war jedoch keineswegs zur Kapitulation geneigt. Sie lehnte das letzte Ultimatum des Revolutionären Militärko-

1. Winterpalais. Staatliche Ermitage   2. Kleine   Ermitage
3. Alte Ermitage   4. Ermitage-Theater   5. Neue   Ermitage
6. Generalstab. Triumphbogen
7. Ehem. Stab des Gardekorps
8. Alexandersäule   9. Akademische   Kapelle   „M.   Glinka"
10. A.-Puschkin-Wohnung (Museum) 11. Admiralität 12. Shukowski-Denkmal   13. Maxim-Gorki-Garten 14. Palais-Brükke

Schloßbrücke. Blick auf
den Admiralitätskai

mitees um 19 Uhr 45 Minuten ab und erklärte, sie werde die Macht der Bolschewiki nicht anerkennen und die Waffen nicht freiwillig strecken. Erst danach begannen die Arbeiterregimenter der Roten Garde, die revolutionären Soldaten und Matrosen auf Signal des Kreuzers „Aurora" den Angriff auf das Winterpalais.

Sofort nach der Einnahme des Winterpalais wurde dasselbe mit den dazugehörenden Kunstschätzen der Ermitage unter den Schutz der Roten Garde gestellt.

Einer der ersten Aufrufe der Sowjetmacht lautet: „Bürger! Die alten Machthaber sind gegangen, nach ihnen ist ein riesiges Erbe verblieben. Jetzt gehört es dem Volk.

Bürger, hütet dieses Erbe, hütet die Gemälde, Statuen und Gebäude, sie verkörpern eure und eurer Vorfahren geistige Kraft. Die Kunst ist jenes Herrliche, das talentvolle Menschen selbst unter dem Druck des Despotismus zu schaffen vermochten und das von der Schönheit und Stärke der Menschenseele zeugt.

Bürger! Rührt keinen Stein an, hütet Gebäude, alte Gegenstände und Dokumente — das alles ist eure Geschichte, euer Stolz. Bedenkt,

Palaisplatz ▶

Bogen des Generalstabsgebäudes Fragment des Bogens

daß dies alles der Boden ist, auf dem eure neue Kunst des Volkes emporwachsen wird!"

Die reale Antwort auf diesen Aufruf ist die weitere Geschichte des Winterpalais, das zu einem Bestandteil der Staatlichen Ermitage geworden ist, sind die Geschichte der Bauwerke des Palaisplatzes und anderer Geschichts- und Kulturdenkmäler, die unter staatlichen Schutz gestellt wurden, ist das sorgsame und liebevolle Verhältnis der Leningrader zu ihrer Stadt. Mit Bestimmtheit kann man sagen, daß weder einzelne Gebäude noch die Bausubstanz der Plätze und Straßen von Leningrad als Ganzes jemals so gepflegt und so in Ordnung gehalten wurden, wie heute und so in Einklang mit dem Grundgedanken ihrer Schöpfer gebracht wurden.

Nach dem Sieg der Großen Oktoberrevolution wurde der Palaisplatz zum Ort festlicher Demonstrationen, Paraden, Volksfeste und Massenkundgebungen der Werktätigen. Am 60. Jahrestag der Oktoberrevolution sahen die Leningrader und die Gäste der Stadt den Palaisplatz erneuert.

Einst war dieser Platz mit Kopfsteinen und Holzpflaster bedeckt, damit die Wagen nicht auf den Steinen polterten. Später wurde er asphaltiert, und jetzt ist der Asphalt durch eine Steinmosaik ersetzt worden. Dieses steinerne Parkett ist eine genaue Nach-

172

Winterpalais

bildung jenes Belages, der auf alten Radierungen und Litogra-
phien des Platzes gezeigt wird. Nunmehr werden die Postamente
der Alexandersäule und die Säulen des Winterpalais nicht mehr
in den Asphaltschichten versinken. Die unterirdischen Kommuni-
kationen wurden nach einem neuartigen Schema verlegt.

Nie endet der Strom von Freunden der Geschichte und Verehrern
des Schönen zu diesem Platz.

WINTERPALAIS. ERMITAGE

1754—1762. Architekt B. Rastrelli. Wiederhergestellt nach dem Brand von 1837
in den Jahren 1838—1839 durch die Architekten W. Stassow und A. Brüllow.
Rechteckiger Grundriß. Länge ungefähr 230 m, Breite 140 m, Höhe 22 m.
    Zur Zeit ein Teil des Staatlichen Ermitagemuseums. Andere Gebäude: **Klei-
ne Ermitage.** 1775. Architekt J. B. Vallain-Delamotte. **Ermitage-Theater.** 1787.
Architekt G. Quarenghi. Heute Vortragssaal der Ermitage. **Alte Ermitage.**
1775—1787. Architekt J. Felten. **Neue Ermitage.** 1852. Architekt L. Klenze unter Mitwirkung von W. Stassow und N. Jefimow. Plastiken A. Terebenjew. Alle
Baulichkeiten sind durch Bogengänge, überdachte Brücken und einen hängenden Garten miteinander verbunden.

Das Winterpalais ist nur 60 Jahre jünger als die Newastadt selbst. Der Palast, den wir heute sehen, ist das sechste Petersburger Bauwerk, das diesen Namen erhielt. Er wurde anstelle der früheren Zarenresidenz unter Elisabeth, der Tochter Peters I., erbaut.

Durch seine Ausmaße, sein bauliches Gepräge und die reiche Innengestaltung sollte das Bauwerk dem gestiegenen Ansehen des russischen Staates entsprechen. So schrieb auch der Schöpfer des Entwurfs B. Rastrelli: „Der Palais wurde zum Ruhme des gesamten Rußland gebaut."

Nicht nur die Zeitgenossen, auch uns überwältigen seine riesigen Ausmaße. Er nimmt ein Areal von 9 ha ein, das Schlußgesims erstreckt sich über 2 km, die Fläche der Fußböden (kunstvolles Edelholzparkett) erreicht 46 000 m². Das Palais hat 1057 Räume, 1886 Türen, 1945 Fenster und 117 Treppen. Alles, was nach dem Winterpalais erbaut wurde, mußte mit ihm im Einklang stehen. Natürlich war das Winterpalais auch bestimmend für die späteren Maßverhältnisse des Platzes.

Gemäß einem um die Mitte des 19. Jahrhunderts erlassenen Gesetz, das bis 1905 in Kraft war, mußten alle Gebäude der Stadt außer den Kirchen um mindestens 1 Sashen (altes russisches Längenmaß = 2,134 m) niedriger sein als das Winterpalais.

Jede Palaisfassade wurde besonders, jedoch nach einem einheitlichen Grundgedanken und Stil gestaltet. Die Seitenfassaden mit den hervortretenden Flügeln und den Einfahrten in der Mitte bilden nach der Stadt offene Paradehöfe. Die Nordfassade am Palais-Ufer erstreckt sich fast einen Viertelkilometer lang. Die gleichmäßige Mauerfront und der ausgeglichene Rhythmus der Säulengruppen harmonieren ausgezeichnet mit der Breite der Newa, ihren flachen Ufern und ihrer ruhigen Strömung.

Die dem Platz zugekehrte Südfassade ist die Hauptfassade. Ihr Mittelrisalit hat drei Torbogen und ein kunstvolles Gitter. Die dekorative Kolossalordnung der Säulen nimmt dem Gebäude die schwere Massigkeit, was für die Barockarchitektur charakteristisch ist. Ein festliches Gepräge verleihen dem Palais die Verkröpfungen der Simse, die Einfassungen der Fenster und die farbliche Gestaltung: weiße Säulen vor pistaziengrüner Wand und plastischer Dekor in einem dunklen Goldton. Auf dem obersten Sims über der weißen Balustrade zeichnen sich 176 Schmuckvasen und Plastiken vom Himmel ab.

Dem Reichtum der äußeren Gestaltung des Palais entspricht die Schönheit und Pracht seiner Innenräume. Die einstigen Gemächer der Zarenfamilie sind mit großem Luxus ausgestattet: polierter Marmor verschiedener Farben und Schattierungen, Malachit, Lasurit, Porphyr, Jaspis und andere Halbedelsteine, Gold, Bronze, Kristall, Skulpturen, plastischer Dekor, Wand- und Deckenbemalung, Holzschnitzerei, Inkrustation, Treibwerk und Gobelins überwältigen durch Farbenpracht, Formschönheit und meisterliche Ausführung. Die riesigen Säle und Fluchten der Paradezimmer, die Parkettfußböden, Treppenhäuser, Kamine und Leuchter verkörpern einen unendlichen Phantasiereichtum, denn keiner der über tausend Räume ist die Wiederholung eines anderen. Beim Durchschreiten des Palais wird man geradezu verwirrt, man weiß nicht, wohin man blicken soll. Alles ist der Beachtung wert: von juwelierfein ausgeführten Griffen der herrlich inkrustierten Türen bis zu bemalten Decken und dem Mosaik der Fußböden.

Bewundert man die Unerschöpflichkeit der künstlerischen Phantasie Rastrellis, so ist man zugleich begeistert von der Vollkommenheit, mit der Tausende geschickte Handwerker die Gedanken des Baumeisters zu verwirklichen vermochten.

Es folgte die Epoche des Klassizismus, und der Barockarchitekt Rastrelli fiel in Ungnade. Im Laufe noch einiger Jahrzehnte wurde sein Werk von den besten Architekten des Landes vollendet: S. Tschewakinski, J. Felten, J. B. Vallino de la Mothe, A. Rinaldi, J. Starow, G. Quarenghi, C. Rossi u. a.

Nach der Feuersbrunst im Dezember 1837, die die gesamte künstlerische Innenausstattung aus dem 18. und vom Beginn des 19. Jahrhunderts vernichtet hatte, wurde der Palast in unvorstellbar kurzer Frist — bis zum Frühjahr 1839 — von russischen Meistern restlos wiederhergestellt. Die Fassaden wurden nach Rastrellis Entwürfen beinahe unverändert erneuert, während die innere Planung und Ausgestaltung von Architekten der neuen Generation, W. Stassow und A. Brüllow, zum Teil im Still des russischen Klassizismus wiederhergestellt wurden.

Mit großer Pracht war der große Thronsaal (Georgssaal) ausgestattet, wo die offiziellen Festlichkeiten stattfanden. An der Stelle des Thrones sieht man heute in der Tiefe des Saals eine einzigartige Landkarte der Sowjetunion. Sie wurde von Meistern aus dem Ural und Meistern der Edelsteinschleiferei in Petrodworez für die Pariser Weltausstellung von 1937 aus 45 000 Mosaikstückchen verschiedener russischer Halbedelsteine kunstvoll zusammengesetzt. 1939 erregte sie die Bewunderung der Ausstellungsbesucher in New York. Die Landkarte gehört nun zu den Schätzen der Ermitage.

Die Sammlungen der Ermitage, eines der größten Museen der Welt, zählen 2 700 000 Schaugegenstände. Als Gründungsjahr des Museums betrachtet man 1764. Zu Beginn des 20. Jahrhunderts enthielt die Sammlung der Ermitage 600 000 Kunstwerke und Denkmäler früherer Zeiten. Nach der Großen Sozialistischen Oktoberrevolution nahmen die Bestände des Museums auf das 4,5fache zu.

Eine Vorstellung vom Reichtum und der Vielgestaltigkeit der Kunstsammlungen der Ermitage vermitteln schon die allgemeinen Angaben über die Unterbringung der wichtigsten Schausammlungen. Die Abteilung russischer Kultur ist im Mittelgeschoß des Museums untergebracht, die Abteilung Frühgeschichte und Geschichte der Kultur und Kunst der Völker des sowjetischen Orients im Erdgeschoß und die Sammlung zur Geschichte der Kultur und Kunst der anderen Länder des Orients hauptsächlich im Ober- sowie im Erdgeschoß. Das Erdgeschoß beherbergt auch die Abteilung für Kultur und Kunstgeschichte der antiken Welt. Die Sammlung zur Geschichte der westeuropäischen Kunst nimmt die meisten Säle des Mittelgeschosses und einen Teil des Obergeschosses ein (im Winterpalais von der Seite des Palaisplatzes). Dortselbst befindet sich im Obergeschoß (von der Seite des Palais-Ufers) die Münzsammlung.

Ausführliche Beschreibungen der Schätze des Museums enthält die vom Verlag Progreß 1976 in englischer, französischer, deutscher, spanischer, polnischer, tschechischer und slowakischer Sprache herausgegebene Wegleitung durch die Ermitage.

Zu Beginn des Großen Vaterländischen Krieges wurden die kostbarsten Kunstwerke, soweit dieselben transportabel waren, bevor sich der Ring der hitlerfaschistischen Blockade schloß, aus der Ermitage nach der Stadt Swerdlowsk im Ural ausgelagert. Ein Teil der Sammlungen überstand die Blockade in den Kellern des Palais.

Auf dem Stadtplan war die Ermitage unter den vom Feind eingezeichneten Beschußobjekten als Ziel Nr. 9 vermerkt. Durch zahlreiche Bomben und 32 Artillerieeinschläge wurden die Museumsgebäude ernstlich beschädigt. In den Nachkriegsjahren sind sie wiederaufgebaut und restauriert worden. Unschätzbare Kunstwerke konnten für die künftigen Generationen vor der Vernichtung gerettet werden.

GENERALSTABSGEBÄUDE

1819—1829. Architekt C. Rossi. Gesamtlänge der Fassaden 2 km. Länge der Halbkreisfassade 580 m. Spannweite des Schwibbogens in der Mitte 17 m, Höhe (ohne Skulptur) 28 m. Darüber Ruhmesgöttin auf Triumphwagen. Höhe des Bildwerks 10 m, Länge 15 m. Bildhauer I. Pimenow und W. Demut-Malinowski. Heute sind im Gebäude Verwaltungs- und Projektierungsorganisationen untergebracht.

Die endgültige Gestaltung des Platzes vor dem Winterpalais als Paradezentrum der Hauptstadt wurde zur Aufgabe C. Rossis, dieses Meisters der großen Baugruppen. Er ließ die Wohnhäuser hochgestellter Höflinge an der Südseite des Platzes zu zwei Ministerien — dem für Auswärtige Angelegenheiten und dem für Finanzen — und zum Generalstab umbauen. Die halbkreisförmig angeordneten Gebäude sind durch einen Triumphbogen miteinander verbunden und bildeten zu ihrer Zeit die längste Fassade in der Architektur Europas.

Die majestätische Strenge des Klassizismus bedeutet ein Gegengewicht zum glanzvoll prächtigen Barock des Rastrellischen Winterpalais und betont denselben durch die Kontrastwirkung. Der Triumphbogen gilt dem Sieg der russischen Truppen über Napoleon im Vaterländischen Kriege von 1812. Dieses Thema beherrscht die Gestaltung:

Kriegerfiguren, schwebende Ruhmesgenien und Rüstzeug bilden den repräsentativen Dekor.

Im Grunde genommen aus zwei Bogen bestehend, ist er ein hervorragendes Beispiel der Verbundenheit von Bildhauerkunst, Architektur und Ingenieurkunst.

> *Zahlreiche Zeitgenossen prophezeiten, der Bogen werde unbedingt durch das eigene Gewicht und erst recht unter der Belastung durch die Kupferplastik einstürzen. Seiner Berechnungen sicher, erklärte der Architekt vor dem Zaren: „Wenn er fällt, bin ich bereit, zusammen mit ihm zu fallen!"*
>
> *Es wird erzählt, daß Rossi am Tage der Einweihung, als die Baugerüste entfernt waren, den Bogen selbst bestiegen haben soll, um seine Gewißheit über dessen Zuverlässigkeit zu demonstrieren.*

Gelangt man aus der Gerzen-Straße durch den Bogen auf den Platz vor dem Winterpalais, bietet sich den Blicken ein Panorama, dessen Schönheit man schwerlich vergessen wird. Zweifellos ist dieser Effekt vom großen Baumeister und Meister der Perspektive vorgesehen worden.

Die anderen Fassaden des Generalstabsgebäudes grenzen an den Newski-Prospekt und das Ufer der Moika. Über diesen Fluß führen vom Platz aus die sogenannte Sängerdurchfahrt (Pewtscheski projesd) und eine breite Brücke, ebenfalls Pewtscheski benannt, da beide zum Gebäude der einstigen kaiserlichen Sängerkapelle führen, heute Staatliche akademische Kapelle „Michail Glinka".

Ein paar Häuser nach links vom Kapellengebäude befindet sich im Hause Moika-Ufer 12 die zur Besichtigung freigegebene Wohnung Puschkins. Dort lebte der große Dichter vom Oktober 1836 bis zu seinem Todestag, dem 29. Januar 1837. In einem der Memorialräume, seinem Arbeitszimmer, werden beinahe alle erhalten gebliebenen Dinge aus seinem persönlichen Gebrauch aufbewahrt. Nach Archivalien wurde die Wohnungseinrichtung rekonstruiert, und zahlreiche Gegenstände sagen über das Leben und Schaffen Puschkins in seinen letzte Monaten aus.

Auf der anderen Seite der Sängerdurchfahrt vom Generalstab aus befindet sich im Ostteil des Platzes vor dem Winterpalais der

STAB DES GARDEKORPS

1837—1843. Architekt A. Brüllow Heute Verwaltungsgebäude.

Das letzte Gebäude auf dem Platz ist ein geglückter Abschluß des Bauganzen. Obwohl es unbestreitbar eigene architektonische Vorzüge besitzt, verbindet es die Werke Rastrellis und Rossis mit viel Takt, ohne von den wichtigsten Baudenkmälern — dem Winterpalais und dem Generalstab — abzulenken.

Eine Gedenktafel am Gebäude erinnert daran, daß sich dort im Oktober 1917 der Stab der Verteidigung des roten Petrograd gegen die konterrevolutionären Truppen befand und von dort W. I. Lenin ihre Zerschmetterung vom 27. bis zum 31. Oktober (9.—13. November) unmittelbar leitete.

ALEXANDERSÄULE

1830—1834. Architekt A. Montferrand. Gesamthöhe 47,5 m. Der Monolithschaft aus poliertem Granit von 25,58 m Höhe wiegt über 700 t. Die Plastik des Engels mit dem Kreuz stammt von B. Orlowski, die Flachreliefs am Podest sind Werke von P. Swinzow und I. Leppe.

In der Mitte des Platzes steht noch ein Denkmal, das die umstehenden Gebäude verschiedener Epochen gewissermaßen um sich eint. Es wurde zu Ehren der siegreichen Beendigung des Vaterländischen Krieges von 1812 gegen die Napoleonische Invasion errichtet. Ein Sinnbild des Sieges im Geiste römischer Traditionen ist die riesige dorische Säule, sie ist höher als die Vendôme-Säule in Paris (46 m) und die Trajans-Säule in Rom (44,5 m).

Dieses Monument ist eine einzigartige bautechnische Leistung. Der über 700 t schwere Granitmonolith wurde aus den Felsen der karelischen Landenge im Laufe von drei Jahren herausgehauen und mit einem eigens gebauten Wasserfahrzeug zum Winterpalais befördert. Das riesige Gewicht verlangte angesichts des sumpfigen Grundes ein besonderes festes Fundament. Der gigantische Granitblock steht auf dem würfelförmigen Sockel ohne jede Befestigung wie ein Becher auf dem Tisch. Alle mit der Aufstellung der Säule verbundenen Arbeiten vollbrachten jene Meister, welche die Isaaks-Kathedrale bauten. Mit Hilfe von Blöcken und Trossen wurde diese komplizierte Aufgabe binnen hundert Minuten bewältigt. Die endgültige Bearbeitung und Polierung der Säule erfolgte schon an Ort und Stelle.

Voller Begeisterung schrieb der Architekt Montferrand über die Leistung der Steinmetze, Polierer und übrigen einfachen Meister, mit deren Hilfe das Denkmal errichtet wurde.

Die Hauptstraße —
der Newski-Prospekt

Zum Newski-Prospekt begibt man sich am besten zu Fuß, um so mehr, als sein interessantester Abschnitt — von der Admiralität bis zur Anitschkow-Brücke — nur etwa 2 km lang ist. An den Newski-Prospekt grenzen der Ostrowski-Platz, der Platz der Künste und der Manege-Platz, die ebenfalls Aufmerksamkeit verdienen. Diese Plätze sind auf unseren Plänen eingezeichnet.

Stadtverkehr (den Newski-Prospekt entlang)
Wichtigste Linien: Obus 1, 5, 7, 10, 14, 22; Bus 3, 4, 6, 7, 22, 43, 44, 45; U-Bahnstationen „Newski-Prospekt" und „Gostiny dwor".

Zur besseren Orientierung werden die wichtigsten Sehenswürdigkeiten des Newski-Prospekts in der Reihenfolge der Hausnummern an der ungeraden rechten (von der Admiralität aus) und von der geraden linken Seite des Prospektes beschrieben.

NEWSKI-PROSPEKT

1709—1710. Durchbruch der sogenannten „Großen Perspektivstraße" (Trasse des künftigen Prospektes). 1738 Planung und Bebauung der sogenannten „Newskaja Perspektiva". 1766 Verfügung über den Abriß der Holzbauten und die Errichtung von Häusern gleicher Höhe mit einheitlicher Fassadenfront. Seit 1783 Newski-Prospekt. Länge 4,5 km, Breite von 25—60 m. Überquert drei Wasserläufe: die Moika, den Gribojedow-Kanal und die Fontanka.

Es gibt nichts Schöneres als den Newski-Prospekt, jedenfalls in Petersburg. Für die Stadt bedeutet er alles. Glänzt sie denn etwa nicht, diese herrliche Straße unserer Hauptstadt?

NIKOLAI GOGOL

Die Hauptstraße der Stadt, die sich im Laufe von über zweihundertfünfzig Jahren herausgebildet hat, macht einen wohlgestalteten und harmonischen Gesamteindruck. Nach der Meinung der Architekten wurde das optimale Maßverhältnis zwischen Straßenbreite und Häuserhöhe gefunden. Die Straße erhält ihr malerisches Gepräge dadurch, daß die allgemeine Fassadenfront an einigen Stellen durch etwas zurückliegende Bauten unterbrochen wird, vor denen es größere und kleinere Plätze, Grünanlagen und Lindenalleen gibt. Der Newski-Prospekt wird ferner von mehreren kurzen und breiten Straßen mit architektonisch interessanten Gebäuden durchquert. Diese sieht man vom Newski-Prospekt aus. So ergibt sich eine zweite Bildschicht der Hauptstraße, die jene noch breiter erscheinen läßt.

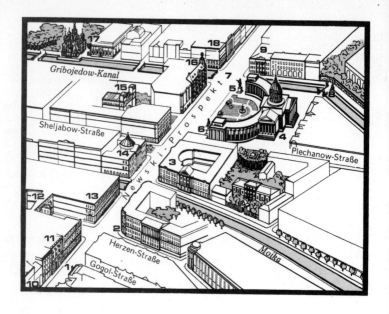

Alle Gebäude des Zentralteils — von der Admiralität bis zum Platz des Aufstandes (plostschadj Wosstanija) — wurden vor der Revolution gebaut. Eine Ausnahme bildet das 1939 errichtete Haus Nr. 14, ein Schulgebäude, das sich gut in das Allgemeinbild des Newski-Prospekts einfügt.

Der Newski-Prospekt ist das Herz des Leningrader Geschäfts- und Kulturlebens. Hier spürt man am stärksten den Rhythmus dieser großen Stadt.

Rechte Seite mit ungeraden Hausnummern

„WAWELBERG-HAUS". Haus 9

1911—1912. Architekt M. Peretjatkowitsch. Ursprüngliche Bestimmung: Bankhaus, beherbergt heute die städtischen Kassen der Aeroflot und Geschäfte.

Vor der Revolution bezeichnete man den Newski-Prospekt und die angrenzenden Straßen als die Petersburger City: dort befanden sich zahlreiche Banken und Versicherungsgesellschaften. Um eine imposante Wirkung zu erzielen, verkleidete der Architekt die Mauern in voller

Auf dem Newski-Prospekt

Höhe mit dunklem rustiziertem Stein aus Schweden. Aus demselben Material bestehen die Pfeiler des Erdgeschosses und die skulptierten Fassadendetails. Das Gebäude macht einen etwas düsteren, aber imposanten Eindruck und erinnert ein wenig an den Dogenpalast in Venedig. Es ist in der Stadt der einzige solche Bau.

„HAUS MIT SÄULEN", Haus 15

Um 1760. Architekt unbekannt. Ursprüngliche Bestimmung: Wohnhaus für Adlige. Heute in den unteren Geschossen: Kino „Barrikada", Café und Geschäfte.

Zuvor stand an dieser Stelle ein provisorischer Holzpalast, an den ein Palasttheater grenzte, wo 1757 die öffentlichen Vorstellungen des ersten russischen Berufstheaters stattfanden. Später wurde an dieses Theater ein Atelier angebaut, in dem E. Falconet den „Ehernen Reiter" schuf.

Trotz des mehrfachen Umbaus hat das „Haus mit den Säulen" ursprüngliche Wesenszüge bewahrt. Ausdrucksvoll ist die zweigeschossige Kolonnade: Als dieses Haus erbaut wurde, stand bereits das Winterpalais, und die Motive seiner Fassadengestaltung wirkten sich auf das Schaffen vieler Architekten aus, so auch hier. Das Haus ist einer der

wenigen erhalten gebliebenen Zivilbauten der zweiten Hälfte des
18. Jahrhunderts.

STROGANOW-PALAIS, Haus 17

1752—1754. Architekt B. Rastrelli. Bis 1917 Eigentum der Grafen Stroganow.
Wird in nächster Zeit dem Russischen Museum für eine Ausstellung von Werken der russischen angewandten Kunst zur Verfügung gestellt.

Das Palais steht am Schnittpunkt des Newski-Prospektes und des
Moika-Ufers und ist ein hervorragendes Werk des berühmten B. Rastrelli.

Das bereits über zweihundert Jahre alte Stroganow-Palais hat sein
äußeres Gepräge so bewahrt, wie der Baumeister es wollte. Die Innenausstattung wurde Ende des 18. Jahrhunderts durch einen Brand zerstört. Mit der Wiederherstellung und Neugestaltung wurde der berühmte Baumeister A. Woronichin betraut, der in seiner Jugend Leibei-
gener des Grafen Stroganow war und in diesem Haus wohnte.

Trotz einer gewissen Beeinträchtigung der Proportionen — infolge
der mehrmaligen Erneuerung der Straßendecke des Prospektes und
der Uferstraße befindet sich der Gebäudesockel zu etwa einem Drittel

Newski-Prospekt

unter der Erde — wirkt die weißgrüne Fassade immer noch effektvoll. In der Mitte der dem Newski-Prospekt zugekehrten Fassade befindet sich ein Torbogen und darüber ein mit reichem plastischem Dekor versehenes Fenster. Die Fenster des ersten Obergeschosses, das die Paraderäume enthielt, sind von Löwenmaskaronen und Medaillons umrahmt und haben schmiedeeiserne Gitter.

Im Paradehof sind Bildwerke aufgestellt, die den Palaisgarten schmückten.

KASANER KATHEDRALE

1801—1811. Architekt A. Woronichin. Der Grundriß stellt ein langgezogenes Kreuz dar. 96 Säulen von 13 m Höhe. Der Durchmesser der halbringförmigen Kolonnade vor dem Bauwerk beträgt etwa 70 m. Höhe des Bauwerks mit Kuppel reichlich 71 m. Flachreliefs von I. Martos und I. Prokofjew. Statuen in den Wandnischen von S. Pimenow, I. Martos und W. Demut-Malinowski. 1837 Denkmäler für M. Kutusow und M. Barclay de Tolly, Bildhauer B. Orlowski; Podeste vom Architekten W. Stassow. Seit 1939 Museum für Geschichte der Religion und des Atheismus.

An der Kasaner Kathedrale wird die geschlossene Häuserfront durchbrochen. Die Flügel der eleganten Kolonnade bilden einen klei-

183

nen Platz. Nicht die Hauptfassade ist dem Newski-Prospekt zugekehrt, sondern eine Seitenfassade, was durch den Kanon der Anordnung des Altars einer orthodoxen Kirche diktiert wurde.

Die repräsentative Gestaltung der Seitenfassade bedeutete für den Architekten keine geringe Schwierigkeit, die Woronichin aber glanzvoll gemeistert hat. Die Kolonnade aus 96 Säulen klassischer Höhe (ein Viertel des Platzdurchmessers), denen der Baumeister die Höhe des Portikus verlieh, scheint dem Baukörper selbst zu entwachsen. Diese Wirkung wird dadurch erhöht, daß in der Tiefe der Kolonnade in den Nischen zwischen den riesigen Fenstern Skulpturen stehen. Die Bildhauer haben ihre Werke dem Grundgedanken des Architekten geschickt untergeordnet. Die Reliefs an den Attikas über den Kolonnadenflügeln sind für eine Betrachtung aus großer Entfernung berechnet.

Von der Seite des Newski-Prospekts betritt man die Kathedrale durch eine Bronzepforte. Sie ist eine Nachbildung der Pforte des Baptisteriums in Florenz (Baptisterium — Taufkirche), die im 15. Jahrhundert geschaffen und von Michelangelo als Tor zum Paradies bezeichnet wurde. Woronichin gab der Tür jedoch eine andere Umrahmung, und der kunstfertige Gießer Wassili Jekimow führte das Werk exakt nach der Vorgabe aus.

Es lohnt sich, bei einem Spaziergang auch die Kolonnade unter dem Portikus und zwischen den Säulen zu betrachten. Die Säulen wie auch

Kasaner Kathedrale

die Kapitelle, Balustraden und Flachreliefs bestehen aus sogenanntem Pudoststein (Kalkstein, benannt nach einem Dorf in der Umgebung, wo er gewonnen wurde). Wenn dieser Stein aus der Erde gefördert wird, ist er so weich, daß man ihn mit einer gewöhnlichen Säge bearbeiten kann. An der Luft erhält er allmählich eine Festigkeit, die dem Backstein nicht nachsteht.

Der Innenraum der Kasaner Kathedrale erinnert wenig an eine Kirche, eher an einen großartigen Palastsaal. In zwei Reihen stehen 56 Säulen aus poliertem rosafarbenem Granit. Das Mosaikwerk des Fußbodens aus schwarzem, grauem und rosa karelischem Marmor und rotem Stein wiederholt die Zeichnung der Gewölbekonstruktion.

An der Gestaltung der Innenräume beteiligten sich führende russische Künstler vom Ende des 18. und Anfang des 19. Jahrhunderts: W. Borowikowski, O. Kiprenski, K. Brüllow.

Die Sammlungen des heute in der Kathedrale untergebrachten Museums für Geschichte der Religion und Atheismus enthalten Attribute verschiedener religiöser Kulte, Gemälde, Plastiken, Fotos, Dokumente und Handschriften. Es gibt die Abteilungen: Entstehung der Religion, Religion des Orients, Religion und Atheismus der antiken Welt, Herkunft des Christentums, Religion und Atheismus im Westen, Geschichte der russischen Orthodoxie und des Atheismus.

Nach dem Vaterländischen Krieg von 1812 wurde die Kathedrale gewissermaßen zu einem Denkmal des russischen Waffenruhms. Im nördlichen Anbau befindet sich das Grab des berühmten Truppenführers Feldmarschall Michail Kutusow, der die russische Armee in diesem Krieg befehligte. Dortselbst werden auch zahlreiche Trophäen dieses Krieges aufbewahrt: Fahnen und Standarten des Gegners sowie Schlüssel von Festungen, die die russische Armee einnahm.

Zur 25. Jahresfeier der Vertreibung Napoleons aus Rußland wurden vor der Kathedrale Denkmäler für zwei Feldmarschälle errichtet: Michail Kutusow und Michail Barclay de Tolly, einen Truppenführer und Helden des Krieges gegen Napoleon. Der Bildner hat sie meisterlich porträtgetreu gestaltet. Dank der günstigen Aufstellung sind die Denkmäler von besonderer Wirkung. Die Flügel der Kolonnade sind gleichsam Umrahmung dieser Denkmäler.

An der Westseite der Kathedrale erstreckt sich als Begrenzung der Grünanlage ein 171 m langes halbkreisförmiges Gitter, das zu den schönsten der Stadt gehört. Man nennt es nach seinem Schöpfer das Woronichin-Gitter. Zwischen massiven Granitsäulen, deren Krönung eine Kugel bildet, sieht man breite, reich mit Ornamenten verzierte schmiedeeiserne Gitterfelder, die 1811—1812 entstanden.

Mehr als einmal war der Paradeplatz vor der Kathedrale ein Ort revolutionärer Kundgebungen. 1876 fand dort die erste revolutionäre Demonstration Rußlands statt, an der Arbeiter teilnahmen, die erstmalig eine rote Fahne als Symbol der Freiheit trugen. Georgi Plechanow, damals Student an der Bergbau-Hochschule, später ein bedeutender Philosoph und der erste Propagandist des Marxismus in Rußland, hielt eine leidenschaftliche Rede. Zum Andenken an dieses Ereignis wurde an der Kathedrale eine Gedenktafel angebracht.

Über den Terror gegen die Teilnehmer einer der späteren politischen Kundgebungen auf diesem Platz schrieb Maxim Gorki 1901 an Anton Tschechow: „Mein Lebtag werde ich diese Schlacht nicht vergessen! Es wurde wild und viehisch geprügelt ..."

Um die politischen Kundgebungen vor der Kathedrale zu unterbinden, wurde zu Beginn unseres Jahrhunderts auf allerhöchsten Befehl eine Grünanlage mit Springbrunnen geschaffen. Aber auch das half nicht. Der Platz blieb weiter ein traditioneller Ort revolutionärer Kundgebungen und Demonstrationen gegen den Zarismus.

Gleich nach der Kasaner Kathedrale führt der Newski-Prospekt über den Gribojedow-Kanal (Ende d. 18. Jh. angelegt), über den eine der ersten steinernen Bogenbrücken in Petersburg, die Kasaner Brücke, gebaut wurde.

KASANER BRÜCKE

1738. Holzbrücke. 1766 durch Steinbrücke ersetzt. 1805 auf das heutige Ausmaß verbreitert. Länge 17,5 m, Breite 90,6 m.

Am Bau dieser zweitbreitesten Brücke der Stadt beteiligte sich der Ingenieur I. Golenistschew-Kutusow, der Vater des großen Feldherrn, dessen Denkmal Sie auf dem Platz neben der Kathedrale gesehen haben.

In Zusammenhang mit dem Bau der Kasaner Kathedrale verbreiterte man die Brücke, und ihre Eisengeländer wurden durch Graniteinfassungen ersetzt. Vom Wasser aus erkennt man die eleganten Bogen, die ihr ursprüngliches Aussehen bewahren. Von der Kasaner Brücke aus sieht man hinter der Kathedrale eine graziöse kleine Brücke über dem Kanal, die

BANKBRÜCKE

1825—1826. Länge 20,1 m, Breite 1,85 m.

Es ist eine der sechs hängenden Kettenbrücken, die im ersten Viertel des 19. Jahrhunderts gebaut wurden. Die Brückenketten sind an vier Uferpfeilern befestigt, die zugleich Piedestale für Greife mit goldenen Flügeln bilden. Die am Ende des 19. Jahrhunderts entfernten Gittergeländer und Laternen wurden 1952 bei der Restauration der Brücke nach alten Zeichnungen rekonstruiert. Diese Arbeiten erfolgten in den Werkstätten der Kunstgewerbeschule „W. Muchina".

HAUS 27

Eine unlängst vorgenommene Untersuchung dieses im vorigen Jahrhundert errichteten Hauses ergab eine Deformation seines tragenden Gerüstes, so daß eine Reparatur nicht mehr möglich war. Das Haus wurde deshalb seinem ursprünglichen Aussehen gemäß neu errichtet.

Das Schicksal dieses Wohnhauses ist ebenfalls ein Beispiel für die Sorgfalt gegenüber dem historisch entstandenen Stadtbild.

„SILBERREIHEN" UND GEBÄUDE DER STADTDUMA
Häuser 31—33

„Silberreihen": 1784—1787. Architekt G. Quarenghi. Gebäude der Stadtduma (Rathaus) mit mehrgeschossigem Turm 1799—1804. Architekt D. Ferrari.

Der dreigeschossige Bau mit dem angrenzenden Turm ist ein Baudenkmal besonderer Art. Ursprünglich hatte das Handelshaus, die „Silberreihen", an der Seite des Newski-Prospektes eine offene Arkade. Dort befanden sich die Holzläden von Kaufleuten, die mit Silber handelten. Daneben stand das sogenannte Gildehaus, in dem sich die Kaufmannschaft versammelte. 1799 wurde das Projekt für den Umbau dieses Gildehauses in ein städtisches Rathaus bestätigt. Es sah auch die Errichtung eines für die westeuropäischen Rathäuser typischen Turmes vor, der zugleich praktischen Zwecken dienen sollte. Da er von weitem sichtbar war, wurden von ihm aus Brände, Überschwemmungen oder besonders starke Fröste signalisiert. In der Folgezeit diente er als Übertragungsstation eines Spiegeltelegrafen, der die städtische Residenz des Zaren mit der Sommerresidenz verband. Die Lichtsignale kündigten Ausfahrt oder Ankunft des Zaren mit seinem Gefolge an.

Im dritten Turmgeschoß befindet sich eine von allen Seiten sichtbare Uhr, die alle Viertelstunden schlägt.

Im Dezember 1917 tagte in einem Saal der Stadtduma der II. Gesamtrussische Sowjetkongreß der Bauerndeputierten, auf dem Lenin sprach.

Der Turm der einstigen Stadtduma ist ein Höhenakzent des Zentralteils der Straße mit ihren gleichmäßigen Häuserreihen.

Nach der beabsichtigten großen Überholung soll in diesem Turm und dem angrenzenden fünfgeschossigen Haus an der Seite der benachbarten Straße — Perinnaja-Linie — die Philharmonie für Kinder untergebracht werden.

PORTIKUS DER PERINNAJA-LINIE, Haus 33-a

1802—1806. Architekt L. Ruska. Dekoratives Bauwerk. Heute Zentrale städtische Theaterkasse.

Der Portikus schmückte die Stirnfassade einer langen Handelsgalerie, die Ende des 18. Jahrhunderts rechtwinklig zum Prospekt erbaut wurde. Das künstlerisch wertlose Galeriegebäude wurde im Zusammenhang mit dem U-Bahnbau abgetragen. Der Portikus wurde 1972 nach alten Zeichnungen wiederhergestellt.

WARENHAUS „GOSTINY DWOR" (Großer Kaufhof, Haus 35)

1761—1785. Architekt J. B. Vallin de la Mothe. Grundriß rechteckig. Länge der Fassaden, die nach vier Straßen gehen — über einen Kilometer. Gegenwärtig größtes Warenhaus der Stadt.

„Gostiny dwor" (Gasthof) hießen in Rußland seit langer Zeit Handelshäuser, in denen auswärtige Kaufleute, die „Gäste", abzusteigen pflegten.

Der Entwurf von Vallin de la Mothe sah einander wiederholende offene zweigeschossige Arkaden vor, die sehr bequeme Galerien bildeten. Sie schützten die Geschäftsräume vor Feuchtigkeit und bei sonni-

gem Wetter vor Hitze. Nach dem Vorbild dieses Kaufhofes entstanden
später weitere Handelshäuser in Petersburg und anderen Städten.
Während der Blockade wurde das Gebäude durch Beschuß
schwer beschädigt. Die dem Newski-Prospekt zugekehrte Fassade des
Kaufhofs erhielt wieder ihr ursprüngliches Aussehen, während das Innere des Hauses völlig umgestaltet wurde. Heute sind hier geräumige
Verkaufsstätten und das Vestibül einer U-Bahnstation untergebracht.

STAATLICHE ÖFFENTLICHE
SALTYKOW-STSCHEDRIN-BIBLIOTHEK, Haus 37

1796—1801. Architekt J. Sokolow. Gebäude an der Seite des Ostrowski-Platzes
1828—1832 errichtet. Architekt C. Rossi. Fassadenlänge 90 m. Minerva-Statue
auf der Attika von W. Demut-Malinowski. Zwischen den Säulen der Fassade
stehen Skulpturen von S. Pimenow, N. Tokarew und anderen Bildhauern, Gelehrte und Dichter der Antike darstellend. Die Bibliothek wurde 1814 eröffnet
und 1932 nach dem russischen Schriftsteller des 19. Jahrhunderts, Saltykow-
Stschedrin, benannt.

Anfangs war das Bibliotheksgebäude an der Ecke der Sadowaja-
Straße und des Newski-Prospekts an der Schmalseite nur drei Fenster
breit dem Ostrowski-Platz zugekehrt. Doch bald erwies es sich als zu
eng. Dem Architekten Rossi gelang es, den zweiten Bau längs des Platzes so mit dem ersten zu verbinden, daß beide wie ein Baukörper wirken. Die feierliche Säulenreihe des Portikus, dessen achtzehn Säulen
von großen Fenstern und Statuen antiker Philosophen, Redner und
Dichter unterbrochen werden, steht im Einklang mit der Bestimmung
des Gebäudes.

Die Öffentliche Saltykow-Stschedrin-Bibliothek mit ihren über 20
Millionen Bestandseinheiten steht in der Sowjetunion an Bedeutung
und Größe nur der Moskauer Lenin-Bibliothek nach.

Lesesäle der Bibliothek sind auch in anderen Räumlichkeiten der
Stadt untergebracht. Sie können gleichzeitig bis zu 5000 Personen aufnehmen. Am Hauptgebäude verkündet eine Gedenktafel:

„W. I. Lenin war 1893—1895 ständiger Leser
der Öffentlichen Bibliothek."

Die Bibliothek besitzt einen unschätzbaren Handschriftenfundus
mit alten Manuskripten, Handschriften von Peter I. und großen Vertretern der russischen Kultur. Außerdem verfügt sie über eine der größten
Inkunabelsammlungen der Welt wie auch über die Sammlung „Russi-
ka", zu der fremdsprachige Schriften über Rußland gehören. Dort wird
ferner die etwa 7000 Bände zählende Bibliothek Voltaires aufbewahrt.
Die Bücherbestände umfassen Ausgaben in 89 Sprachen der Völker
der UdSSR und 156 Fremdsprachen.

OSTROWSKI-PLATZ

Dieser Platz ist Bestandteil eines von Carlo Rossi geschaffenen einheitlichen Bauensembles. Ein unansehnliches, ödes Fleckchen mit kleinen Holzbauten wurde von diesem genialen Baumeister in einen der schönsten Plätze der Stadt mit großartigen klassischen Bauwerken verwandelt, bei deren Betrachtung man unwillkürlich an Rossis Worte denken muß, daß es nicht auf einen Überfluß an Dekor, sondern auf eine Majestät der Formen, auf eine vornehme Ausgeglichenheit der Proportionen und deren Integrität ankommt.

Seit 1923 trägt dieser Platz (früher Alexandrinen-Platz) den Namen des großen russischen Dramatikers des 19. Jahrhunderts A. Ostrowski.

PAVILLONS DES ANITSCHKOW-PALAIS

1816—1818. Architekt C. Rossi, Statuen S. Pimenow.

In das Bauensemble des Platzes nahm C. Rossi auch einen Teil des Geländes des Anitschkow-Palais (von dem noch später die Rede sein wird) auf und baute zwei Pavillons. Die hervorragend proportionierten kleinen Bauten haben interessante Fassadendetails. Die Monumentalskulpturen zwischen den Säulen stellen altrussische Recken dar. Auch das schmiedeeiserne Gitter um die Pavillons wurde nach Rossis Entwurf angefertigt. In einem der Pavillons werden Ausstellungen des Kunstschaffens der Kinder gezeigt.

STAATLICHES A.-PUSCHKIN-SCHAUSPIELHAUS
(Alexandrinski-Theater)

1828—1832. Architekt C. Rossi. Skulpturen der Attika S. Pimenow, Statuen der Musen nach Modellen von P. Triskorni. Seit 1937 Akademisches A.-Puschkin-Schauspielhaus.

Das Theater bildet das kompositionelle Zentrum des ganzen Platzes.

Die Bestimmung des Hauses ist auf den ersten Blick zu erkennen.

In den Außennischen sieht man vier Statuen: an der vorderen Fassade Terpsichore, die Muse des Tanzes und des Chorgesangs, sowie Melpomene, die Muse der Tragödie, in den Nischen der rückwärtigen Fassade Klio, die Muse der Geschichte, und Euterpe, die Muse der Musik. Die beim Bau des Gebäudes errichteten Statuen gerieten rasch in Verfall, weshalb sie entfernt werden mußten. Beinahe hundert Jahre standen die Nischen leer. Erst 1932 wurden die Skulpturen von sowjetischen Bildnern nach dem Vorbild der früheren nachgeschaffen.

Im einstigen Alexandrinski-Theater (benannt nach der Gattin des Zaren Nikolai I.) befindet sich heute das Akademische A.-Puschkin-Schauspielhaus, mit dem zahlreiche Namen verbunden sind, welche den Ruhm der russischen Schauspielkunst verkörpern: W. Karatygin, M. Sawina, W. Komissarshewskaja u. a. In der sowjetischen Ära ist die Geschichte des Theaters untrennbar verbunden mit Namen wie E. Kortschagina-Alexandrowskaja, N. Simonow, N. Tscherkassow, J. Tolubejew.

STRASSE DES ARCHITEKTEN ROSSI

1828—1834. Architekt C. Rossi. Länge 220 m, Breite 22 m, Gebäudehöhe 22 m. Im Jahre 1923 nach ihrem Schöpfer benannt. Im Hause links vom Puschkin-Theater befinden sich die 1738 gegründete älteste Ballettschule des Landes, ein Theatermuseum und eine Theaterbibliothek, im rechten verschiedene Behörden sowie eine Architektenwerkstatt.

Jenseits des Theaters legte Rossi in der Richtung zum Lomonossow-Platz eine kleine Straße an. Am besten durchwandert man sie zum Lomonossow-Platz, der die Straße abschließt und ebenfalls fast gänzlich nach Rossis Plan geschaffen wurde. Von dort macht die Straße, ein städtebauliches Meisterwerk, besonderen Eindruck. Von jeder Seite der Durchfahrt sieht man die Gebäudefassaden mit den 23 Halbsäulenpaaren über den Arkaden der Sockelgeschosse. Geht man auf das Theater zu, entsteht der Eindruck, als gerieten die Säulen in Bewegung. Paarweise miteinander verbunden, wechseln sie rhythmisch mit den riesigen Fenstern ab. Die Straße bildet gleichsam Propyläen, die den Weg zur großen Kunst schmücken.

Die Lunatscharski-Theaterbibliothek in der Rossi-Straße ist die älteste und größte des Landes; sie zählt über 350 000 Bestandeinheiten: Handschriften, Bücher, Bühnenbildentwürfe, Briefe und Memoiren.

In diesem Gebäude befindet sich auch die Staatliche Leningrader Ballettschule „A. Waganowa" (Waganowa war eine hervorragende Ballerina und Pädagogin, die 1921—1951 an der Schule unterrichtete). Aus dieser Schule gingen berühmte Meister des russischen Balletts hervor: A. Istomina, A. Pawlowa, A. Waganowa selbst, W. Nishinski, M. Fokin, G. Ulanowa, W. Tschabukiani und viele andere.

DENKMAL FÜR KATHARINA II.

1873. Maler M. Mikeschin. Bildhauer M. Tschishow, A. Opekuschin. Architekten: D. Grimm, V. Schröter. Bronze. Höhe des Denkmals 14 m.

Das Denkmal im Garten auf dem Ostrowski-Platz entstand reichlich zwanzig Jahre nach dem Tode Rossis. Komposition und Zeichnung

Puschkin-Schauspielhaus   Anitschkow-Brücke

des Monuments wirken gekünstelt. Katharina ist im Paradegewand in
wallendem Hermelinmantel, mit Zepter und Lorbeerkranz in den Händen dargestellt. Ihre Haltung ist feierlich, theatralisch. Rings um das
Postament stehen Würdenträger der Zarin, die von den Bildhauern
sehr realistisch gestaltet wurden.

Interessant ist die Konstruktion des Denkmals. Es ist gegossen und
wurde über eine Kuppel des Granitpostamentes gestülpt. Das Denkmal
beeindruckt durch seine Prunkhaftigkeit, stört aber etwas den Blick
vom Newski-Prospekt auf die Hauptfassade des Theaters.

LENINGRADER PIONIERPALAST „A. SHDANOW"
(Anitschkow-Palais), Haus 39

Grundsteinlegung 1741. Architekt M. Semzow. Vollendet 1750 durch G. Dmitri-
jew. Später mehrfach umgebaut. 1937 dem Pionierpalast „A. Shdanow" übergeben.

„KABINETT" (Gebäude, das ursprünglich als Hofkanzlei
bestimmt war), Haus 39

1803—1805. Architekt G. Quarenghi. Seit 1937 als Lehrgebäude zum Pionierpalast gehörig.

Skulpturgruppe „Roßbändiger" auf der Anitschkow-Brücke

Dieses prächtige Palais, das älteste am Newski-Prospekt, gehörte im Laufe seiner Geschichte zaristischen Würdenträgern und Mitgliedern der Zarenfamilie.

Schon über vierzig Jahre besitzen es nun die Leningrader Schulkinder. Der Leningrader Pionierpalast war im Lande die erste außerschulische Einrichtung zur Erholung, kulturellen Betätigung sowie zur Förderung der Begabungen der Kinder. Hier stehen ihnen über 300 Labors, Werkstätten, Forschungskabinette, Studios für Musik, bildende Kunst, Bühnen- und Tanzkunst sowie Vortrags- und Konzertsäle, Kinoräume und eine herrliche Bibliothek zur Verfügung. Zwei Zimmer des Palastes wurden von Palecher Meistern verziert. (Die Palecher Malerei gehört zum russischen Volkskunstschaffen.) Das eine zeigt Themen Puschkinscher Märchen, das andere Märchen von Maxim Gorki. Es gibt verschiedene Klubs, so z. B. auch einen Sportklub. Die Mitglieder des Klubs für Internationale Freundschaft haben umfangreiche internationale Verbindungen.

Zum Pionierpalast gehört auch ein Garten (einstiges Anwesen des Anitschkow-Palais), wo Ausstellungen und verschiedene Attraktionen stattfinden. Das Sommertheater des Gartens gibt an den Abenden Vorstellungen für Erwachsene: Theaterstücke, Unterhaltungsprogramme und Konzerte.

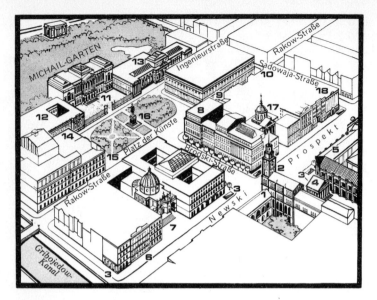

ANITSCHKOW-BRÜCKE

1841. Länge 54,6 m, Breite 37 m. Plastiken von P. Klodt, 1850 aufgestellt.

Einst war das Flüßchen Fontanka, das den Newski-Prospekt hinter der Anitschkow-Brücke durchquert, die Grenze der Stadt. Den Bau der ersten Holzbrücke leitete 1715 auf Anweisung Peters I. der Militäringenieur M. Anitschkow. (Nach ihm war eine Niederlassung benannt, wo Soldaten des Arbeitskommandos wohnten. Diesen Namen erhielten auch Palast und Brücke.) In der Folgezeit wurde die Brücke mehrfach umgebaut, wesentlich 1841.

Den Schmuck dieser Brücke bilden vier Plastiken, die „Rossebändiger". Betrachtet man sie nacheinander, empfindet man vier Episoden der Bändigung eines widerspenstigen Rosses durch den Menschen in all ihrer Dynamik und Schönheit.

In den Jahren der Blockade wurden Klodts Bildwerke von den Granitpostamenten genommen und im Garten des Pionierpalastes zum Schutz vor feindlichen Bomben und Granaten vergraben. Ohne diese Vorsichtsmaßregeln wären die kostbaren Plastiken kaum unversehrt geblieben. Eine Bronzetafel an einem Granitpostament neben Spuren von Granitsplittern erinnert daran, daß der Feind beinahe 150 000 Granaten auf die Stadt niedergehen ließ.

LINKE SEITE MIT DEN GERADEN HAUSNUMMERN

Die ältesten Häuser auf dem Newski-Prospekt sind die Häuser 8 und 10. 1768—1780. Architekt unbekannt.

An dieser Seite wurde der Newski-Prospekt seit den 60er Jahren des 18. Jahrhunderts ohne Abweichung von der roten Linie und den Abständen zwischen den einzelnen Gebäuden ausgebaut. Bis heute sind nur noch die zwei Häuser mit dekorativem plastischem Schmuck aus Vasen, Girlanden, Maskaronen und Medaillons an der Fassade und einem Fries mit Greifen erhalten geblieben. Im Hause 8 befindet sich eine ständige Verkaufsausstellung von Werken der Leningrader Künstler.

SCHULE, Haus 14

1939. Architekt B. Rubanenko.

Neben dem Tor dieses Hauses sieht man an der Mauer ein blaues Rechteck mit der Aufschrift: „Bürger! Bei Artilleriebeschuß ist diese Straßenseite am meisten gefährdet!"
„Zur Erinnerung an Heroismus und Standhaftigkeit der Leningrader in den 900 Tagen der Blockade der Stadt wurde diese Aufschrift bewahrt", besagt eine Marmortafel, die bereits in friedlichen Jahren neben dem historischen Gedenkstück der Jahre 1941—1943 befestigt wurde. Zu jeder Jahreszeit sieht man dort Blumen zum Zeichen des Gedenkens und der Hochachtung der Leningrader sowie der Gäste der Stadt vor den heroischen Verteidigern.

„KOTOMIN-HAUS", Haus 18

1812—1816. Architekt W. Stassow.

Dieses Wohnhaus, das nach dem Namen seines ersten Besitzers in die Baugeschichte der Stadt eingegangen ist, bildet zusammen mit dem gegenüber stehenden Haus 15 eine Art Paradegestaltung der schmalsten Stelle des Newski-Prospekts (nur 26 m). Trotz einiger späteren Veränderungen bewahrt die Fassade die strenge Schönheit des dorischen Stils.

An der Ecke des Erdgeschosses befand sich in einem der Moika zugekehrten Raum zu Beginn des 19. Jahrhunderts eine Konditorei, die ein beliebter Treffpunkt der Petersburger künstlerischen Intelligenz war. Häufig sah man dort den großen russischen Dichter A. Puschkin, der ganz in der Nähe, im Hause Moika-Ufer 12, wohnte. Gerade von dort fuhr er an jenem verhängnisvollen Morgen des 27. Januar 1837 zusammen mit seinem Sekundanten zum Ort des Duells, das seinem Leben ein Ende setzte. Später verkehrte in diesem Hause der große russische Komponist P. Tschaikowski.

HOLLÄNDISCHE KIRCHE, Haus 20

1830—1833. Architekt P. Jaquot.

Das Grundstück an der Ostseite des Newski-Prospekts, gleich hinter der Moika, wurde im 18. Jahrhundert für den Bau „andersgläubiger", also nicht orthodoxer Kirchen, wie man sie damals nannte, reserviert. Als erstes stoßen Sie auf das Gebäude der holländischen Kirche.

Die eigentliche Kirche bildete der durch den weißen Säulenvorbau und die Kuppel hervorgehobene Gebäudeteil, während die Seitenflügel Dienst- und Wohnräume der holländischen Gesandtschaft in Petersburg enthielten. Heute befindet sich im Gebäude die Bibliothek des Stadtbezirks.

LUTHERISCHE PETERS-KIRCHE, Haus 22 und 24

1832—1838. Architekt A. Brüllow.

Die kurze Hauptfassade der Kirche wird von einem Portalbogen und einer Säulenreihe geschmückt. Der dreigeschossige Eckturm verleiht dem Gebäude eine emporstrebende Wirkung. Die symmetrisch zu beiden Seiten angeordneten Wohnhäuser bilden einen kleinen Platz, der die geschlossene Häuserfront durchbricht.

HAUS DES BUCHES, Haus 28

1907. Architekt P. Sjusor. Ursprünglich Geschäftshaus der Nähmaschinenfirma Singer. Heute größte Buchhandlung der Stadt.

Den Schmuck des Gebäudes bildet ein kleiner Turm mit einer Glaskugel. Auf einem Metallreifen rings um die Kugel liest man die Aufschrift „Haus des Buches". In den beiden unteren Geschossen ist diese große Buchhandlung untergebracht, darüber befinden sich die Redaktionen mehrerer Leningrader Verlage.

KIRCHE ZU CHRISTI AUFERSTEHUNG (Spas na krowi)

1883—1907. Architekten I. Malyschew und A. Parland. Höhe 79,8 m. An den Mauern des Glockenturms Mosaikbilder von Wappen russischer Gouvernementsstädte. Mosaikbild an den Portalgiebeln nach Entwürfen von W. Wasnezow.

Vom Newski-Prospekt sieht man am Gribojedow-Kanal eine Kirche, durch die Zar Alexander III. das Andenken an seinen 1881 durch ein Attentat tödlich verwundeten Vater Alexander II. verewigen wollte.

Auf die architektonisch künstlerische Gestaltung des Bauwerks hatte die Moskauer Basilius-Kathedrale einen starken Einfluß. Die Besonderheit der Leningrader Kirche besteht darin, daß sie innen und außen reich mit Mosaiken versehen wurde. Die Qualität der handwerklichen Arbeit zeugt vom Können der russischen Bauleute.

In dieser Kirche wird ein einzigartiges Museum russischer Mosaik eröffnet.

KLEINER SAAL DER PHILHARMONIE, Haus 30

Mitte d. 18. Jh., Architekt B. Rastrelli. 1829 P. Jaquot und 1890 durch L. Benois umgebaut. Während der Blockade schwer beschädigt. Ende der 40er Jahre restauriert. Seit 1949 kleiner Saal der Leningrader Staatlichen Philharmonie „Michail Glinka".

Dieses Haus ist eines der ältesten am Newski-Prospekt. In der ersten Hälfte des 19. Jahrhunderts war es ein Brennpunkt des Petersburger Musiklebens. Die besten Sänger und Musiker traten dort auf. Puschkin und Lermontow waren häufige Besucher des prachtvollen Konzertsaals, in dem Liszt, Wagner und Berlioz Gastkonzerte gaben.

Das während der Blockade durch einen Volltreffer zerstörte Gebäude wurde nach dem Krieg wiederhergestellt und dient nun als zweiter Leningrader Philharmoniesaal vornehmlich Kammerkonzerten.

KATHARINEN-KIRCHEN, Haus 32 und 34

1763—1783. Architekt J. B. Vallain de la Mothe. Zu beiden Seiten der Kirche Wohnhäuser. 1740. Architekt P. Trezzini.

Der kleine Platz vor der hinter der Häuserfront etwas zurückliegenden Kirche und den mit ihr durch Bogen verbundenen Seitenbauten erinnert an den Platz vor der lutherischen Kirche. In dieser Form, die dem Grundgedanken des Architekten entspricht, besteht diese Baugruppe erst seit dem Krieg, wobei Umbauten aus der vorrevolutionären Zeit, die das frühere Bild gestört hatten, beseitigt wurden.

PLATZ DER KÜNSTE

Vom Newski-Prospekt aus links führt eine breite Straße, die den Namen des sowjetischen Malers I. Brodski trägt, zu einem Platz.

Bei einem Aufzählen aller seiner Sehenswürdigkeiten begreift man sofort, weshalb man bei einem Spaziergang auf dem Newski unbedingt dorthin gehen muß. Drei Theater, der Große Saal der Philharmonie und drei Museen, deren Gebäude erstklassige Baudenkmäler sind, sowie das Denkmal des genialen russischen Dichters A. Puschkin — dies alles ist an einem Ort konzentriert, dem 1940 mit vollem Recht der Name Platz der Künste verliehen wurde. Dieser Platz kann mit den anliegenden Straßen als Musterbeispiel der Städtebaukunst dienen.

1816 wurde der Architekt C. Rossi mit dem Bau eines Palais beauftragt. Er sah seine Aufgabe nicht nur darin, einen Paradepalast zu errichten, sondern wollte in der Stadtmitte ein weiteres Bauensemble schaffen. Nach dem Michailowski-Palais trugen die heutige Brodski-Straße, der Platz sowie das Theater lange Zeit eben diesen Namen. Der ausgedehnte Park hinter dem Palais hat die historische Bezeichnung Michailowski-Garten behalten.

Der Platz der Künste war von Rossi früher als das Ensemble des Ostrowski-Platzes entworfen worden, gelangte aber erst als sein letztes Werk zur Vollendung.

Die architektonische Dominante des rechteckigen Platzes bildet das Palais, in dem heute das Russische Museum untergebracht ist. Vom Newski-Prospekt aus kann man das Gebäude mit der davorliegenden Grünanlage gut sehen. Die übrigen Häuser rings um den Platz sind schlichter gehalten, wodurch der Hauptbau voll zur Geltung kommt. Für diese Häuser hatte Rossi seinerzeit Typenfassaden entworfen. Auch in der Folgezeit legten die Architekten ihren Plänen einen einheitlichen Gedanken zugrunde und schufen vom Stil her eines der edelsten Ensembles der Stadt.

LENINGRADER STAATLICHE PHILHARMONIE „D. SCHOSTAKOWITSCH" GROSSER SAAL, Brodski-Straße 2

1834—1839. Architekt P. Jaquot. Ursprünglich Gebäude der Adelsversammlung. Seit 1921 Staatliche Philharmonie. Während der Blockade schwer beschädigt. 1948—1949 Wiederaufbau und Restauration der Fassaden. 1976 erhielt die Philharmonie den Namen von Dmitri Schostakowitsch.

1802 wurde in Petersburg eine philharmonische Gesellschaft gegründet. Zu ihren Ehrenmitgliedern gehörte J. Haydn. Der Weiße Säulensaal mit seinen drei Fensterwänden, einer großartigen Akustik und einer Orgel wurde häufig für Konzerte der philharmonischen Gesellschaft benutzt. Dort brachten A. Rubinstein und P. Tschaikowski viele ihrer Werke zu Gehör. Nach der Oktoberrevolution wurde dieses Gebäude der ersten staatlichen Konzertorganisation der Welt, der städtischen Philharmonie, zur Verfügung gestellt. Im Großen Saal erklangen erstmalig viele Werke der hervorragenden Gegenwartskomponisten D. Schostakowitsch, R. Glijer und N. Mjaskowski. Dort konzertierten die besten Orchester der Welt unter Stabführung von Stakowski, Karajan, Willi Ferrero u. a.

Das Sinfonieorchester der Leningrader Philharmonie, dessen Leitung seit Jahrzehnten in den Händen von J. Mrawinski liegt, genießt Weltruhm.

Aus dem Großen Saal der Philharmonie erklang am 9. August 1942 über alle Sender der Sowjetunion die Siebente Sinfonie von D. Schostakowitsch.

> *Beinahe die ganze Sinfonie schrieb ich in meinem heimatlichen Leningrad. Die Stadt war Luftangriffen ausgesetzt und wurde von der feindlichen Artillerie beschossen.*
> *In diesen Tagen arbeitete ich an der Sinfonie. Ich arbeitete viel, angespannt und schnell... Unserem Kampf gegen den Faschismus, unserem künftigen Sieg über den Feind und meinem heimatlichen Leningrad widme ich meine Siebente Sinfonie.*
>
> *DMITRI SCHOSTAKOWITSCH,*
> *März 1942.*

Die Sinfonie heißt ja auch die Leningrader. In der Autorenpartitur fallen immer wieder die Buchstaben BT auf. Sie bedeuten Fliegeralarm. In solchen Augenblicken unterbrach der Komponist die Arbeit an der Sifonie und begab sich zum Luftschutz, um feindliche Brandbomben zu löschen. Während die Sinfonie gespielt wurde, boten die Musiker ein ungewohntes Bild. Einige waren in Militäruniform — man hatte sie eben erst durch einen Sonderbefehl von den vorderen Stellungen der Leningrader Front herbeikommandiert —, andere trugen den traditionellen schwarzen Frack mit gestärkter Hemdbrust, aber diese Kleidung aus der Friedenszeit war den durch Hunger während der Blockade abgezehrten Menschen viel zu weit geworden. Im Weißen Säulensaal blinkten die herrlichen Kristalleuchter. Den elektrischen Strom dafür hatte die in Finsternis gehüllte Stadt nur mit Mühe aufgebracht...

Hitler hatte diesen Tag wieder einmal als Datum für die Einnahme der belagerten Stadt festgesetzt. Die in ihren Mauern entstandene Sinfonie erklang durch die ganze Welt als Hymnus auf den unbeugsamen Willen, den Mut und die Unbesiegbarkeit Leningrads.

THEATER DER MUSIKKOMÖDIE, uliza Rakowa 13

Anfang des 19. Jh., Architekt unbekannt.

Das 1929 gegründete Theater erhielt dieses Gebäude 1938. Es war in der Stadt das einzige Theater, das die ganze Blockadenzeit hindurch spielte.

Zum heutigen Spielplan gehören zeitgenössische und klassische Operetten.

Zwei Häuser weiter steht in derselben Front noch ein Theater, das

W.-KOMISSARSHEWSKAJA-SCHAUSPIELHAUS, uliza Rakowa 19

1846—1848. Architekt R. Shelesewitsch.

Die Geschichte des Gebäudes als Theater begann um die Mitte des 19. Jahrhunderts. 1904—1906 wurde es von der großen russischen Bühnenkünstlerin Wera Komissarshewskaja gemietet. Sie eröffnete dort ein Theater, das die Stimmung der fortschrittlichen russischen Intelligenz zum Ausdruck brachte.

Die Gründung des heutigen Komissarshewskaja-Schauspielhauses ist mit den Kriegsjahren verbunden. Seine erste Spielzeit begann es am 18. Oktober 1942. Die Leningrader nannten es das Blockadetheater. Heute ist es eine führende Bühne der Stadt, die vorwiegend Werke moderner Dramatiker inszeniert.

RUSSISCHES MUSEUM (MICHAIL-PALAIS) Inshenernaja-Straße 4/2

1819—1825. Architekt C. Rossi. Länge der Fassade über 200 m. Die 44 Flachreliefs des Frieses stammen von W. Demut-Malinowski. Seit 1917 Staatliches Russisches Museum.

Der große Mittelbau des Palais steht in einem vom Platz durch ein hohes schmiedeeisernes Gitter getrennten Paradehof. Durch den monumentalen Portikus und die 20 Halbsäulen der Fassade wirkt der zweigeschossige Bau höher. Auch die beiden Seitenflügel sind zweigeschossig, jedoch niedriger und betonen die Wuchtigkeit des Hauptbaus.

Als ein Meister des Städtebaus betrachtete Rossi die Baugruppen als eine Harmonie des Ganzen und aller Bestandteile einschließlich der kleinsten Details. Bei der Errichtung des Michail-Palais nach Rossis Entwürfen wurde deshalb eine allgemeine Gestaltung des großen Territoriums vorgenommen. Dazu gehörten sowohl die Pavillons im Park als auch das Parkgitter und die Innengestaltung des Palais bis zu den Türklinken. Leider bestand das Michail-Palais in seinem ursprünglichen Gepräge nur bis 1890. Von den späteren Veränderungen blieben nur das Paradevestibül mit der Treppe und der Weiße Säulensaal im zweiten Geschoß verschont. In diesem Saal sind die Bemalung der Decken, Supraporte und der Friese nach Themen des Trojanischen Kriegs sowie die geschnitzten Holzbänke und Sessel, die Kronleuchter, Kandelaber, Kamine und das Parkett nach Rossis Zeichnungen erhalten geblieben.

Nach mehreren groben Veränderungen des Gebäudes wurde 1898 im Michail-Palais das „Russische Museum des Zaren Alexander III." eröffnet. Von den offiziellen Kreisen war es als eine Art Memorial des Zaren gedacht, und zu seiner ersten Schau gehörten Dinge aus seinem persönlichen Gebrauch. Die fortschrittliche Meinung setzte es aber durch, daß dort auch Meisterwerke der russischen Maler aus Privatsammlungen und der russischen Abteilung der Ermitage ausgestellt wurden. Etwa 400 Gemälde, 100 Plastiken sowie 70 Zeichnungen und Aquarelle bildeten den Grundstock der heutigen Sammlung dieses größten Museums der russischen bildenden Kunst.

Seine Bestände enthalten heute über 300 000 Werke der Malerei und Bildhauerei, der Grafik und der angewandten Kunst. Die streng wissenschaftlich angeordnete Exposition gibt einen anschaulichen Überblick über die tausendjährige Geschichte der russischen Kunst von der altrussischen Ikonenmalerei bis in unsere Zeit.

1910—1912 wurde an der Seite des Gribojedow-Kanals der **Westflügel des Russischen Museums** (Gribojedow-Kanal 2) nach einem Entwurf der Architekten L. Benois und S. Owsjannikow angebaut.

Kurz vorher, 1911, entstand an der Stelle eines Seitenflügels des Russischen Museums ein etwa schwerfällig wirkendes Gebäude (Architekt W. Swinjin), durch das das Gesamtbild des Palais beeinträchtigt wird. Der Bau war für die völkerkundliche Abteilung des Russischen Museums bestimmt. Seit 1934 ist hier **das Ethnographische Museum der Völker der UdSSR** (Inshenernaja-Straße 4) untergebracht.

Dieses interessante Museum befaßt sich mit der Sammlung, Aufbewahrung, Erforschung und Popularisierung von Werken der Kultur und der angewandten Kunst der Völker der Sowjetunion. In der UdSSR gibt es über hundert Nationalitäten, große und kleine Völkerschaften, die innerhalb der staatlichen und sozialen Völkergemeinschaft des Landes die Eigenart ihrer Sprache und ihres Schrifttums, ihrer Lebensweise, ihrer kulturellen Traditionen und ihrer Volkskunst erhalten und pflegen.

Arbeitsgeräte, Hausrat, Kunsthandwerk, Nationaltrachten und Werke der bildenden Kunst geben einen Einblick in die letzten zwei Jahrhunderte der Geschichte des multinationalen Sowjetvolks.

Im Museum werden ständig verschiedene thematische Ausstellungen gezeigt.

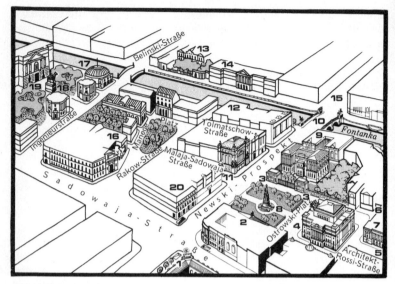

AKADEMISCHES KLEINES THEATER FÜR OPER UND BALLETT
Platz der Künste (Plostschadj Iskusstw 1)

1831—1833. Architekt A. Brüllow. 1833 Michailowski-Operntheater. 1918 Kleines Operntheater. Seit 1963 heutige Bezeichnung.

Eigentlich nicht traditionsgemäß, jedoch in Übereinstimmung mit den Plänen Rossis erinnert das Gebäude äußerlich an ein schlichtes Wohnhaus. Bei der Innengestaltung des Theaters waltete aber die am Beginn des 19. Jahrhunderts übliche Prunkhaftigkeit.

Das einstige Michailowski-Theater sollte die erste Musikbühne Sowjetrußlands werden. Als ihr Geburtstag gilt der 6. März 1918, an dem die Premiere der Oper Rossinis „Der Barbier von Sevilla" stattfand. Die künstlerische Entwicklung des Kleinen Theaters für Oper und Ballett ist mit den Bemühungen um moderne Inszenierungen auf dem Gebiet des Musiktheaters verbunden. Es ist gewissermaßen eine Experimentierbühne für sowjetische Opern.

I.-BRODSKI-GEDENKSTÄTTE, Platz der Künste 3

Erstes Drittel d. 19. Jh., Museum seit 1949.

Neben dem Theater steht noch ein Haus, dessen Fassade der Architekt C. Rossi entwarf. Dort befindet sich die einstige Wohnung des bekannten sowjetischen Malers Isaak Brodski, wo zahlreiche seiner Gemälde gezeigt werden wie auch Werke hauptsächlich russischer Meister der Malerei und der Graphik aus dem Besitz des Künstlers.

Ende des 19. Jahrhunderts wurde im Hause Nr. 3 ein Künstler-Café eröffnet, wo sich 1913 M. Gorki und W. Majakowski kennenlernten.

PUSCHKIN-DENKMAL

Enthüllt 1957. Bildner M. Anikuschin, Architekt W. Petrow. Gesamthöhe 9 m., Höhe der Bronzestatue 4 m.

Im Zusammenhang mit der 250-Jahresfeier Leningrads wurde mitten in der Grünanlage auf dem Platz der Künste ein Puschkin-Denkmal enthüllt. Sein Schöpfer, der für dieses Werk mit dem Leninpreis ausgezeichnete Bildhauer M. Anikuschin schrieb: „Es war mein Wunsch, daß auf dem Podest nicht einfach eine Statue stehen möge, sondern ein ungewöhnliches Denkmal, als sei es ein lebendiger Mensch. So wie er war, wie ich ihn mir vorstelle ... Als Teil der Seele der Stadt. Ich wollte Puschkin jung, erdverbunden und menschlich zeigen." Und das ist dem Bildhauer auch gelungen. Das von Puschkins Zeitgenossen C. Rossi begründete städtebauliche Ensemble fand einen herrlichen Abschluß durch das Denkmal des großen Dichters, der die Newastadt besang. Heute kann man sich den Platz der Künste ohne dieses Denkmal kaum noch vorstellen.

Damit ist unser Rundgang um den Platz beendet, und wir kehren zum Newski-Prospekt zurück.

ARMENISCHE KIRCHE, Haus 40 und 42

1771—1780. Architekt J. Felten.

Das Ensemble der Armenischen Kirche bildet eine weitere für den Newski-Prospekt charakteristische Baukomposition, die etwas zurückliegt. Der Kirchenbau selbst zeichnet sich durch Unbeschwertheit und

Eleganz aus. Ein Werk Juri Feltens, dessen Name als Schöpfer des berühmten schmiedeeisernen Gitters um den Sommergarten Ihnen schon bekannt ist.

AKADEMISCHES KOMÖDIENTHEATER, Haus 56

1903—1907. Architekt D. Baranowski. Seit 1929 Komödienhaus.

Dieses Gebäude mit seinem überladenen Schmuckwerk, dem großen Buntglasfenster, den Metallplastiken und einer Unmenge Dekor stört die Harmonie des Newski-Prospekts, vor allem aber das klassische Bild des gegenüberliegenden Ostrowski-Platzes. Und doch ist es auf seine Weise effektvoll.

Das Haus ist sehr bekannt durch das Komödientheater, das über 30 Jahre lang von einem der begabtesten sowjetischen Regisseure, dem Bühnenkunsttheoretiker, Literaturschaffenden, Bühnenbildner und Grafiker N. Akimow geleitet wurde.

Im Museum des Theaters sieht man von Akimow gestaltete Theaterplakate zusammen mit seinen Bühnenbildentwürfen und Bühnenbildmodellen, Grotesken und anderen Zeichnungen. Wie die Museen anderer Theater ist auch dieses während der Vorstellungen geöffnet.

HAUS DER FREUNDSCHAFT UND DES FRIEDENS MIT DEN VÖLKERN DES AUSLANDS, Fontanka-Ufer 21

1790. Architekt unbekannt. 1840 und 1965 modernisiert.

In diesem Haus am Fontanka-Ufer ist gegenwärtig die Leningrader Zweigstelle des Verbandes der sowjetischen Gesellschaften für Freundschaft und kulturelle Verbindungen mit dem Ausland untergebracht. Diese Gesellschaften arbeiten mit beinahe 500 Organisationen in mehr als 30 Ländern zusammen.

Interessant ist das Gebäude durch die gepflegten kunstvoll gestalteten Innenräume: den Säulensaal, das Goldene Besuchszimmer, den Rittersaal, usw. Im Haus der Freundschaft werden Konzerte und Begegnungen mit ausländischen Delegationen veranstaltet. Verschiedene Ausstellungen bieten einen Einblick in Leben und Kultur anderer Länder. Die Gesellschaft macht auch das Ausland mit Errungenschaften der Leningrader Forscher und Kulturschaffenden bekannt.

Wieder sind Sie an der Anitschkow-Brücke angelangt. Der heutige Newski-Prospekt ist dort nicht zu Ende. Jenseits der Anitschkow-Brücke, die sich jetzt ungefähr in der Mitte des Newski-Prospekts befindet, wurde die Straße später ausgebaut. Dort überwiegen die sogenannten Zinshäuser privater Besitzer vom Ende des 19. und Anfang des 20.

Jahrhunderts, die sich nur selten durch baukünstlerische Qualität auszeichnen.

Solange Sie noch am Fontanka-Ufer sind, sollten Sie das am gegenüberliegenden Ufer stehende alte Haus betrachten (Haus 34. 1750—1755. Architekten F. Argunow und S. Tschewakinski). In diesem Hause verkehrte der Komponist M. Glinka, und der Maler O. Kiprenski schuf dort sein berühmtes Porträt Puschkins, über das der Dichter in seinem Gedicht „An Kiprenski" schrieb: „Wie im Spiegel sehe ich mich." Heute befindet sich im Hause das **Forschungsinstitut für Arktis und Antarktis,** die größte derartige Forschungseinrichtung der Welt. Im Garten dieses „Stabs der beiden Pole" steht eine Büste des großen norwegischen Polarforschers Roald Amundsen, ein Geschenk der Regierung Norwegens an die Sowjetunion.

Wir empfehlen Ihnen auch das Bauensemble eines weiteren Platzes unweit vom Newski-Prospekt. Zum Manege-Platz gelangen Sie ebenfalls vom Ufer der Fontanka, wo Sie sich befinden. Es wäre aber besser, Sie gingen den Newski-Prospekt ein Stückchen zurück und würden in die Malaja (Kleine) Sadowaja-Straße einbiegen. Dann sehen Sie auf dem Weg zum Manege-Platz links das

WINTERSTADION (Michail-Manege)

1798—1801. Architekt unbekannt. 1823—1824 Umbau durch C. Rossi. Flachreliefs an den Fassaden von S. Pimenow und W. I. Demut-Malinowski. 1950 Umbau der Innenräume zum Winterstadion.

Das Gesamtbild und die Wände des Gebäudes sind wie nach Rossis Neugestaltung geblieben. Der Architekt wählte die dem Platz zugekehrte Fassade der Manege zum Kompositionszentrum und verband den Mittelbau mit den Seitenpavillons durch Mauern.

Das Manegegebäude ist mit den revolutionären Ereignissen des Jahres 1917 verbunden. W. I. Lenin hat dort zweimal gesprochen: im April 1917 vor Soldaten einer Panzerdivision über den imperialistischen Charakter des Weltkriegs, der von der Provisorischen Regierung fortgesetzt wurde, und am 1. Januar 1918, als die ersten Truppeneinheiten an die Front fuhren, um die junge Sowjetrepublik vor der Konterrevolution zu schützen.

Das Winterstadion in der einstigen Manege ist eine große Sportanlage, wo Wettkämpfe in Leichtathletik, Basketball, Gewichtheben, Fechten, Ringen, Handball usw. stattfinden. Es werden auch Konzerte und Schaudarstellungen gegeben. In diesem Fall bietet das Gebäude etwa 5000 Zuschauern Platz.

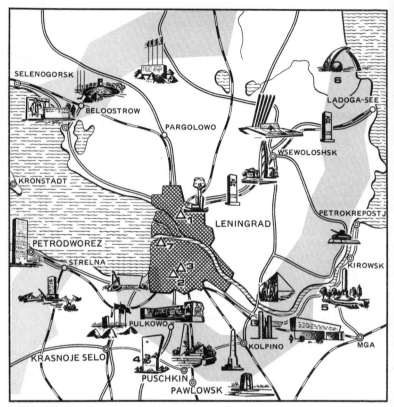

1. Piskarjowskoje-Gedenkfriedhof **2.** Denkmal für die heroischen Verteidiger von Leningrad **3.** Moskauer Park des Sieges **4.** Denkmal „Opoltschenzy" (Kilometerstein Nr. 11 der Chaussee Leningrad — Puschkin) **5.** Denkmal „Newski Pjatatschok" **6.** Denkmal „Durchbrochener Ring" **7.** Museum für die Geschichte von Leningrad

MANEGE-PLATZ

Der Umbau der Manege, nach der der Platz seinen Namen erhielt, war ein Teil der Neugestaltung des an das Michail-Palais (heute Russisches Museum) und das Ingenierschloß grenzenden Geländes, die C. Rossi in den 20er Jahren des 19. Jahrhunderts vornahm.

Sein heutiges Aussehen erhielt der Manege-Platz nach dem Großen Vaterländischen Krieg, in den 50er Jahren. Vom Manege-Platz wurde eine Durchfahrt zum Ingenieurschloß freigemacht und das umliegende Territorium ausgestaltet. Heute hat man vom Manege-Platz einen ausgezeichneten Blick auf die Hauptfassade des Ingenieurschlosses, vor dem ein **Denkmal Peters I.** steht (1715. Bildner B. K. Rastrelli. Errichtet 1800). Das Denkmalsmodell hatte der Künstler noch zu Lebzeiten Peters I. hergestellt. Zu Beginn des Großen Vaterländischen Krieges wurde die Statue in Sicherheit gebracht und 1945 wieder aufgestellt.

INGENIEURSCHLOSS

1797—1800. Entwurf von W. Bashenow. Erbaut unter der Leitung von V. Brenna. Ursprünglich befestigte Residenz des Zaren Paul I. Seit 1823 Petersburger Schule für Militäringenieure. Zur Zeit Sitz mehrerer Behörden. Wird restauriert.

Das Ingenieurschloß sollte man von allen Seiten betrachten. Die Gestaltung jeder seiner Fassaden war mit der Umgebung fest verbunden: die strenge Feierlichkeit der südlichen Hauptfassade mit dem Platz, der einst für Paraden und Wachaufzüge diente, und die romantische Schönheit der Nordfassade mit dem Sommergarten.

> *Das Palais wurde für Paul I. als dessen Hauptresidenz gebaut. Aus Angst vor Anschlägen wollte dieser nicht im Winterpalais bleiben und ließ das neue Schloß zu einer unnahbaren Festung errichten.*
>
> *Von allen vier Seiten war das Schloß vom Wasser umgeben: im Norden von der Moika, im Osten von der Fontanka, im Süden und Westen wurden Kanäle gegraben. (Der eine wurde später zugeschüttet, der andere durch ein unterirdisches Rohr geleitet.) Auf der künstlichen Insel baute man Zugbrücken, die durch Kanonen und verstärkte Wachen geschützt waren. Trotz dieser Vorsichtsmaßnahmen lebte Zar Paul in diesem befestigten Schloß nur vierzig Tage: er wurde von Offizieren seiner Leibgarde in seinem Schlafgemach erwürgt. Als Zarenresidenz wurde dieses Schloß in der Folgezeit nie mehr benutzt. Das leere Gebäude wurde als Witwenhaus eingerichtet und später gab man das Schloß der Schule für die Ausbildung von Militäringenieuren.*

Der große russische Schriftsteller Fjodor Dostojewski kam 1838 als 16jähriger Knabe in diese Ingenieurschule. Aus der Schulzeit stammen auch seine ersten literarischen Versuche. Das Lieblingsplätzchen des jungen Dostojewski war die Fensterbank im Eckzimmer des dritten Geschosses, von wo aus er auf die Fontanka sehen konnte.

Der Newski-Prospekt führt weiter geradeaus zum Platz des Aufstandes (plostschadj Wosstanija), mit dem Moskauer Bahnhof und danach mit einer kleinen Rechtsbiegung zum Alexander-Newski-Platz, wo sich auch das Alexander-Newski-Kloster (Alexandro-Newskaja lawra) befindet. (Siehe Abteilung Museen.) Dort steht das neue Intourist-Hotel **„Moskwa"**. Es ist Teil des neuen Bauensembles, das die Leningrader Hauptstraße verschönt.

900 Tage heroischer Verteidigung von Leningrad

Die Objekte dieser Besichtigungsfahrt befinden sich in verschiedenen, bisweilen recht weit voneinander entfernten Stadtbezirken wie auch in Vorstädten.

Die umfassendste Vorstellung von dem, was Leningrad während der faschistischen Blockade durchzumachen hatte, verschafft Ihnen ein Besuch im Museum für die Geschichte von Leningrad.

Ufer der Roten Flotte — Nabereshnaja Krasnogo Flota 44
Stadtverkehr: Obus 5, 6, 14. Bus 6, 49, 50, 90. Strb. 1, 5, 8, 11, 15, 21, 24, 26, 31, 33, 42.

Stets betrachten es die sowjetischen und ausländischen Gäste von Leningrad als eine Ehrenpflicht, den Piskarjowskoje-Gedenkfriedhof zu besuchen und sich vor dem Heroismus der dort beigesetzten Verteidiger der Stadt zu verneigen.

Piskarjowskoje-Gedenkfriedhof, Prospekt Nepokorjonnych 72
Stadtverkehr: Obus 30. Bus 9, 102. Strb. 46, 51.

Wer aus Moskau, Kiew oder vom Flughafen mit dem Wagen nach Leningrad kommt, erblickt am Beginn des Moskauer Prospekts den Platz des Sieges, auf dem ein eindrucksvoller Memorialkomplex, ein Denkmal für die heroischen Verteidiger der Stadt errichtet wurde.

Stadtverkehr: Bus 3, 11, 13, 16, 39, 50, 55, 56, 67, 130. Obus 2, 27, 29, 35. U-Bahnstation „Moskowskaja".

Wir empfehlen Ihnen einen Besuch der Ehrenmäler für die Helden von Leningrad und zwar des Moskowski- und des Primorski-Siegesparks (Moskowski und Primorski park Pobedy).

Moskauer Siegespark, Moskowski-Prospekt 138.

Stadtverkehr: Obus 2, 15, 24, 26. Bus 3, 16, 50, 63, 64, 67. Strb. 3, 16, 29, 35, 45. U-Bahnstation „Park Pobedy".

Primorski-Siegespark, Krestowski-Prospekt 2

Stadtverkehr: Obus 69. Bus 45, 71. Strb. 12, 17, 25.

Auf der Fahrt nach der Stadt Puschkin, nach Petrodworez und zur Karelischen Landenge finden Sie Plastiken, welche viele Kapitel des Heldenlieds von Leningrad verkörpern und zugleich die Frontlinie der Schlacht bei Leningrad markieren. Es sind Denkmäler des Grünen Ruhmesgürtels.

Um von den 900 Tagen der heroischen Verteidigung von Leningrad zu erfahren, kann man die Dienstleistungen von Intourist oder vom städtischen Exkursionsbüro in Anspruch nehmen.

MUSEUM FÜR DIE GESCHICHTE VON LENINGRAD

1826—1827. Architekt W. Glinka, einstiges Privathaus. 1950 und in den Folgejahren für das Museum umgebaut.

Die zwölf Säle des zweiten Geschosses enthalten Material über die Hauptetappen der Schlacht um Leningrad.

Hitler hatte damit gerechnet, Leningrad acht Wochen nach dem Überfall auf die Sowjetunion einzunehmen. Das faschistische OKW maß der Einnahme der Stadt Lenins nicht nur strategisch, sondern auch politisch eine außerordentliche Bedeutung bei. Zur Verwirklichung dieses Plans wurden die Heeresgruppe Nord mit Unterstützung der Heeresgruppe Mitte, insgesamt 42 Divisionen (ungefähr 725 000 Soldaten und Offiziere), 1200 Flugzeuge, 13 000 Geschütze und Granatwerfer und 1500 Panzer gegen Leningrad in Bewegung gesetzt.

Anfang Juli 1941 drangen die Faschisten ins Leningrader Gebiet ein. Über der Stadt war eine tödliche Gefahr heraufgezogen.

Zur Abwehr des Feindes vereinigten sich mit der regulären Armee und der Partisanenbewegung die Volkswehrbrigaden, denen 160 000 Leningrader freiwillig beitraten. Das Museum besitzt Gesuche: Ganze Familien von Leningradern baten um Entsendung zur Front. Einwohner der Stadt, unter ihnen Frauen und Schulkinder, zogen aus, um einen Ring von Verteidigungsanlagen zu bauen. Binnen kurzer Frist hoben sie 625 km Panzergräben aus, bauten Tausende Feuernester und schufen Steilhänge auf einer Strecke von 400 km. Episoden dieser heldenhaften Arbeit sieht man auf Dokumentarfotos.

Alle Leningrader Betriebe stellten ihre Produktion auf die Verteidigung um. Unter den Museumsstücken sieht man Patronen, Minen, Granaten, Waffen, Heeresgut usw. mit den Marken einstiger Süßwaren-, Schuh- und Konfektionsfabriken, Druckereien und Zigarettenfabriken.

Am 25. September 1941 geboten die Verteidiger von Leningrad dem Feind Einhalt und zwangen ihn, selbst zur Verteidigung überzugehen. Von diesem Tage an kamen Hitlers Truppen keinen Schritt mehr vorwärts.

Da die schnelle Einnahme der Stadt gescheitert war, beschloß Hitlers OKW die Stadt im Ring einer Blockade zu erdrosseln. Im Museum findet man eine Kopie der Geheimen Kommandosache des Marinestabs der Faschisten vom 29. September 1941 „Betrifft Zukunft der Stadt Petersburg", wo es heißt: „Der Führer ist entschlossen, die Stadt Petersburg vom Erdboden verschwinden zu lassen. Es besteht nach der Niederwerfung Sowjetrußlands keinerlei Interesse an dem Fortbestand dieser Großsiedlung ...

Es ist beabsichtigt, die Stadt eng einzuschließen und durch Beschuß mit Artillerie aller Kaliber und laufenden Lufteinsatz dem Erdboden gleichzumachen.

O, diese Stadt! Wie wurde sie gemartert ...
Vom Lande und vom Himmel aus, durch Frost und Feuer
und durch Hunger ...

VERA INBER

Piskarjowskoje-Gedenkfriedhof

Unsererseits besteht keinerlei Interesse daran, daß auch nur ein Teil der Einwohnerschaft dieser Großstadt am Leben bleibt ..." Wie systematisch und in welchem Ausmaß dieser Befehl durchgesetzt wurde, veranschaulichen viele Dokumente der Ausstellung. Zur Massenvernichtungswaffe des Feindes wurde die Hungersnot des Blockadewinters 1941—1942. Am 8. September war der letzte Landweg, der Leningrad mit dem Hinterland verband, abgeschnitten. So begannen die heroischen 900 Blockadetage. Im Laufe des Herbstes wurde die Lebensmittelration fünfmal herabgesetzt, bis sie bei einem Stück Brot von 125 Gramm Gewicht anlangte. Diese Ration und das Rezept ihrer Herstellung — zur Hälfte aus künstlichen Beimischungen — sieht man unter den Museumsstücken. Schon im November gingen Zehntausende Leningrader an Dystrophie zugrunde. Die Lage in der Stadt wurde katastrophal. Im Dezember begannen für die Leningrader die tragischsten Tage. Der Winter war außergewöhnlich streng.

> Die Zeit mildert vernebelt, ja macht sogar die unwahrscheinlichsten Grauenhaftigkeiten des menschlichen Lebens verschwinden. Wenn aber über Leningrad eine besondere, kalte Nebelnacht herabsinkt, dann hat der, welcher auch nur eine so tragische Nacht des Jahres 41—42 miterlebte, plötzlich das Gefühl, er schreite durch die blockierte Stadt ...
> Im Eis festgefrorene Straßenbahnen und Obusse, abgerissene und wunderlich verworrene Leitungsdrähte ... in der abendlichen Dämmerung sieht man bald hier, bald da Menschen einen selbst-

Denkmal für die heldenmütigen
Verteidiger von Leningrad auf
dem Platz des Sieges. Fragment

Grüner Ruhmesgürtel. Obelisk

gebauten Schlitten ziehen, auf dem etwas wie eine Mumie umwik-
keltes Schweres liegt. So gaben die Menschen den Verhungerten
das letzte Geleit. Von der Newa oder von der Fontanka ziehen
Menschen gemeinsam große Schlitten, auf denen eng beieinander
Töpfe und Eimer mit eisigem Wasser stehen.

Unmöglich, all die Heldentaten aufzuzählen, die von den Ver-
teidigern der Stadt vollbracht wurden. Viele Bände wären notwen-
dig, um wiederzugeben, wie die Leningrader gelebt, gekämpft, ge-
arbeitet und standgehalten haben.

MICHAIL DUDIN, Dichter, Teilnehmer
der Verteidigung von Leningrad.

Auf dem Nürnberger Prozeß gegen Hitlers Hauptkriegsverbrecher
wurde die dokumentarisch bestätigte Anklage wegen des Hungertodes
von 632 000 Leningradern vorgewiesen — und das war nicht die volle
Zahl der Verluste.

Aber Leningrad hat nicht nur standgehalten, es glaubte an den Sieg
und kämpfte um ihn. Unter den kostbaren Gedenkstücken des Museums: Büchern und handgedruckten Zeitungen, Ankündigungen von
Theatervorstellungen und Konzerten während der Blockade, Entwürfe
eines künftigen Triumphbogens des Sieges, gezeichnet von der Hand
eines verhungernden Architekten, und Fotos der „Straße des Lebens".
Sie spielte für Leningrad eine unschätzbare Rolle. Sie war unter feindli-
chem Beschuß auf dem Eis des Ladoga-Sees gebahnt worden, und diese dünne Lebensader ließ den schwachen Puls der hungergepeinigten

Stadt nicht aussetzen. Es gibt dort Fotos von Partisanenschlitten mit Lebensmitteln, welche durch die Frontlinien hindurchgekommen waren. Man sieht Dokumente vom Heldentum der Leningrader, die unter unvorstellbar schwierigen Verhältnissen weiter für die Verteidigung arbeiteten und der Armee die verschiedenartigste Rüstung lieferten, der Leningrader, die alte Leute, Invaliden und Kinder retteten.

Für hungergeschwächte Menschen wurden Hospitale und für Waisen Kinderheime eingerichtet. Freiwillige aus den Komsomolgruppen halfen Kranken und Schwachen daheim, brachten Wasser und heizten Öfen. Kinder gingen zur Schule, und während der Beschüsse und Bombenangriffe löschten sie zusammen mit den Erwachsenen Brände und halfen ebenfalls Kranken und Schwachen. Wie ein festliches Finale dieser heroischen Etappe verkündete am 27. Januar 1944 ein Siegessalut über der Newa der Welt das Ende der Blockade und die vernichtende Niederlage der Hitler-Armee an den Mauern der Stadt Lenins.

Im Museum sieht man Dokumentarfilme über die heroische Verteidigung von Leningrad.

PISKARJOWSKOJE-GEDENKFRIEDHOF

1955—1960. Architekten A. Wassiljew, J. Lewinson. Areal des Friedhofs 26 ha. Statue der Mutter Heimat von W. Issaijewa und R. Taurit. Höhe des Denkmals 12 m, Höhe der Statue 6 m. Länge der Memorialwand 150 m, Höhe 4,5 m.

An den hohen Flaggenmasten am Eingang sieht man die Staatsflaggen der Sowjetunion auf Halbmast. Zu beiden Seiten befinden sich Museumpavillons. An den Friesen liest man Verse des Dichters Michail Dudin. Die Torpavillons enthalten eine lakonische Dokumentarschau. Verdeckte Lichtquellen bescheinen Fotos der Kriegsjahre: Unterstände in Parks, durch Sprengbomben zertrümmerte Wohnungen, ein verwundetes Kind, Leichen auf dem Newski-Prospekt nach einem der Artilleriebeschüsse, abgezehrte Gesichter. Das Registraturbuch des Piskarjowskoje-Friedhofs begann mit der Eintragung von Februar 1942. Am 18. brachte man 3241 Leichen zur Beerdigung, am 19. Februar 5569, am 20. Februar 10 043.

Noch ein Dokument, das man schwerlich vergessen wird: Neben einer Fotografie der kleinen Leningraderin Tanja Sawitschewa sieht man Seiten aus ihrem Blockade-Tagebuch. Mit ungelenker Kinderschrift hat Tanja in einem Merkbuch Daten und Stunden festgehalten, als ihre Angehörigen — Schwester, Bruder, Großmutter, Onkel und Mutter einer nach dem anderen starben. Schließlich die tragischen Zeilen: „Die Sawitschews sind tot, alle sind gestorben, nur Tanja ist noch übrig." Tanja wurde evakuiert, aber der kindliche Organismus konnte den Hunger der Blockade nicht überstehen ...

Im anderen Pavillon sieht man eine dokumentäre Chronik des Kampfes der Stadt und ihrer Verteidiger, die heroischen Fahrten der LKW mit Lebensmitteln auf der Straße des Lebens, die Vereinigung der Wolchowfront und der Leningrader Front, die 1943 die Blockade durchbrachen und den Jubel der Stadt, die den Feind zerschmettert hatte.

Zwischen den Ausstellungspavillons befindet sich auf einer erhöhten Terrasse, umgeben von schwarzem Granit, ein ewiges Feuer. Entzündet wurde es vom unverlöschlichen Feuer auf dem Marsfeld, dem Ehrenmal für die Helden der Revolution.

Von dieser Terrasse aus überblickt man das ganze feierliche Memorial. Rechts und links erstrecken sich die Gemeinschaftsgräber. Es gibt keine Namen der Bestatteten, man liest nur die Jahreszahlen 1941, 1942, 1943, 1944. Auf dem Piskarjowskoje-Friedhof liegen über 50 000 Leningrader, die ihr Leben für das Glück der heute Lebenden hingaben.

Die Zentralallee führt zum einzigen Denkmal, einer Statue der Mutter-Heimat, die den Gräbern ihrer Söhne und Töchter eine Girlande aus Eichenblättern, dem Sinnbild unsterblichen Ruhmes, entgegenstreckt. Unter den Klängen feierlicher Trauermusik nähern sich die Besucher einer Mauer, vor der sich die Statue erhebt. An der Mauer stehen Verse der Dichterin Olga Bergholz, die die ganze Blockade in der belagerten Stadt miterlebte.

DENKMAL FÜR DIE HEROISCHEN VERTEIDIGER VON LENINGRAD

1974—1975. Architekten S. Speranski und W. Kamenski, Plastik von M. Anikuschin.

Zum 30. Jahrestag des Sieges über den Faschismus, am 9. Mai 1975, wurde auf dem neuen Platz des Sieges ein grandioses Ehrenmal für die Helden der Verteidigung von Leningrad enthüllt. An seiner Errichtung haben sich Tausende und Abertausende Leningrader beteiligt. Menschen verschiedenen Alters und ungleicher Berufe widmeten ihre Mußestunden der Schaffung dieses Memorials.

Die Schauseite des Denkmals ist nach Süden gerichtet, der Seite, wo einst die Frontlinie verlief. Eine breite Treppe aus rosa Granit führt auf einen ovalen granitbedeckten Platz. Zu beiden Seiten der Treppe türmen sich riesige Steinblöcke, die den Hintergrund für die dunklen Bronzeplastiken von Gruppen und Einzelgestalten der Verteidiger der Stadt bilden. In der Mitte erhebt sich ein 48 m hoher Obelisk. Er steht inmitten eines durchbrochenen Ringes — des Ringes der Blockade. Am Fuße des Obelisken erhebt sich die Bronzegestalt eines Soldaten und lodert ein ewiges Feuer. An den Innenseiten des Ringes sieht man

Flachreliefs aus Bronze mit den Auszeichnungen von Leningrad und den Texten der Erlasse des Präsidiums des Obersten Sowjets der UdSSR über die Auszeichnung der Stadt. Gedämpft klingt feierliche Trauermusik.

Vorläufig ist erst die erste Baufolge des Ehrenmals fertig. Der Entwurf sieht im unteren Stockwerk des Sockels einen Ausstellungsraum vor, wo Dokumente und Fotos über die Geschichte der Verteidigung von Leningrad gezeigt werden sollen.

MOSKAUER PARK DES SIEGES

Architekt J. Katonin und W. Kirchoglani. Fläche 68 ha.

Im Frühling 1945 endete der Krieg. Aber schon im Herbst wurden in der Stadt nach altem Brauch zwei Parks angelegt, die den Namen Siegespark bekamen. An ihrer Schaffung beteiligten sich Hunderttausende. Es sind optimistische Denkmäler für die Verteidiger der Stadt. Bei der Planung der Parks verwertete man Wesenszüge des Anlagen- und des Landschaftsstils. Teiche und Seen verschönern die Parklandschaft und machen sie abwechslungsreicher.

Der Siegespark des Moskowski-Stadtbezirks liegt im Südteil von Leningrad.

Das Kompositionszentrum bildet die am Haupteingang beginnende Allee der Helden. Dort stehen Büsten von Leningradern, die zweifache Helden der Sowjetunion sind. Gemäß der Verfügung über die Auszeichnung mit Orden und Medaillen der UdSSR wird Personen, die diesen hohen Ehrentitel zweimal erhalten haben, zu ihren Lebzeiten in ihrer Heimat ein Denkmal gesetzt. Die Allee der Helden verewigt die Namen von Fliegern, Seeleuten und Panzersoldaten.

In den Seitenalleen stehen symmetrisch angeordnet zwei Denkmäler von Nationalhelden der Sowjetunion, die im Kampf gegen den Faschismus ihr Leben opferten: Soja Kosmodemjanskaja, (1951, Bildner M. Maniser) und Alexander Matrossow (1951, Bildner L. Aidlin).

GRÜNER RUHMESGÜRTEL

Dieser Memorialkomplex von etwa 230 km Ausdehnung verläuft auf der Frontlinie von 1941 bis 1944, von der Südküste des Finnischen Meerbusens bis nach Sestrorezk.

Die Denkmäler, Gedenksäulen und Brücken sowie die für immer aufgestellten Panzer, Geschütze, die Memorialhaine und Alleen sowie die Museumspavillons sollen die Nachwelt an jene erinnern, welche die Stadt Lenins in den Jahren des Großen Vaterländischen Krieges vor den Hitlerfaschisten verteidigt haben.

Die Verteidigungsstellungen verliefen durch Felder, Sümpfe und Wälder, so daß der Grüne Ruhmesgürtel naturgemäß keine geschlossene Linie bildet. Die wichtigsten Denkmäler des Memorials werden an Autobahnen und Landstraßen, Eisenbahnen und Brücken, welche den einstigen Blockadering durchquerten, in Ortschaften und Städten des Leningrader Gebiets sowie an den Ufern von Flüssen und Seen aufgestellt.

Beim Kilometer 11 an der Straße Leningrad—Puschkino sehen Sie eine Art Fahne, die im Winde zu flattern scheint. Dieses zwölf Meter hohe Monument mit Flachreliefs, die einen Arbeiter der Volkswehr, einen Matrosen, einen Soldaten und eine MG-Schützin darstellen, ist der Volkswehr der Heldenstadt gewidmet.

Im September 1941 gelang es sowjetischen Soldaten, am linken Newa-ufer ein kleines Fleckchen Land von drei Kilometer Fronttiefe zu erkämpfen. Dieser „Newafleck" war wohl der heißest umkämpfte Ort der ganzen Leningrader Front. Von drei Seiten umringte der Feind diesen Brückenkopf, der durch die Newa von den eigenen Verteidigern getrennt war. Jeder Meter Boden wurde bestrichen, und die ganze Erde war von Granaten, Minen und Bomben zerwühlt.

Rings um den Obelisken ist eine Einfriedung, neben der Pappeln gepflanzt wurden. Auf einem Postament stehen ein Panzer und eine Kanone sowie der Markstein mit dem Bild kämpfender Soldaten. Am Stein liest man die Worte:

Ihr,
die ihr da lebt,
sollt wissen,
daß wir
von diesem Boden
nicht weichen wollten.
Und wir sind nicht gewichen.
Wir standen auf Leben und Tod
neben der dunklen Newa.
Wir sind gefallen,
damit ihr lebt.
ROBERT ROSHDESTWENSKI

Noch ein Obelisk. Man sieht ihn an der Straße nach Petrodworez, an der Stelle, von wo die sowjetischen Truppen 1944 zum Angriff übergingen — ein Teil der halbzerstörten Mauer des alten Palais, Reihen junger Pappeln, ein Gemeinschaftsgrab von Pionieren, die Petrodworez, dessen Palast wir heute bewundern, entmint haben.

Das alles ist der Grüne Ruhmesgürtel. Er mutet an wie ein Requiem des Gedenkens und der Dankbarkeit der Nachwelt.

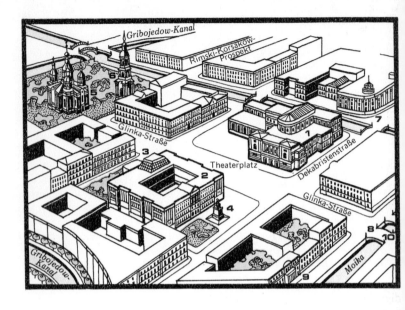

Sehenswertes am Theaterplatz und rund um ihn

Der Theaterplatz (Teatralnaja plostschadj) kann zum Gegenstand einer eigenen Besichtigung werden, dann wird dies eine ganz kurze Wanderung, doch sie kann zum weiteren Kennenlernen der Stadt dienen, beispielsweise vom Isaaksplatz aus. Sie werden sich schon ein wenig in Leningrad orientieren und sich wohl vorstellen, daß man leicht zum Theaterplatz kommt, wenn man vom rechten Newa-ufer über die Leutnant-Schmidt-Brücke (Most lejtenanta Schmidta) auf das linke hinübergeht, oder das Ufer der Roten Flotte (plostschadj Krasnogo flota) und den Platz der Arbeit (plostschadj Truda) nach der Besichtigung des Museums für die Geschichte Leningrads entlanggeht. Man kann auch vom Hauptpostamt durch die Straße gehen. Zum Theaterplatz führen das Ufer der Moika und die Glinka-Straße. Schließlich gelangt man auf den Theaterplatz, wenn man ins Programm seines Leningrader Aufenthalts einen Besuch des Staatlichen Kirow-Theaters für Oper und Ballett und des Staatlichen Rimski-Korsakow-Konservatoriums aufnimmt.

Für alle Fälle sei mitgeteilt, mit welchen Verkehrsmitteln Sie zum Theaterplatz gelangen können: Bus 2, 3, 22, 27, 43, 49, 50, 100. Strb. 1, 5, 8, 11, 15, 21, 24, 31, 33, 36, 42 bis Haltestelle Teatralnaja plostschadj.

Seit dem Ende des 18. Jahrhunderts war die Geschichte des Platzes mit dem Theaterleben der Stadt verbunden.

In gewisser Entfernung vom aristokratischen Zentrum der Hauptstadt war ein recht großes Gelände, das im Grunde genommen eine versumpfte Wiese darstellte, noch unbebaut geblieben. Dort veranstaltete man Volksfeste, Karnevalsumzüge, Jahrmarkts-Schaustellungen, weshalb es überall Schaubuden, naive Attraktionen und Karussells gab. Im 18. Jahrhundert hieß der Platz auch Karussellplatz.

An der Stelle des heutigen Konservatoriums wurde ein hölzernes Theater errichtet und später, 1783, das Große (Steinerne) Theater. Es galt als eines der besten Theatergebäude Europas, sein Zuschauersaal hatte drei Ränge und faßte an die 2000 Personen. Auf der Bühne wurden Schauspiele, Ballettwerke und Opern gezeigt.

1836 löste sich die Schauspieltruppe des Theaters als eine selbständige Bühne heraus, das Alexandrinski-Theater, heute Staatliches Akademisches Puschkin-Schauspielhaus. Für die Musik und Tanzbühne, die den Namen Mariinski-Theater erhielt (heute Staatliches Akademisches Kirow-Theater für Oper und Ballett), wurde 1860 an der anderen Seite des Platzes ein Neubau errichtet.

STAATLICHES AKADEMISCHES KIROW-THEATER FÜR OPER UND BALLETT
(Mariinski-Theater)

1860 Architekt A. Cavos. 1883—1896 und 1969 Modernisierung des Gebäudes. 1935 wurde dem Staatlichen Akademischen Theater für Oper und Ballett der Name des hervorragenden Funktionärs der Kommunistischen Partei und des Sowjetstaates, Sergej Kirow, verliehen.

Das äußere Gepräge des Theaters macht einen uneinheitlichen Eindruck, und die Fassaden wirken gesucht, wodurch der Bau keine Monumentalität besitzt.

Die Innengestaltung: vergoldete Plastik, blauer Sand und Deckenmalerei rufen festliche Stimmung hervor.

Als Geburtstag der ständigen Truppe des Theaters gilt das Jahr 1783, als auf dem Platz das Große (Steinerne) Theater errichtet wurde.

Auf seiner Bühne glänzten hervorragende Künstler der Puschkinschen Zeit. Bei der Schaffung der russischen Ballettschule spielte dieses Theater eine enorme Rolle. Dort wurden Tschaikowskis Werke „Dornröschen", „Der Schwanensee" und „Der Nußknacker" erstaufgeführt, die dem russischen Ballett seinen Ruhm verschafften. Mehr als ein halbes Jahrhundert leitete das Petersburger Ballett der Ballettmeister und Pädagoge M. Petipas. Eine große Rolle spielten in der Entwicklung der Bühnentanzkunst L. Iwanow und M. Fokin. Auf dieser Bühne tanzten A. Istomina und A. Pawlowa.

Von Anbeginn seines Bestehens entwickelte sich das Mariinski-Theater als Bühne der russischen Nationalkunst. Dort fanden die Premieren der meisten Opern der Koryphäen der russischen Musik M. Glinka, P. Tschaikowski und M. Mussorgski statt. Mit dieser Bühne hängt das Schaffen der berühmten russischen Sänger F. Schaljapin und L. Sobinow zusammen.

Die Traditionen des Theaters werden seit der Errichtung der Sowjetmacht in den Aufführungen von Werken D. Schostakowitschs, S. Prokofjews und D. Kabalewskis fortgesetzt. Sie fanden ihre Verkörperung in den Meisterleistungen von G. Ulanowa, M. Semjonowa und N. Dudinskaja. Das Orchester des Kirow-Theaters ist als eines der besten in der Welt bekannt. Die Auslandsgastspiele der Truppe sind jedesmal ein Triumph.

Im Theater gibt es ein Memorialzimmer Fjodor Schaljapins, wo Fotos von ihm, Dokumente, Zeichnungen und Gegenstände aus dem Besitz des großen Sängers sowie Theateralben ausgestellt sind. Das Zimmer ist während der Vorstellungen zur Besichtigung geöffnet.

STAATLICHES
RIMSKI-KORSAKOW-KONSERVATORIUM

1891—1896. Architekt W. Nikolja. Seit 1944 nach Rimski-Korskakow benannt.

In diesem Gebäude war Ende des 19. Jahrhunderts die erste musikalische Lehranstalt Rußlands untergebracht, die auf Anregung des hervorragenden Pianisten, Komponisten und Dirigenten A. Rubinstein 1862 ins Leben gerufen wurde.

Unter den Absolventen des Konservatoriums sind zahlreiche hervorragende russische Musiker. Die erste Absolventenverabschiedung im Jahre 1865 gab der Welt P. Tschaikowski. Der Komponist N. Rimski-Korsakow erzog eine ganze Schar russischer Musiker, unter ihnen S. Prokofjew, N. Mjaskowski, B. Assafjew und A. Glasunow. 1923 begann das Opernstudio beim Konservatorium seine Tätigkeit. Ihm steht der Große A.-Rubinstein-Saal zur Verfügung. Auch auf seiner Bühne treten die besten ausübenden Künstler der Sowjetunion und anderer Länder auf.

Wenn man den Konservatoriumsbau ansieht, gewahrt man rechts

das Denkmal des großen russischen Komponisten M. Glinka und links das Denkmal N. Rimski-Korsakows.

NIKOLAI-KIRCHE DER KRIEGSMARINE

1753—1762. Architekt S. Tschewakinski.

Vom Theaterplatz hat man einen guten Blick auf die Nikolai-Kirche der Kriegsmarine an der Kreuzung des Krjukow-Kanals und des Gribojedow-Kanals. Der Architekt S. Tschewakinski, ein talentvoller Zietgenosse B. Rastrellis, verlieh dem Sakralbau ein festliches Gepräge.

Der zweigeschossige, architektonisch schlichte Bau wird von fünf weit auseinandergestellten goldenen Zwiebelkuppeln gekrönt. Die weißen Säulen vor den hellblauen Wänden rufen ein malerisches Licht- und Schattenspiel hervor. An beiden Geschossen haben die Umrahmungen der großen Fenster interessantes plastisches Schmuckwerk.

Der getrennt im Garten stehende elegante viergeschossige Glokkenturm spiegelt sich im Wasser beider Kanäle.

Von hohem künstlerischem Wert ist die Innengestaltung der Kirche: eine Ikonenwand mit reichem Schnitzwerk und Ikonenmalerei guter russischer Maler des 18. Jahrhunderts.

Die Nikolai-Kirche der Kriegsmarine ist eine der neunzehn in Betrieb befindlichen Leningrader Weihestätten (15 orthodoxe Kirchen, eine katholische, eine baptistische, eine Synagoge, eine Moschee).

Am Ufer des Krjukow-Kanals steht hinter dem Kirow-Theater der

KULTURPALAST „ERSTES PLANJAHRFÜNFT"

1929—1930. Architekt N. Mituritsch, W. Makaschew. Umgebaut 1953—1957.

Einer der Kulturpaläste, die im ersten Jahrzehnt der Sowjetmacht in Leningrad errichtet wurden. Unter seinen sieben Sälen sind ein Theater-, ein Konzert- und ein Kinosaal sowie Vortragssäle.

KULTURPALAST DER MITARBEITER
DES BILDUNGSWESENS

1830. Architekt A. Michailow-2. Seit 1925 Haus des Lehrers.

Hinter dem Konservatoriumsgebäude erkennt man am Moika-Ufer einen hellgelben Bau mit Portikus aus weißen Säulen. Es ist der einstige Palast der Fürsten Jussupow, heute ein Kulturpalast, den man in der Stadt als Haus des Lehrers kennt.

Sehr prunkvoll ist die Gestaltung des Vestibüls, der Flucht von Paraderäumen, des Konzertsaals mit den weißen Säulen sowie der blauen und der roten Rotunde. Der Raum des einstigen Haustheaters ist in Miniatur eine Wiederholung des Innenraums des Mariinski-Theaters mit seinen Rängen, Logen, dem plastischen Schmuck, der Wandbemalung und Vergoldung. Im Haus des Lehrers wird eine große wissenschaftliche Bildungsarbeit geleistet, sind verschiedene Sektionen, Zirkel und Laienkunstgruppen tätig, werden Konzerte und Tanzabende veranstaltet. Schon seit Jahren inszeniert die Bühnenspielgruppe des Lehrerhauses Werke ausländischer Autoren in Fremdsprachen.

Geht man vom Theaterplatz auf die Newa zu, gelangt man auf den

PLATZ DER ARBEIT (plostschadj Truda)

Dieser Platz (einstiger Blagowestschenskaja-Platz) entstand um die Mitte des 19. Jahrhunderts. Damals errichtete man dort einen Monumentalbau, den

PALAST DER ARBEIT

1861. Architekt A. Stakenschneider. Seit 1885 Institut der adligen Fräulein. Seit 1919 Gebietsrat der Gewerkschaften. 1962 wurden die Paraderäume dem Kulturpalast der Gewerkschaften übergeben.

Auffallend ist das herrliche schmiedeeiserne Gitter rings um den Palast.

Der Haupteingang hat einen Säulenvorbau und darüber einen Balkon. Das größte Interesse der Innenräume stellt die Eingangshalle mit der säulengeschmückten Paradetreppe dar.

In der Aula des Palastes tagte im März 1919 der Erste Kongreß der Landwirtschaftsarbeiter des Petrograder Gouvernements, auf dem W. I. Lenin sprach.

In den Gasträumen des Palastes der Arbeit werden Begegnungen von Jugendlichen mit namhaften Bürgern Leningrads und des Leningrader Gebiets, Empfänge ausländischer Gäste, Bälle und Konzerte veranstaltet.

Der Platz der Arbeit grenzt ans Ufer der Roten Flotte, das die Leutnant-Schmidt-Brücke mit dem Leutnant-Schmidt-Ufer vereinigt, welches Ihnen vom ersten Leningrader Spaziergang her bekannt ist.

Neubaugebiet
Wassili-Insel

Der der Stadtmitte nächstgelegene Leningrader Neubaubezirk ist der Westteil der Wassili-Insel unmittelbar am Finnischen Meerbusen. Vom Palaisplatz gelangt man mit dem Auto in zehn bis fünfzehn Minuten hin.

Stadtverkehr zum Platz des Marineruhms (plostschadj morskoi slawy): Obus 110, 12; Bus 50, 128, 151, 152.

Obgleich der Wohnungsbau dort nicht so umfangreich ist wie im Nord- und Südteil von Leningrad, sieht man in konzentrierter Form, wie die Grundgedanken des Generalplans für den Ausbau der Stadt in die Tat umgesetzt werden.

Stadtverkehr zum Quartal Nr. 1 (einige Haltestellen hinter dem Platz des Marineruhms): Obus 10; Bus 30, 41, 44, 47, 50, 128, 151, 152.

Wir laden Sie auch deshalb zu einem Besuch dieses Stadtteils ein, weil man von dort einen herrlichen Blick auf die Meeresbucht hat, Seeschiffe am Kai liegen sieht und fühlt, daß man sich in einer Hafenstadt befindet.

Stadtverkehr zur Küste: Bus 30, 41, 128, 151, 152.

Sie sind also wieder auf der Wassili-Insel, wie am ersten Tag Ihres Leningrader Aufenthalts. Hier hat die Stadt begonnen, hier dauert ihre Jugend fort.

In einer Schilderung der Hauptstadt aus dem vorigen Jahrhundert wird der Bezirk, der damals Galeerenhafen hieß, folgendermaßen charakterisiert: „Die armseligste weltabgeschiedenste Kleinstadt in Rußland ist nicht zu vergleichen mit dieser unglückseligen Ansiedlung. Man möchte es nicht glauben, ein Teilchen des herrlichen Petersburg zu sehen!"

Erst unter der Sowjetmacht ist dieser Randbezirk ausgebaut worden. Er bekam Wasserleitung und Kanalisation, die Straßen wurden gepflastert und öffentliche Grünanlagen geschaffen. Aber noch vor dem zweiten Weltkrieg standen in der Straße, die dem Meer am nächsten lag, dürftige Holzhäuser. Weiter nach Westen erstreckte sich sumpfiges Ödland voller Gestrüpp.

1963 wurde am Ufer, wo der Große Prospekt endet, ein Platz gebildet, der den Namen Platz des Marineruhms bekam.

1968 errichtete man im Hafen mehrere Ausstellungspavillons von je 2500 m² Fläche. Die Schaustücke der ersten internationalen Ausstellung „Inrybprom-1968" (Fischereiausrüstungen) waren nicht nur in den Glaspavillons untergebracht. An den Kais lagen Fischereifahrzeuge verschiedener Länder. Seither wehen an den Masten des Ausstellungskomplexes jährlich die Flaggen von Teilnehmerstaaten der verschiedenen internationalen Ausstellungen.

PLATZ DES MARINERUHMS (plostschadj morskoi slawy)

Von diesem Platz aus sieht man die Mündung der Newa in den Finnischen Meerbusen. Der Strom ist an dieser Stelle über einen Kilometer breit. Da die Newa sehr wasserreich ist, bleibt das Mündungsgebiet, falls kein Wind vom Meer herüberweht, gute zwei Dutzend Kilometer weit voller Süßwasser.

Am linken Newa-Ufer sieht man den Handelshafen, wo bis 1963 alle Seeschiffe, auch die Fahrgastschiffe, festmachten. Heute legen dort außer den Frachtern nur noch Ozeanschiffe mit großem Tiefgang an, die übrigen ankern bei den Anlegestellen vor dem Platz des Marineruhms.

Rechts vom Handelshafen sehen Sie die hellen Wohnhäuser der kleinen Kanonier-Insel, die bis vor kurzem mit der Stadt nur durch eine Fähre über den Morskoi-Kanal verbunden war, weil der Bau einer Brücke über denselben keinen Sinn hatte. Heute verläuft unter dem Morskoi-Kanal ein etwa ein Kilometer langer Tunnel für Fußgänger und Kraftwagen in beiden Richtungen.

In Zukunft soll ein Stück stromaufwärts noch ein Verkehrstunnel unter der Newa gebaut werden.

Von den Anlegestellen beim Platz des Marineruhms erkennt man rechts von der Kanonier-Insel die neue künstlich angespülte Insel Bely. Sie entstand an einer Stelle, die vor verhältnismäßig kurzer Zeit auf der Landkarte mit Belaja melj (Weiße Untiefe) angegeben wurde. Das Fleckchen Land war nicht einmal einen halben Quadratkilometer groß. Der Inselboden wurde vom Grund der Meeresbucht angespült. Auf der neuen Insel entsteht ein Komplex großer Aufbereitungsanlagen zur Abwässerreinigung. Die Insel Bely ist mit der Kanonier-Insel durch eine neue Brücke verbunden.

Wendet man sich der Meeresbucht zu, dann sieht man rechts zwei völlig gleiche Kuppeltürmchen mit schlanker Spitze. Seit der Zeit Peters I. heißen sie die Wachttürme oder Kronspitzen. Früher standen neben ihnen Geschütze, die auf die Bucht gerichtet waren. Sie schützten die Anfahrt zur Anlegestelle der Galeerenflotte. Mit der Zeit gerieten die hölzernen Bauwerke in Verfall und wurden Mitte des 18. Jahrhunderts durch steinerne ersetzt. In diesem Küstenbezirk steht ein großes Baugeschehen bevor, aber die Kronspitzen werden als Denkmäler der Vergangenheit erhalten.

Der über 400 km lange Finnische Meerbusen wird häufig als Weg der Zyklone bezeichnet. Gewöhnlich zieht der Zyklon von Westen nach Osten, wobei eine sogenannte lange Woge in der ganzen Breite der Bucht entsteht. Bisweilen bildet sie sich fern von der Stadt und rollt bei entsprechendem Wind mit der Geschwindigkeit eines Eisenbahnzugs auf sie zu. An der Newa-Mündung wird sie durch die schmaler werdenden Ufer zusammengedrängt und gewinnt rasch an Höhe.

Vor dem Herannahen so einer „langen Woge" wird Leningrad mehrere Stunden zuvor gewarnt. Die Bauarbeiten in der Stadt erfolgen unter Beachtung dieser Naturgefahr. Am Platz des Marineruhms sieht man über dem Ufer hohe Anlegemauern.

Im Generalplan für den Ausbau von Leningrad sind Maßnahmen eines grundlegenden Hochwasserschutzes der Stadt vorgesehen. Weit in den Finnischen Meerbusen hinaus wird sich ein Deich erstrecken, der das Süd- und das Nordufer der Bucht vereinigt. Seine voraussichtliche Länge soll 26 km erreichen. Zur Zeit arbeitet man am technischen Projekt der Schutzanlagen.

QUARTAL NR. 1

Die Straßennamen dieses Wohnmassivs erinnern an seine Küstenlage. Die letzte Hauptstraße vor der Bucht heißt Straße der Schiffbauer. In der Folgezeit wird sie nach Süden und nach Norden fortgesetzt werden. Parallel zu ihr verläuft dann die erste Meeresuferstraße der Stadt. Beide Hauptstraßen sollen durch Straßen wie Schifferstraße, Matrosenstraße, Maatstraße, Bootsmannstraße und Kapitänstraße verbunden werden, und die Uferpromenade wird Meeresstraße heißen.

Auf einer Fahrt rings um dieses Viertel erhält man eine Vorstellung von den Hauptgrundsätzen des heutigen riesigen Baugeschehens in der Stadt. Das Viertel hat reichlich einen halben Quadratkilometer Fläche. Sein erstes Gebäude entstand 1969. In der Mitte des Viertels wechseln die 9geschossigen Wohnhäuser rhythmisch mit 12geschossigen ab. Die Abstände sind so gehalten, daß die Häuser einander das Licht nicht wegnehmen. An der Südseite des Viertels sind die Wohnhäuser malerisch angeordnet. Ein großer Teil der Bauwerke ist mit farbigen Platten verkleidet und hat Glas bzw. Holzschmuck. Es gibt zahlreiche offene oder verglaste Balkons, Erker und Loggien. Neben den Häusern befinden sich Kinderspielplätze.

Innerhalb des Viertels sieht man zwei Schulgebäude mit ausdrucksvoller Fassadengestaltung und interessanter Planung. An sie grenzen Sportplätze. Es gibt ein Einkaufszentrum mit Dienstleistungsbetrieben, eine Poliklinik für Kinder und Kinderaufenthaltsstätten.

Durch das Gelände ziehen sich Alleen junger Pappeln und im Sommer grünen Rasen. Auf den Freiflächen innerhalb des Quartals laufen die Bewohner im Winter Schlittschuh. Kinder rodeln und laufen Ski.

An der Küste steht der Hochbau des Interhotels „Pribaltiskaja" mit 2400 Betten. Außerdem wird ein Kulturpalast „Primorski" errichtet.

MEERESFASSADE DER STADT

Von der Straße der Schiffsbauer wurde eine Verkehrslinie weitergeführt, auf der man bis an die Küste wandern oder fahren kann.

Gemäß dem Generalplan erstreckt sich die über 25 km lange Meeresfassade Leningrads wie ein gigantisches Hufeisen um die Bucht des Finnischen Meerbusens. Am nördlichen und am südlichen Ufer werden Promenaden liegen. Der Hauptteil der Leningrader Küstenstraße wird sich auf der Wassili-Insel befinden. Sie soll mit 10- und 12geschossigen Häusern gebaut werden, deren Front durch Plätze mit öffentlichen Gebäuden unterbrochen werden soll. Das in Stein gefaßte Ufer wird rhythmisch aufeinander folgende Zugänge zum Wasser erhalten. Neben den Steinmauern sollen Anlegestellen für die auf der Bucht verkehrenden Tragflügelschiffe geschaffen werden, ebenso Bootsstationen. Auf der 160 m breiten Uferstraße wird ein Boulevard angelegt. Vom Inneren der Insel werden drei ebenfalls begrünte Hauptstraßen zur Küste führen.

Auf diesem Teil der Wassili-Insel wurden bereits große Wasserbauarbeiten geleistet, die im wesentlichen 1972 zum Abschluß kamen. Wo heute Busse fahren und Häuser stehen, rauschten vor einigen Jahren die Fluten des Finnischen Meerbusens. Dem Meer wurde ein Areal von über 3,5 km² abgewonnen. Die Uferlinie aller drei Inseln wurde nicht nur auf eine beim Anschwellen der Fluten ungefährliche Höhe gebracht, sondern auch ausgeglichen, wozu sie stellenweise ungefähr einen Kilometer in die Bucht vorgeschoben werden mußte. Beim Häuserbau werden leere Stahlbetonpfähle von jeweils über ein Meter Durchmesser mehr als 30 m tief in den Grund gerammt. Auf diese Weise werden die Fundamente aller Konstruktionen vollauf gesichert.

Vor einigen Jahren schlängelte sich neben der Hauptstraße zur Bucht das Flüßchen Smolenka dahin. Heute wurde für dasselbe ein 24 m breites und über 2 km langes künstliches Bett ausgehoben.

An der Kreuzung der Nalitschnaja-Straße und der Smolenka baute man unlängst eine der fünf breitesten Brücken der Stadt (70 m). Die Anfahrt zu ihr schmücken massive Obelisken. Daneben begann der Bau einer U-Bahnstation. An den Ufern der Smolenka entsteht eine schöne Esplanade, der Oktober-Prospekt, dessen Bau bereits begonnen wurde. Dort sollen 22geschossige Gebäude errichtet werden.

Wo der Oktober-Prospekt an die Bucht reicht, ist ein geräumiger, an der Wasserseite offener Platz vorgesehen. Eine granitene Kaimauer soll in die Bucht vorgeschoben werden und auf ihr eine imposante plastische Komposition aufgestellt werden, an deren Entwurf gegenwärtig eine Gemeinschaft Leningrader Architekten und Bildner arbeitet. Das im Mai 1977 im Russischen Museum zur allgemeinen Beurteilung ausgestellte Modell wurde lebhaft begutachtet. An der Stelle des künftigen Hauptplatzes wurde ein Merkstein mit der Aufschrift errichtet: „Hier wird ein Monument zu Ehren der Großen Sozialistischen Oktoberrevolution sowie der Waffen- und Arbeitssiege der Leningrader unter der Partei Lenins erstehen."

VORSTÄDTE VON LENINGRAD

Auf dem Schema sieht man die Lage der Vorstädte von Groß-Leningrad.

Die Besichtigung jeder Leningrader Vorstadt dürfte für Sie wohl ein gesondertes Ausflugsziel werden. Die Reihenfolge der Besichtigungen kann beliebig sein. Unsere Empfehlungen betreffen die Reihenfolge der Sehenswürdigkeiten und deren Beschreibung in jedem der folgenden Kapitel.

Stadtverkehr nach Rasliw: elektrische Vorortbahn vom Finnländischen Bahnhof (Sestrorezker Richtung).

Stadtverkehr nach Petrodworez: elektrische Vorortbahn vom Baltischen Bahnhof, Flußschiffe vom Ermitage-Kai.

Stadtverkehr nach Puschkin und Pawlowsk: elektrische Vorortbahn vom Witebsker Bahnhof.

Stadtverkehr zur Siedlung Repino (Repin-Museum „Penaty"): elektrische Vorortbahn vom Finnländischen Bahnhof (Wyborger Richtung).

Rasliw

Im Sommer 1917 verbarg sich W. I. Lenin vor den Verfolgungen der konterrevolutionären Provisorischen Regierung in Rasliw.

Nach der Niederschießung der friedlichen Arbeiterdemonstration am 4. (17.) Juli 1917 in Petrograd ging die bourgeoise Provisorische Regierung zum offenen konterrevolutionären Terror über. Gegen Lenin wurde wegen angeblichen Staatsverrates ein Haftbefehl erlassen.

Unter diesen Verhältnissen traf das Zentralkomitee der Partei der Bolschewiki alle Maßnahmen, um Lenin, dessen Leben bedroht war, zu retten.

Es wurde beschlossen, Wladimir Iljitsch bei der Station Rasliw nicht weit von Sestrorezk, im Hause des Arbeiters Nikolai Jemeljanow, eines Bolschewiken, unterzubringen.

Am Abend des 9. Juli begann Lenin mit den Vorbereitungen zu der nicht ungefährlichen Reise nach Sestrorezk. Er rasierte sich den Bart und den Schnurrbart ab, zog einen Mantel von unauffälliger Farbe an

225

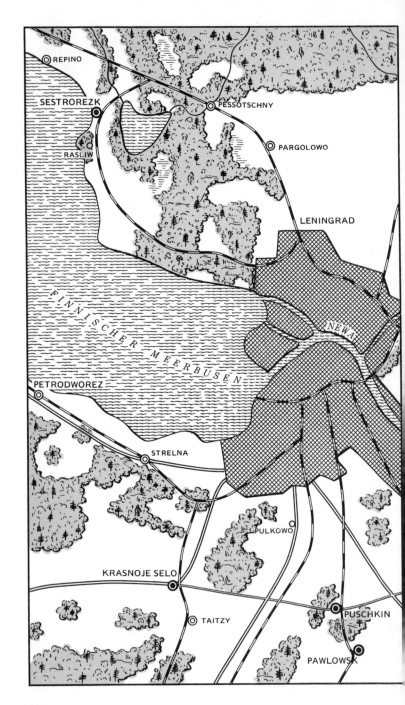

und setzte eine graue Mütze auf. Nun sah er einem finnischen Bauern ähnlich.

Jemeljanow wartete an der vereinbarten Stelle auf Lenin und seine Begleiter. Er führte Wladimir Iljitsch über die Abstellgleise zum Zug. So war es ungefährlicher. Lenin fuhr mit dem letzten Vorortzug und saß die ganze Zeit auf dem Trittbrett des letzten Wagens, um im Notfall abzuspringen.

„Nach den Julitagen war ich dank der besonders fürsorglichen Aufmerksamkeit, die mir die Kerenski-Regierung zuteil werden ließ, gezwungen, in die Illegalität zu gehen", schrieb Lenin selbst sarkastisch über diese Zeit. „Natürlich verbarg unsereinen ein Arbeiter."

GEDENKSTÄTTE HAUS DER JEMELJANOWS UND „SARAI" (Schuppen)

N. Jemeljanow, ein Arbeiter der Waffenfabrik, und seine Frau waren seit 1900 Mitglieder der Partei der Bolschewiki und hatten in der konspirativen Arbeit große Erfahrungen.

Wie Lenin Petrograd verließ und sich bei den Jemeljanows in Rasliw einrichtete, ersieht man aus Dokumenten, Fotos, Schemen und Zeichnungen in der Schau des Wohnhauses.

In jenem denkwürdigen Sommer 1917 wurde das Haus gerade vorgerichtet. Jemeljanows große Familie kampierte in dem zum Wohnen eingerichteten Schuppen. Auf seinem Dachboden wohnte W. I. Lenin.

Die Gedenkstätte „Sarai" (Schuppen) wurde 1925 auf Beschluß des Zentralkomitees der Partei der Bolschewiki eingerichtet. Die Gegebenheiten jener Zeit wurden wiederhergestellt. Um dieses revolutionsgeschichtliche Gedenkstück zu bewahren, erhielt der Schuppen eine Glasüberdachung.

Im Schuppen der Jemeljanows hielt sich Lenin aber nicht lange auf. Die Situation verlangte immer größere Vorsicht, weshalb beschlossen wurde, den Führer der Revolution an einer noch sicheren Stelle unterzubringen: auf dem sumpfigen Ödland hinter dem Rasliwsee, wohin man nur mit einem Boot gelangen konnte.

GEDENKSTÄTTE „SCHALASCH" (Laubhütte)

1927. Granitmonument. Architekt A. Gegello. Seit 1964 Museumspavillon. Architekt W. Kirchoglani u. a.

Als Bauer, der Heu mähte, richtete sich W. I. Lenin in einer mit Heu bedeckten Laubhütte ein. Nebenan befand sich ein Heuschober mit einer Vertiefung, die ihm in den kalten Nächten als Unterschlupf diente.

Neben der Laubhütte war in dichtem Gestrüpp ein Plätzchen gerodet worden, das Lenin scherzend „mein grünes Kabinett" nannte. Die

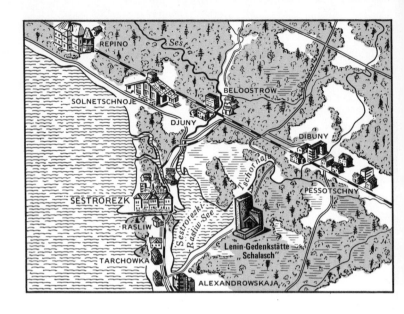

„Einrichtung" dieses „Kabinetts" bildeten zwei Holzklötze. Der höhere ersetzte den Tisch, der andere den Stuhl.

Aus der Illegalität leitete Lenin die Vorbereitung der sozialistischen Oktoberrevolution und bereitete Material für den VI. Parteitag der Kommunistischen Partei vor, welche den Kurs auf den bewaffneten Aufstand festlegte. Im Juli und August 1917 schrieb Lenin am Rasliwsee Dutzende Artikel und Broschüren. Im „grünen Kabinett" verfaßte er die Grundlage seiner fundamentalen theoretischen Schrift „Staat und Revolution", in der die marxistische Lehre vom Staat am umfassendsten und systematischsten dargelegt wurde.

Die kleine Rodung inmitten von Erlen, Espen, Weiden und Birken wurde eine der ersten Lenin-Gedenkstätten. Zum zehnten Jahrestag der Oktoberrevolution wurde dort 1927 ein Granitmonument errichtet. Zwei rechtwinkelig gegeneinander gestellte Mauern sind eine stilisierte Nachbildung der historischen Laubhütte. Eine lakonische Aufschrift „Für Lenin" und eine Gedenktafel:

„An der Stelle, wo sich im Juli und August 1917 der Führer des Weltoktobers in einer Laubhütte vor den Verfolgungen der Bourgeoisie verbarg und sein Buch ‚Staat und Revolution' schrieb, wurde zur Erinnerung daran von uns eine Hütte aus Granit aufgestellt. Die Arbeiter der Stadt Lenins. 1927."

In einem halbrunden Pavillon aus Beton und Glas befindet sich eine Schau von Erinnerungsstücken, Dokumenten, Fotos, Erstausgaben Leninscher Schriften jener Zeit, Gemälden und Plastiken.

Rasliw. Gedenkstätte „Schalasch" (Laubhütte)

Lenin verblieb so lange in Rasliw, bis das Zentralkomitee der Partei seine illegale Abreise nach Finnland vorbereitet hatte.

Nach einer gründlichen Erkundung des Weges nach Finnland schlugen ihm die Genossen vor, mit einer Lokomotive als vorgeblicher Heizer zu fahren. Nachdem er sein Einverständnis erteilt hatte, vereinbarten sie mit dem Lokführer G. Jalawa Lenins Fahrt über die Grenze.

Am 8. August verließ Lenin die Laubhütte spät am Abend. Im Schutze der Dunkelheit mußte er ungefähr 10 Kilometer bis zur nächsten Station der Finnländischen Eisenbahnlinie marschieren. Auf dem Wege zur Station verloren seine Begleiter den Pfad und gerieten an einen Bach, der durchwatet werden mußte. Sie irrten weiter und gelangten in einen brennenden Wald. Erschöpft und hungrig, erreichten sie in der Nacht endlich die Station unweit der Grenze. Lenin gelang es, sich hinter dem Bahndamm zu verbergen. Jemeljanow, der Erkundigungen einziehen und Fahrkarten kaufen wollte, wurde sofort festgenommen. Als sich der Zug näherte, stieg Lenin rasch in einen der letzten Wagen und gelangte zusammen mit seinen Begleitern wohlbehalten zur Station Udelnaja.

W. I. Lenins Weg, nachdem er die Laubhütte am See verlassen hatte bis zum Eintreffen in Helsingfors (Helsinki), wird auf einer großen Reliefkarte im Museumspavillon veranschaulicht.

Wie Lenin nach Petrograd zurückkehrte, um die Vorbereitung zum bewaffneten Aufstand zu leiten, und wie er denselben leitete, wissen Sie bereits durch die früheren Ausflüge und Besichtigungen.

Petrodworez, Stadt der Wasserkunst

PETRODWOREZ (ehemals Peterhof)

Gegründet 1710 als Sommerresidenz der Zaren. Der Autor des ursprünglichen Entwurfs
konnte nicht festgestellt werden. Der weitere
Ausbau erfolgte unter Mitwirkung der Architekten J. B. Le Blond, P. Jeropkin,
M. Semzow, B. Rastrelli, A. Woronichin u. a. Nach der Revolution Erholungs-
stätte und Museumskomplex. 29 km Entfernung von Leningrad. Von September
1941 bis Januar 1944 durch die Hitlerfaschisten fast völlig zerstört, in den Nachkriegsjahren wiederaufgebaut, Restaurationsarbeiten dauern an.

Seit über 200 Jahren erregt Petrodworez, das glanzvollste Ensemble der Leningrader Vorstädte, allgemeine Bewunderung. Dort wurden
hervorragende Werke der Bildnerei, Architektur, Malerei, Garten- und
Wasserkunst konzentriert.

Zwei Jahrhunderte lang waren die Paläste und Parks von Peterhof
Eigentum der Zarenfamilie und sommerliche Parade-Residenz der
Machthaber Rußlands. Nach der Großen Sozialistischen Oktoberrevolution wurden die künstlerischen Kostbarkeiten von Petrodworez unter
staatlichen Schutz gestellt, die Parks und Paläste, in denen kulturge-
schichtliche Museen entstanden, wurden Gemeingut des Volks.

Nach der Invasion der Hitlerfaschisten hatte Petrodworez als
Kunstdenkmal faktisch aufgehört zu bestehen.

Das Große Palais und die Große Kaskade waren gesprengt und
verwüstet, das Marli-Schlößchen, der Katharinenflügel des Montplaisir
und die Orangerie waren niedergebrannt, die Ermitage teilweise, das
Englische Palais, der Rosane- und der Olga-Pavillon völlig verwüstet.
Mehrere Hauptplastiken der Großen Kaskade waren weggeschleppt
worden und spurlos verschwunden. Etwa 34 000 Werke der Malerei,
der dekorativen und angewandten Kunst und der Bildnerei waren ge-
stohlen oder vernichtet. Die Springbrunnen und das gesamte Wasserleitungssystem waren völlig unbrauchbar gemacht worden. Über ein
Drittel des Grünbestandes — 10 000 Bäume — waren abgeholzt, Rasen, Alleen und die verbliebenen Baulichkeiten vermint.

Sofort nach der Befreiung von Petrodworez setzten die Wiederherstellungsarbeiten ein. Die erste Etappe (1944—1945) nahmen die Vor-
arbeiten ein: Entminung, Enttrümpelung, Neupflanzung von Bäumen
usw. Dann folgten (1945—1951) die Restauration der Wasserkunst und
die Nachschaffung der zugrundegegangenen Schmuckplastiken und
schließlich (1952—1960) die Wiederherstellung der Paläste und der
Parkarchitektur. Binnen 15 Nachkriegsjahren wurde aus Schutt und
Asche neu geschaffen, was im Laufe von mehr als einem Jahrhundert

entstanden war. Das Wunder von Petrodworez feierte seine Neugeburt.

Die Einmaligkeit von Petrodworez ist vor allem durch seine geographische Lage bedingt. Die Stadt erstreckt sich auf ansteigenden Terrassen am Finnischen Meerbusen. Auf der Anhöhe über der obersten Terrasse gibt es zahlreiche Quellen, die zur Speisung der Wasserkunst dienen.

Das Wasserleitungssystem der Springbrunnen von Petrodworez ist ein einzigartiges Denkmal russischer Ingenieurkunst.

GROSSE KASKADE

1715—1723. Architekten J. B. Le Blond, I. Braunstein, N. Michetti, M. Semzow. Bildner M. Koslowski, W. Stschedrin, F. Schubin u. a.

Ein überwältigendes Panorama bietet sich von der Terrasse vor dem großen Palais dar: 37 vergoldete Statuen, 150 kleine Schmuckplastiken, 29 Flachreliefs, 2 Kaskadentreppen, 64 Springbrunnen und eine herrliche Grotte schmücken den Hügelhang und bilden die Große Kaskade. Zahlreiche Schmuckplastiken der Großen Kaskade gehören zur Schatzkammer der russischen Bildnerkunst. Unten steht in der Mitte eines großen halbrunden Bassins die hohe vergoldete Plastik „Samson reißt dem Löwen den Rachen auf" (Höhe über 3 m, Gewicht 5 t). 20 Meter hoch schießt aus dem Löwenrachen der stärkste Wasserstrahl der Anlage. Die Samsonplastik trug ihrem Schöpfer, dem Bildner M. Koslowski, Weltruf ein. Während des Krieges ist der Samson von den Invasoren geraubt und verschleppt worden. Seine Nachbildung wurde von sowjetischen Bildhauern gegossen.

Von der Kaskade führt zum Meer ein Kanal, der einst die Paradeeinfahrt in die Zarenresidenz bildete: durch eine Schleuse befuhren die Jachten mit den Gästen den Kanal. Längs seiner Granitmauern sind einander gegenüber 22 Springbrunnen angeordnet: Marmorschalen, aus denen Wasserstrahlen emporschießen, bilden eine Fontänenallee.

UNTERER PARK

Beginn des 18. Jh. 102,5 ha, etwa 150 Springbrunnen, über 2000 Wasserstrahlen. Wasserverbrauch 30 000 l/sec.

Die Grünanlagen rings um das Becken mit dem Samson bilden den Unteren Park, wo die wichtigsten Kaskaden, Springbrunnen und baulichen Anlagen von Petrodworez konzentriert sind. Der Park ist in dem

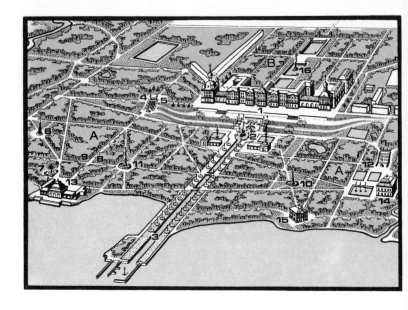

im 18. Jh. modernen geometrischen Stil angelegt, für den eine strenge Symmetrie charakteristisch war.

Im Ostteil des Parks befindet sich die Kaskade „Schachspielberg". Dort gibt es keine emporschießenden Strahlen. Sanft rinnt das Wasser die Terrassen mit den schwarz-weißen Marmorquadraten herab, deren regelmäßiges Muster einen Kontrast zu den Bruchsteingrotten rings um die Kaskaden bildet. Die oberste Grotte weist drei Drachenfiguren auf. Zu beiden Seiten führen von Marmorstatuen antiker Götter flankierte Treppen herab. Der Schachspielberg wurde 1721 vom Architekten N. Michetti geschaffen und in den dreißiger Jahren des 18. Jahrhunderts nach einem Entwurf des Architekten M. Semzow und anderer neu gestaltet.

Auf dem geräumigen Platz vor dem Schachspielberg sieht man zwei große Springbrunnen, die römischen Springbrunnen genannt (1739. Architekten I. Blank, I. Dawydow, umgestaltet vom Architekten B. Rastrelli), da sie vor der Umgestaltung am Ende des 18. Jahrhunderts durch ihre Form an die Springbrunnen vor dem Petersdom in der Hauptstadt Italiens erinnerten.

In der Ferne einer der bei den „römischen Fontänen" beginnenden Alleen lenkt der Springbrunnen „Pyramide" die Aufmerksamkeit auf sich. 505 Wasserstrahlen verschiedener Höhe bilden in der Luft eine siebenrangige schneeweiße Schaumpyramide. Die Wasserkunstanlage ist originell erdacht: Die Höhe jeder Pyramidenstufe wird durch den Wasserdruck einer der sieben speisenden Kammern geregelt. Je näher zum Zentrum dieselbe ist, desto höher schnellt der Wasserstrahl.

Im Ostteil des Parks gibt es in der Nähe noch einen interessanten Springbrunnen, die „Sonne". In der Mitte eines rechteckigen Beckens schleudern 16 kreisförmig angeordnete vergoldete Bronzedelphine Wasserstrahlen aus, die eine durchsichtige Schale bilden. Auf einem hohen Mast ist eine goldene Scheibe angebracht, von deren Rändern feine Wasserstrahlen wie Sonnenstrahlen herabfallen. Die Scheibe dreht sich langsam um die Senkrechte.

Die Meister der Wasserkunst haben viel Erfindergeist an den Tag gelegt, um den Parkkomplex von Petrodworez nicht nur prunkvoll und erlesen zu gestalten, sondern um auch Kurzweil zu bieten. Sie schufen zahlreiche Springbrunnen, die man einstmals „Schuticha" nannte, nach dem russischen Wort Schutka, das Scherz bedeutet. Stets herrscht dort ein heiteres Gewimmel.

Diese Springbrunnen haben jeder ihr Geheimnis. Angelockt durch den traulichen Parkwinkel, möchte sich der Besucher auf einer breiten Gartenbank ausruhen. Kaum setzt er sich aber hin, bilden die neckischen Wasserstrahlen rings um die Bank eine Wasserkugel. An einer anderen Stelle hüte man sich, den Kies zu

233

Petrodworez. Ruinen der Großen Kaskade — Foto aus der Kriegszeit (1944)

betreten, mit dem ein kleiner Platz besät ist! Sofort kommen direkt aus der Erde feine Wasserstrahlen. Der „Schirm" schneidet den Schutzsuchenden durch einen dichten Wasservorhang von der Außenwelt ab. Die ungewöhnliche Eiche inmitten eines Tulpenbeetes ist auch arglistig: Ihr sechs Meter hoher Stamm wie auch die grünen Zweige und die Blätter sind genau wie die Tulpen auf dem Beet aus Metall, und in ihnen befinden sich Wasserröhrchen. Besser geht man nicht allzu nahe an die „Eiche" heran, sonst umhüllen den Neugierigen sofort Wassersprüher wie ein Nebel. Diese „Eiche" wurde 1735 nach einer Zeichnung von Rastrelli angefertigt. Nach dem Kriege ist sie nach dem einzigen erhalten gebliebenen Zweig nachgeschaffen worden.

Die andere Hälfte des Unteren Parks, westlich von seiner Zentralachse, dem Seekanal, ist in der Planung eine symmetrische Wiederholung der östlichen, scheint der aber wegen der erfinderischen Mannigfaltigkeit der Baulichkeiten unähnlich.

Freilich hat der große Springbrunnen „Adam" ein Pendant im Springbrunnen „Eva". Die Marmorfiguren wurden im Auftrag Peters I. vom italienischen Bildhauer B. Bonazzi nach einem Entwurf des Architekten N. Michetti angefertigt.

Aber das Gegenstück zum Schachspielberg bildet eine ganz andere Kaskade, der „Goldene Berg" (Architekten N. Michetti, M. Semzow),

234

Wiederhergestellte Große Kaskade in Petrodworez

eine 22stufige Treppe, ausgestattet mit vergoldeten Blättern, einer Balustrade und einem mit Statuen geschmückten Geländer.

Die gigantischen Wassersäulen zweier Springbrunnen „Ménager" (also Haushälter) genannt, überwältigen durch ihre Mächtigkeit. Die Findigkeit der Techniker besteht darin, daß der Eindruck dieser machtvollen Wasserschleuder bei minimalem Wasserverbrauch entsteht. Das Wasser schießt in eine runde Spalte zwischen Rohren verschiedenen Durchmessers, die ineinander gestellt wurden. Die Wassersäule von 30 cm Durchmesser ist inwendig hohl, was dem Auge aber verborgen bleibt.

Heute stehen die Leningrader Restauratoren vor der Aufgabe, dem Unteren Park seine um die Mitte des 18. Jahrhunderts verlorengegangenen Wesenszüge wiederzugeben.

In einem Teil des westlichen Labyrinths ist es gelungen, die wunderliche Anordnung der alten Alleen zu ermitteln. Östlich vom Springbrunnen „Sonne" entdeckten Archäologen einen ovalen Teich. Bei den Ausgrabungen helfen ihnen Enthusiasten aus der Unionsgesellschaft für den Schutz der Geschichts- und Kulturdenkmäler.

Auf einem Spaziergang durch den Unteren Park kann man die Kleinen Palais besichtigen: Montplaisir, Marli und Ermitage, über die am Ende dieses Kapitels berichtet wird. Aus dem Unteren Park sieht man die beinahe 300 Meter lange Fassade des Großen Palais in all ihrer Pracht.

GROSSES PALAIS

1714–1724 Errichtung des ersten Palais. Architekten J. B. Le Blond und N. Michetti. 1747–1754 völliger Umbau. Architekt B. Rastrelli. Fassadenlänge 275 m. Seit 1917 kulturgeschichtliches Museum. 1944 von den Hitlerfaschisten verwüstet. Wiederherstellung 1951 begonnen, teilweise zu besichtigen.

Mit dem Bau des ersten Palaisgebäudes, Bergpalais genannt, wurde noch unter Peter I. begonnen. Im neuen Bau, den B. Rastrelli, der Schöpfer des Winterpalais, errichtete, blieben nur das Arbeitskabinett Peters I. mit der Eichentäfelung und die geschnitzte Eichentreppe daneben erhalten. Das Große Palais zeichnete sich durch eine prunkvolle Außen- und Innengestaltung aus. Seine Fassade erhielt als Dekor Pilaster und plastische Fensterumrahmungen. Das komplizierte vielfigurige Dach verlieh dem Bau eine pittoreske Silhouette. An den Mittelteil des Palais fügen sich symmetrische Seitenflügel mit prunkvoll geschmückten vergoldeten Kuppeln.

Die Paradesäle, Salons und Räumlichkeiten der Zaren überboten einander an Pracht und Vielgestaltigkeit der Schmuckplastiken, Vergoldungen, Schnitzereien, Parkettmosaiken, Kristalleuchter und Spiegel, Deckenmalereien und Wandbilder.

Nach der Großen Sozialistischen Oktoberrevolution wurde das Große Palais kulturgeschichtliches Museum.

Durch die barbarische Verwüstung während des Krieges blieben vom Palais nur Ruinen übrig. Viele Kunstwerke, Gerätschaften und Möbel, alles, was transportabel war, ist in den ersten Kriegstagen evakuiert worden. Das Übrige ging zugrunde. Die Wiederherstellungsarbeiten mußten nach alten Plänen, Zeichnungen, Fotos und Bruchstücken des Dekors geleistet werden. Nachgeschaffen wurden Fassade des Mittelbaus, Bedachung, Kuppeln, schmiedeeiserne Balkongitter und die wichtigsten Innenräume. Die ersten wiederhergestellten Museumssäle, unter ihnen der zweiseitig belichtete Mittelsaal, in dem wiederum 368 Bilder von dem italienischen Maler P. Rotari (18. Jh.) hängen, das Arbeitskabinett Peters I. usw. wurden 1964 zur 250-Jahrfeier von Petrodworez zur Besichtigung freigegeben. Die Wiederherstellungsarbeiten werden fortgesetzt.

Das Palais enthält viele Werke der dekorativen und angewandten Kunst, die durch die Evakuation erhalten geblieben sind. Dokumentarfotos zeigen, in welchem Zustand die sowjetischen Truppen das Palais und den Park bei der Befreiung der Stadt im Januar 1944 vorfanden.

MONTPLAISIR

1714–1717. Architekten I. Braunstein, J. B. Le Blond, N. Michetti. Seit 1917 kulturgeschichtliches Museum.

In der östlichen Hälfte des Unteren Parkes steht ganz nahe an der Küste (unweit der „Schutichas") ein graziöser eingeschossiger Bau, das von Peter I. sehr geliebte kleine Palais, das nach seinen Skizzen errichtet wurde. Da es unmittelbar am Ufer steht, hatte der Zar von seinen Terrassen aus einen Blick auf das Meer. Zur Ausgestaltung von Montplaisir entstand dort durch Peter I. die erste Bildergalerie Rußlands, die aus über 170 Gemälden, vorwiegend der holländischen Schule, bestand. Nach der Revolution wurde in diesem kleinen Palais ein historisches Museum eröffnet. Während des Krieges und der Besetzung von Petrodworez wurde Montplaisir barbarisch zerstört. Dort konzentrierte sich die Artillerie, die Leningrad beschoß. Schnitzereien, plastisches Dekor, Malereien und anderes Schmuckwerk des Palais wurden vernichtet. 1950 begann man mit der Wiederherstellung des Gebäudes und des angrenzenden Gartens. Im Palais wurden Schnitzereien, Kacheln sowie die Einrichtung des chinesischen Zimmers, der Galerien und des Paradesaals nachgestaltet. Gerettete Möbel, Gemälde und Inventar des Palastes sind an ihren einstigen Platz zurückgebracht worden. Freundlich und still wirkt der Garten von Montplaisir von der Landseite aus. Auch dort gibt es Springbrunnen und Blumenbeete.

PALAIS MARLI

1723, Architekt I. Braunstein.

An der Westgrenze des Parks steht in der Nähe des Meeres noch ein kleines Palais, Marli genannt. Vor einer seiner Fassaden schimmert ein großer rechteckiger Teich, vor der anderen ein halbrundes Wasserbecken.

Auch dieses Palais war reich an Schnitzereien, Majolika-Malerei, Plastik und Lackarbeiten. Nebenan befanden sich ein Obstgarten, Gewächshäuser, Ställe für Federvieh, Vorratskeller und andere Wirtschaftsbauten, und in den Teichen wurden Fische gezüchtet. Das Palais war ein stilles Tuskulum der Zarenfamilie. Vor dem Kriege hatte das Gebäude noch innen und außen sein urprüngliches Gepräge bewahrt. Das Palais wurde von den Hitlerfaschisten durch eine Verzögerungsmine gesprengt, ein Teil der Einrichtung konnte gerettet werden. 1955 wurden Fassaden und Dach wiederhergestellt. Die komplizierte Restauration der kunstvollen Innenräume wird fortgesetzt.

PAVILLON ERMITAGE

1724, Architekt I. Braunstein.

Auch dieser Pavillon befindet sich im Westteil des Parks und war für Zusammenkünfte einer exklusiven Gesellschaft bestimmt. Seine

Unnahbarkeit wurde dadurch betont, daß der Pavillon von allen Seiten von Wasser umgeben war und nur eine kleine Brücke zum Eingang führte. Im Erdgeschoß waren Eingangshalle, Küche und ein Zimmer mit einem Aufzugsmechanismus angeordnet. Von dort brachte man die Gäste mit einem besonderen Fahrstuhl ins Obergeschoß. So konnten sich Personen der nächsten Umgebung des Zaren ohne Zeugen dort treffen. Das ganze Obergeschoß nahm ein Paradesaal mit einem ovalen Tisch in der Mitte ein. Seine 14 Sessel und die 14 Tischgedecke bestimmten die begrenzte Anzahl der zugelassenen Personen. Das Servieren erfolgte mit Hilfe des Aufzugs. Der Mittelteil des Tisches und die Vertiefungen für die Teller an seinen Rändern konnten direkt in die Küche des Erdgeschosses hinabgelassen werden. Auf ein Signal gelangte alles Erforderliche nach oben.

COTTAGE-PALAIS IN ALEXANDRIA

Im 19. Jahrhundert wurden auf dem an den alten Unteren Park grenzenden Gelände noch einige Parks vom Landschaftstyp angelegt. Ihr bedeutendster war der Parkkomplex Alexandria. Zu seiner Komposition gehörten einige Palaisbauten, unter ihnen das Cottage-Palais. Von bedeutendem künstlerischen Wert ist die Gestaltung der Innenräume: Wand- und Deckenmalereien, plastischer Dekor der Gesimse und Decken, Holzschnitzerei, alles sind Meisterleistungen der russischen angewandten Kunst.

Im Palais werden Werke der russischen und der westeuropäischen Kunst der ersten Hälfte des 19. Jahrhunderts gezeigt.

Puschkin und Pawlowsk

DIE STADT PUSCHKIN

Erste Jahre d. 18. Jh. Landsitz. 1710 von Peter I. seiner Frau Katharina geschenkt. Seit 1716 hieß das Anwesen Zarskoje Selo. Um die Mitte des 19. Jahrhunderts Parkensemble und Palais unter Mitarbeit von M. Semzow, A. Kwassow, S. Tschewakinski, B. Rastrelli, I. Nejelow, J. Felten, G. Quarenghi, Ch. Kameron, W. Stassow u. a. 1918−1937 Detskoje Selo, dann in Stadt Puschkin umbenannt. In 25 km Entfernung von Leningrad. Von September 1941 bis Januar 1944 wurde die Stadt von den Hitlerfaschisten besetzt und fast völlig zerstört. In den Nachkriegsjahren teilweise wiederhergestellt, die Restaurationsarbeiten werden fortgesetzt.

Ihr heutiger Ausflug ist nicht nur eine Möglichkeit, die historischen und baukünstlerischen Kostbarkeiten der Leningrader Vorstädte kennenzulernen, er ist auch eine Begegnung mit Puschkin. Alles erinnert dort an ihn. Sowohl der herrliche Park von Zarskoje Selo, dem der Dichter in verschiedenen Jahren seines Lebens so viele wunderbare Verse gewidmet hat, als auch die Stadt, wo Puschkin sich von lieben Erinnerungen umgeben fühlte, und natürlich das schlichte Lyzeumsgebäude, in dem Puschkin sechs seiner Jugendjahre verlebte und es nach den Worten eines Lyzeumskameraden für Jahrhunderte mit dem Licht seines Ruhmes erhellte.

In dieser Stadt kann man über den großen russischen Dichter vieles erfahren. Es gibt dort mehrere Puschkin-Gedenkstätten.

DAS LYZEUM

1789—1791, Architekt I. Nejelow. Ursprünglich ein Seitenflügel des Katharinen-Palais, mit ihm vereinigt durch einen Bogengang über die Straße. Anfang des 19. Jh. vom Architekten W. Stassow umgebaut. 1811—1843 privilegierte Lehranstalt für Kinder des Adels. Das Lyzeum wurde während des Krieges zerstört. Wiederhergestellt 1949, zur 150. Wiederkehr von Puschkins Geburtstag als Gedenkstätte eröffnet.

Alexander Puschkin war von 1811 bis 1817 Lyzeumsschüler.

Als die Stadt am 24. Januar 1944 von der feindlichen Besetzung befreit wurde, gab es in ihr kein einziges bewohnbares Haus mehr. Zusammen mit dem Katharinen-Palais war auch das Lyzeum eingeäschert und verwüstet worden. Das erste verglaste Fenster in dieser Stadt war das Fenster von Puschkins Zimmer im Lyzeumsgebäude.

Heute umfaßt die Gedenkstätte im einstigen Lyzeum Unterrichts- und Wohnräume sowie die Aula, in der der junge Puschkin am 8. (20. Januar) 1815 dem berühmten Dichter G. Dershawin beim Examen sein Poem „Erinnerungen an Zarskoje Selo" vorlas.

Der greise Dichter, der während der Antworten der anderen Schüler vor sich hingeträumt hatte, kam mit Tränen in den Augen hinter dem Tisch hervorgestürzt. Später schrieb Puschkin darüber: „Der alte Dershawin hat uns bemerkt..." Später hat das ganze Rußland, hat die ganze Welt Puschkin „bemerkt".

Unweit vom Lyzeumsgebäude sehen Sie Puschkin, wie er träumend auf einer Parkbank sitzt. Es ist eines der besten Puschkin-Denkmäler (1900. Architekt R. Bach), das oft gemalt oder graphisch gestaltet wurde, das beliebteste Denkmal der Dichter, gleichsam Symbol der „Musenstadt".

Noch einige andere in der Stadt erhalten gebliebene Bauwerke erinnern an Puschkin. Unter ihnen

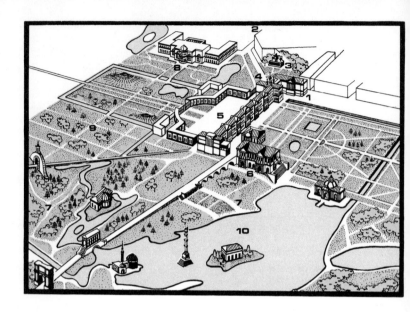

PUSCHKINS LANDHAUS

1827. Architekten W. Stassow und A. Gornostajew. Wohngebäude. 1958 als Gedenkstätte eröffnet.

Dieses Häuschen mietete Puschkin 1831 nach seiner Heirat. Seine Arbeit ging gut voran, und er verbrachte den ganzen Herbst in Zarskoje Selo. Er schrieb mehrere lyrische Gedichte, eines war der 20. Jahresfeier des Lyzeums gewidmet, setzte die Arbeit am „Eugen Onegin" fort und schrieb zwei Zaubermärchen für Kinder. Häufig kamen ihn Freunde besuchen. Für Kenner der russischen Kultur besagen ihre Namen sehr viel: Shukowski, Gogol, Wjasemski.

Die Museumsschau gibt eingehend Aufschluß über diese Periode im Leben und Schaffen des Dichters. Das Mobiliar der Räume stammt aus der Zeit Puschkins.

KATHARINEN-PALAIS

1719—1723. Die zu einem Palais umgebaute Zarenresidenz erfuhr in der Folgezeit mehrfache Veränderungen unter der Mitarbeit von M. Semzow, A. Kwassow und S. Tschewakinski. Die endgültige Variante schuf B. Rastrelli 1751 bis 1756. Fassadenlänge 306 m. In der 80er und 90er Jahren des 18. Jahrhunderts

240

Stadt Puschkin.
Das Lyzeum, in dem Alexander Puschkin lernte

beteiligten sich die Architekten I. Nejelow, G. Quarenghi und Ch. Cameron an
der Schaffung des Bauganzen von Zarskoje Selo (1792—1794 Bau der Cameron-Galerie). Nach 1917 Museum für russische dekorative und angewandte
Kunst. Von den Hitlerfaschisten zerstört, wiederaufgebaut, Restauration wird
fortgesetzt.

Das Palais ist reich mit Säulen, Pilastern, plastischem Schmuckwerk
und Rundplastiken verziert. Um die Mitte des 18. Jahrhunderts wurde
das Schmuckwerk vergoldet. Die Gesamtwirkung von Gold, lazurblau-
en Wänden, weißen Säulen und dem silbrigen Dach war so stark, daß
ein Besucher von Zarskoje Selo beim Anblick des Palais begeistert
ausrief:
„Für dieses Kleinod fehlt nur das Etui!"
Die prunkvolle Innenausstattung des Palais überwältigte noch
mehr. Die Türen waren mit feinstem Schnitzwerk versehen, das ebenfalls vergoldet war. Die Zimmerflucht machte den Eindruck einer
Goldspitze. Besonders großartig war der Hauptsaal, genannt Thronsaal oder Große Galerie. Seine Fläche nahm über 900 m² ein. Die Wände waren vergoldet und die Decken reich bemalt. Das Palais enthielt
eine reiche Sammlung von Gemälden, Plastiken, Porzellanen, Teppi-
chen und Erzeugnissen der chinesischen Kunst.
Durch den Krieg ist nicht nur die Innengestaltung des Palais, sondern sind auch seine Fassaden zerstört worden. Sofort nach der Befrei-

241

Stadt Puschkin. Katharina-Schloß

ung wurde alles Erhaltengebliebene aufs sorgsamste konserviert, wonach zuerst der äußere Wiederaufbau begann, dem die innere Restauration folgte.

Heute sind 14 restaurierte Säle des Palais-Museums wieder für die Besucher freigegeben. Einige Räume konnten vollauf wiederhergestellt werden, jedoch andere Säle haben ihre Pracht, von der nur noch Fragmente und Fotos Zeugnis ablegen, für immer verloren.

Nach den Berichten von Zeitgenossen, die durch spätere Generationen bestätigt wurden, hat sich der Schöpfer des Winterpalais und des Palais von Peterhof hier selbst übertroffen. Die Erfindungsgabe des Architekten ist fürwahr verblüffend. Nicht allein, daß er diese gewaltige Fassadenfront zu schaffen vermochte, wobei er die Eintönigkeit vermied, denn sie ist in keinem Zoll des Bauwerks zu finden, und daß er diese machtvolle einheitliche plastische Melodie „sang" (anders kann man es nicht sagen), hat der Baumeister die Residenz der Monarchen dem Licht und der Luft, den Bäumen und dem Himmel freigegeben. In genau errechneten Rhythmen und erlesenen Barockproportionen läßt Rastrelli die mächtigen Säulen mit den weiten Fensteröffnungen abwechseln, und das Gebäude scheint, ohne seine imposante Größe zu verlieren, beinahe schwerelos.

Es ist bekannt, daß Charles Cameron, der Schöpfer der Came-
ron-Galerie, den Hut zog, sooft er an Rastrellis Schöpfung vorbei-
ging. Es war mehr als eine Geste der Höflichkeit.
　　Die Cameron-Galerie, die selbst ein herrliches Kunstwerk ist,
nimmt im Ensemble einen besonderen Platz ein. Da sie an die
Parkfassade des Palais stößt, wird sie zu deren natürlicher Fortset-
zung. Es könnte scheinen, als sei der riesige Katharinen-Park im-
stande, durch seine Größe jedes Bauwerk zu „verschlucken". Aber
diese elegante Galerie von verhältnismäßig kleinem Ausmaß ist
so hingestellt, daß sie über dem gesamten Parkmassiv, seinem grü-
nen Baumkronenmeer, seinen Teichen, Kanälen, Brücken, Denk-
mälern und den vielen Pavillons dominiert.
　　Die Zeit heilt Wunden, läßt aber das Gedächtnis nicht ver-
blassen. Nur noch auf dreißig Jahre alten Fotos sehen wir heute
Marmortrümmer des Krieges mit schwarzen Brandspuren. Doch
dadurch wird die Großtat jener Menschen, die uns die Meisterwer-
ke der Baukünstler in ihrer ursprünglichen Schönheit zurückgege-
ben haben, noch bewundernswerter.

Im zweiten Obergeschoß des einstigen Kirchenflügels des Palais-
museums befindet sich das

A.-PUSCHKIN-MUSEUM DER UdSSR

Gegründet 1949, im Katharinen-Palais 1967 untergebracht.

Die Museumsschau bilden einzigartige Porträts von Alexander
Puschkin und seinen Zeitgenossen, gemalt zu deren Lebzeiten, seltene
Ausgaben, über 1200 Handschriften und Zeichnungen des Dichters so-
wie Gedenkstücke, die dem Dichter und seinen Freunden gehörten.
　In der Cameron-Galerie des Katharinen-Palais werden regelmäßig
Wanderausstellungen zu Puschkin-Themen veranstaltet.
　Das **Landhaus A. Puschkins, das Lyzeum** und **Puschkins Woh-
nung** am Moika-Ufer in Leningrad sind alles **Zweigstellen des
A.-Puschkin-Museums der UdSSR.**

KATHARINEN-PARK

Zeiten vergingen, es änderte sich der Kunstgeschmack, Architektengenerationen lösten einander ab. Und jede Epoche zollte dem Park
und Palaisensemble von Zarskoje Selo ihren Tribut. Die grüne Parklandschaft nimmt insgesamt ein großes Areal von etwa 600 ha ein. Sie
bildet auch das Bindeglied zwischen den zahlreichen Palais, den Denkmälern russischen Waffen- und Marineruhms, den Pavillons, Garten-
häuschen, dekorativen Ruinen, Toren, Brückchen und Wirtschaftsbau-

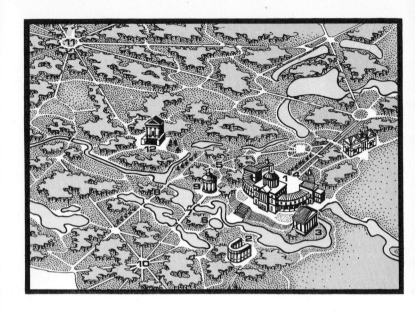

ten verschiedenartigen Baustils. Obgleich die Baumreihen in den mehr als 200 Jahren gewaltige Kronen bekommen haben, erinnern sie heute noch an die ursprüngliche Anlage der Parks.

Ihre poetische Schönheit gewannen die Parks der Stadt Puschkin durch die zahllosen Teiche, Seen und Kanäle, die alle künstlich angelegt wurden. Die Palais und Parkanlagen von Zarskoje Selo liegen auf einer Anhöhe (etwa 65 m ü. d. M.). Die natürliche Feuchtigkeit war so knapp, daß das Wasser für den Zarenhof anfangs aus Petersburg mit großen Holzfässern herangeschafft werden mußte. Später wurden Teiche gegraben, durch Kanäle vereinigt und launige Brückchen über die Kanäle geschlagen. Im Wasser spiegelten sich die weißen Marmorskulpturen, und es entstanden malerische Springbrunnen mit Plastiken.

Für eine kurze Bekanntschaft mit den Sehenswürdigkeiten von Puschkin während eines Tagesausflugs nehme man am besten die Dienste von Intourist oder anderer Organisation für die Besichtigung in Leningrad, bzw. in der Stadt Puschkin selbst in Anspruch. Aber auch ein selbständiger Spaziergang durch die Parkanlagen dieses beliebten Erholungsortes der Leningrader bedeutet zweifellos einen großen ästhetischen Genuß.

1. Großes Palais 2. Apollo-Kolonnade 3. Pavillon der „Drei Grazien" 4. Dreifache Lindenallee 5. Große Kreisen 6. Pavillons „Kalte Bäder" 7. Brücke mit Zentauren 8. Eisentor mit Vasen 9. „Freundschaftstempel" 10. Großer Stern 11. Kreis der „Weißen Birken" 12. Mausoleum

PAWLOWSK

1778—Beginn d. 19. Jh. — Herausbildung des Palais- und Parkensembles unter der Beteiligung der Architekten Ch. Cameron, G. Quarenghi, C. Rossi und A. Woronichin, des Malers P. Gonsago, der Bildner I. Martos, M. Koslowski, F. Gordejew, I. Prokofjew und anderer. Seit 1917 Museumskomplex. 29 km von Leningrad entfernt hinter der Stadt Puschkin. Von September 1941 bis Januar 1944 von den hitlerfaschistischen Truppen besetzt und verwüstet. Bis zum Jahre 1970 wiederhergestellt.

Als in Zarskoje Selo das Katharinen-Palais schon in all seiner Pracht leuchtete, war hier noch Wald, der für die Jagdvergnügungen der Zaren diente.

1777 schenkte Katharina II. die Ländereien an den Ufern des Flüßchens Slawjanka dem Thronfolger Pawel. Zwei Palastflügel wurden errichtet und später das Große Palais, den Pawel I. nach seiner Thronbesteigung erweitern und verschönern ließ. Zahlreiche von russischen und ausländischen Meistern gefertigte Kostbarkeiten wurden bestellt bzw. gekauft. Ursprünglich war der Palaispark im sogenannten Landschaftsstil gehalten, wodurch die Illusion entstand, alles sei von der Natur selbst erschaffen. Die späteren Parkteile entstanden bereits in einem anderen, einem geometrisch regelmäßigen Stil, der hier durch schmucke Festlichkeit auffällt. Lichtungen und Alleen des Parks wurden mit Bronzeplastiken und Marmorskulpturen geschmückt. Große Meister der Parkarchitektur vollbrachten in Pawlowsk Spitzenleistungen. Berühmte Baumeister, die zu verschiedenen Zeiten für die Entwürfe des Ensembles herangezogen wurden, erreichten bei ihren neuen Lösungen eine organische Einheit mit dem bereits Geschaffenen. Dadurch zeichnen sich Palais und Parkensemble von Pawlowsk durch eine erstaunliche Harmonie aus.

Zu Beginn des Krieges wurden die meisten Kostbarkeiten des Pawlowsker Palais und Parks ausgelagert oder versteckt. Die Skulpturensammlung sowie schwere Gegenstände aus farbigem Stein und andere Kunstwerke wurden in die Wände der Palaiskeller eingemauert. Obgleich die Besatzer das Gebäude beim Vorrücken der sowjetischen Truppen in Brand steckten, sind diese Sammlungen unversehrt geblieben.

Das Palais selbst verlor jedoch Kuppeln, Bedachung und Etagendecken und wurde zur Ruine.

Es wurden über 40 000 Bruchstücke des plastischen Schmuckwerks eingesammelt, wodurch die Restauratoren in der Lage waren, den reichen plastischen Dekor des Bauwerks nachzuschaffen.

In den Jahren der Okkupation wurden im Pawlowsker Park etwa 70 000 Bäume gefällt, und vor ihrem Abzug sprengten die Hitlerfaschisten im Park zahlreiche Pavillons und Brücken sowie das Wehr des Flusses Slawjanka. Auf dem befreiten Gelände entdeckten die sowjetischen Pioniertruppen etwa 250 getarnte Minen und etwa ein Dutzend Sprengbomben.

Es hatte den Anschein, als sei die Wiederherstellung des herrlichen Parks unmöglich. Wer kurz nach dem Ende der Blockade in den Leningrader Vororten war, sprach den Gedanken aus, daß all das Zerstörte in majestätischen Ruinen verbleiben und die Nachwelt an das Genie der Baumeister und die Barbarei der Faschisten erinnern würde.

Über die Wiederherstellung des Palais von Pawlowsk darf man sagen, daß sie eine Auferstehung vom Tode war. Die Restaurationsarbeiten im Pawlowsker Park werden fortgesetzt.

GROSSES PALAIS

1782−1786. Architekt Ch. Cameron. 1798−1799. Architekt V. Brenna. Wiederherstellung nach dem Brand von 1803, Anbau neuer Räumlichkeiten und Innengestaltung durch die Architekten A. Woronichin und C. Rossi. Von oben gesehen hat das Palais die Form eines offenen Ovals. Vom würfelförmigen Mittelbau mit 64 Säulen schwingen zwei halbrunde Galerien aus. In der Mitte des Hofes steht das Denkmal Pauls I. (1851. Bildner I. Vitali). 1970 nach Zerstörung während der Besetzung wiederhergestellt. Zur Besichtigung 50 Säle geöffnet, als Museum für künstlerische Gestaltung der russischen Paläste vom Ende des 18. und Beginn des 19. Jahrhunderts.

Pawlowsk. Großes Schloß

Von den Alleen des Parks und den Ufern des windungsreichen Flüßchens Slawjanka aus bietet sich dem Besucher ein unterschiedlicher Blick auf das Pawlowsker Palais dar.

Von der Flußseite scheint das überkuppelte Bauwerk am hohen Ufer hoch und leicht. Von der Hofseite wirkt es feierlich und offiziell. An der dem Park zugekehrten Nordseite ist das Palais von den Bäumen beinahe verdeckt. Die der Straße zugekehrte Südseite zeigt zum sogenannten Höchsteigenen Gärtchen. Diese Fassade wirkt mit ihren Balkons und Terrassen sehr vornehm. Der Palast ist eine Schatzkammer großartiger Kunstwerke von Bildnern, Malern, Holz- und Beinschnitzern, Steinmetzen, Glasbläsern, Porzellanmeistern, Bronzegießern und Kunsttischlern.

Im Erdgeschoß sind Wohnräume und Säle angeordnet: Tanzsaal, Gästezimmer, Billardraum, Speisesaal, Kabinette Pauls I. usw.

Das bauliche und kompositionelle Zentrum des Mittelgeschosses bildet der Italienische Saal von doppelter Stockwerkshöhe, der durch eine Kuppel gekrönt ist. Dort wurden antike Skulpturen zusammengetragen. An künstlerischem Wert und Zahl der Gegenstände steht diese Sammlung nach den Sammlungen der Ermitage an zweiter Stelle im Lande.

Die linke Zimmerflucht des Mittelgeschosses bilden die Paraderäume des Zaren, die rechte die Gemächer seiner Gattin.

Im Obergeschoß des Zentralbaus finden gewöhnlich Wechselausstellungen statt. Bei der Palaisbesichtigung helfen erfahrene Museumsführer, ohne die man sich schwer zurechtfindet.

PAWLOWSKER PARK

Größter Landschaftspark der UdSSR (600 ha). Angelegt 1777—1828.

Der Besucher sieht einen Park, in dem nach seiner Befreiung von der hitlerfaschistischen Besetzung (1944) immense Wiederherstellungsarbeiten geleistet wurden. Viele Alleen, kleine Plätze, Pavillons und Brückchen haben ihr früheres Aussehen zurückerhalten. Anstelle der gefällten Bäume (deren Arten nach den Stümpfen ermittelt wurden) sind neue gepflanzt worden.

Diesen Park an einem Tage zu besichtigen, wäre unmöglich, denn die Gesamtlänge der Wege und Alleen kommt ungefähr der Entfernung von Leningrad bis Moskau gleich. Es gibt jedoch in der näheren Umgebung des Palais zahlreiche interessante Pavillons und Parkstellen.

Aus den Palaisfenstern, die auf die Slawjanka hinausgehen, sieht man am gegenüberliegenden Ufer die sogenannte Apollo-Kolonnade (1782—1783. Architekt Ch. Cameron). Sie war als Doppelring errichtet worden, ist aber während eines schweren Unwetters im Jahre 1817 zum Teil eingestürzt. An der Einsturzstelle ergab sich ein so schöner Blick auf die Apollo-Statue, daß beschlossen wurde, die entstandene Ruine so zu belassen.

Durch das anmutige kleine Höchsteigene Gärtchen gelangt man zu dem in seiner Tiefe stehenden Pavillon der „Drei Grazien" (1800. Architekt Ch. Cameron, Bildhauer P. Triscorni). Die Skulpturengruppe in der Mitte des 16säuligen Pavillons wurde aus einem Marmorblock herausgehauen.

> *Dieses Kunstwerk war im Kriege vergraben und die Stelle mit Gras besät worden. Die Okkupanten entdeckten die Skulptur jedoch und brachten in der hölzernen Schutzhülle derselben eine Zeitzünderbombe an. Nur den Entminern ist die Rettung des Kunstwerks zu verdanken.*

Beim Verlassen des Palais bietet sich dem Blick die Dreifache Lindenallee dar, die als Achse des Paradehofs und des anschließenden Parkteils gedacht ist. Längs der Allee sind Pavillons angeordnet. Links von ihr befinden sich am Ufer der Slawjanka die sogenannten „Großen Kreise" (1799. Architekt V. Brenna). Das Zentrum der Rasenflächen mit Blumenbeeten bilden runde Terrassen aus Tuff, in deren Mitte Marmorbildwerke auf Granitpostamenten stehen.

Karelische Landenge

Bei einem Spaziergang lasse man sich am besten von einem Museumsführer beraten, der einem bei der Wahl des Weges helfen wird.

Im Nordwesten von Leningrad erstreckt sich zwischen dem Ladoga-See und der Nordküste des Finnischen Meerbusens die Karelische Landenge, durch die ein Teil der aus Finnland einfallenden internationalen Autostraße für Touristen führt.

Die biegungsreiche Küstenstraße ist zu beiden Seiten von dichtem Wald eingefaßt. Stellenweise weicht der Baumbestand zurück, und es öffnen sich weite Ausblicke auf den Finnischen Meerbusen und malerische Lichtungen. Als Überbleibsel der Eismassen, die zu vorgeschichtlichen Zeiten in die Meeresbucht wanderten, sind auf der Landenge Felsenterrassen, zahlreiche vom Granitbett der Eismasse losgebrochene und abgeschliffene riesige Findlinge und Hunderte Seen zurückgeblieben, die vielfach in den Waldungen liegen.

Die reine Luft ist von harzigem Nadelduft getränkt. Leningrad und seine Umgebung befinden sich klimatisch in einer Taigazone. Außer Fichten und Kiefern wachsen dort noch Eichen, Linden und Haselsträucher. Furchtlos springen Eichhörnchen von Baum zu Baum und ziehen Elche durchs Grün.

Die Karelische Landenge ist eine Kurgegend, in deren Sanatorien, Erholungsheimen und Fremdenpensionen im Laufe des Jahres über 250 000 Personen ihren Urlaub verbringen. Vierzehn Sanatorien sind eigens für Kinder bestimmt. Zur Sommerszeit werden die Kleinen aus zweihundert Kinderkrippen, Kindergärten in die dortigen Sommerhäuser und Schulkinder in Ferienlager gebracht. Die zahlreichen Touristenlager auf der Karelischen Landenge sind bei den Wanderfreudigen sehr beliebt.

Der etwa 40 km lange Küstenstreifen des Finnischen Meerbusens wird weiter ausgebaut und erschlossen. Seine Breite erreicht 6 km und mehr, ausreichend, damit jede Gesundungsstätte über ein geräumiges Landstück verfügt. Außerdem gibt es allgemein zugängliche Parkanlagen und freie Waldstellen, wo nur Vogelsang die Stille durchbricht.

Einige Strandbäder der Bucht haben feinkörnigen Sand, und auch der allmählich abfallende Meeresboden besteht aus ihm. Wälder und Grünanlagen reichen bis an den Strand.

Auf der Karelischen Landenge gibt es heilkräftige Mineralquellen: Natrium-Chloridwasser und eisenhaltiges Wasser. Es fehlt auch nicht an Peloiden.

Eine weitere herrliche Eigenschaft dieses Landstrichs ist die natürliche Ionisation der Luft. Ein Erholungsaufenthalt hier führt zur Senkung des Blutdrucks, zur Beruhigung des Nervensystems und zur Verbesserung des Allgemeinbefindens.

Pension „Djuny"

FREMDENPENSION „DJUNY"

41 km von Leningrad entfernt. 1966 eröffnet. Nimmt ein Gelände von 20 ha ein und kann gleichzeitig 600 ausländischen Gästen Platz bieten.

> *„Djuny" bedeutet Seebad.*
> *„Djuny" bedeutet Waldkurort.*
> *„Djuny" ist von der Stadt hinreichend weit entfernt und ihr zugleich hinreichend nahe.*
> *„Djuny" bietet Erholung, sportliche Betätigung, Unterhaltung und Gelegenheit zum Erlernen der russischen Sprache.*

Die Pension rechtfertigt ihren Namen: Sie liegt tatsächlich inmitten von Dünen mit Nadelwald. In einem der Gebäude erholen sich das ganze Jahr hindurch Leningrader, vorwiegend zu vergünstigten Preisen, da die Gewerkschaften aus den Mitteln der Sozialversicherung einen großen Teil der Aufenthaltskosten übernehmen.

Von Anfang Juni bis Anfang September sind weitere fünf zwei- bis dreigeschossige Gebäude in Betrieb, wo ausländische Touristen ihren Urlaub verbringen. Da der Erholungsaufenthalt in der Fremdenpension „Djuny" sehr begehrt ist, empfiehlt es sich, den Einweisungsschein rechtzeitig zu buchen. Zahlreiche Gäste kommen mit Familie in diese komfortable Pension.

Ein 70—80 m breiter Strand trennt die Pension vom Meer. Dort

Repino. Museum „Penaty"

findet man prächtigen Sand, Luft- und Sonnenbad, Bootsstation, Duschgelegenheit, Sommercafés und eine Tanzdiele.

Durch das Dienstleistungsbüro von Intourist können Sie in der Pension beliebige Besichtigungsfahrten durch Leningrad, die Karelische Landenge und die Leningrader Umgebung anmelden.

Für Musikfreunde gibt es den Klub „Sonata", für Naturfreunde den Klub „Lessowik". Im Klub „Globus" kann man Reiseberichte anhören und Reisefilme sehen. Für die Gäste werden bunte Programme von Freunden der Bühnenkunst sowie ein Sportfest im Stadion arrangiert.

Für Gäste, die ihre Russischkenntnisse erweitern möchten, werden im Sommer zwölftägige Seminare veranstaltet.

REPINO: GEDENKSTÄTTE „PENATEN"

45 km von Leningrad entfernt. 1900—1930 Anwesen des Malers Ilja Repin. Seit 1940 Gedenkstätte. 1944 von den faschistischen Truppen eingeäschert. 1962 wiederhergestellt.

Der große russische Maler Ilja Repin lebte dort dreißig Jahre, ist dort auch verstorben und bestattet worden. Seinen kleinen Landsitz benannte er nach den Penaten, den altrömischen Schutzgöttern des häuslichen Herdes. Als Repin das kleine Anwesen erwarb, stand dort ein gewöhnliches eingeschossiges Holzhaus. Allmählich erlangten Haus und Grundstück nach den Plänen des Künstlers ein schmuckes

251

Aussehen, ja sogar etwas märchenhaftes. Das Haus erhielt Vorbauten, eine Veranda, Glasdächer über den Ateliers und kleine Türme. Ringsum wurden kleine Lauben, Brücken usw. geschaffen.

Repins ständiges Interesse für alles Neue und seine leidenschaftliche Liebe zur Kunst lockten berühmte Zeitgenossen, Dichter, Musiker und Wissenschaftler in die „Penaten". Zu den Repinschen „Mittwochen" erschienen Gorki, Majakowski, Schaljapin, Jessenin und viele andere.

In diesem Hause malte der Künstler ihre Bildnisse sowie die berühmten Bilder „Festsitzung des Staatsrats", „Puschkin bei der Prüfung im Lyzeum", „Welch eine Weite!", „Freischärler am Schwarzen Meer", „Hopak" usw. Dort schrieb er auch seine Erinnerungen „Fernes und Nahes".

Im Museum findet man Kopien zahlreicher Repinscher Werke, die im Russischen Museum, in der Tretjakow-Galerie und anderen Museen des Landes aufbewahrt werden.

Es gibt auch Originale, so Repins letztes Selbstbildnis. Sein ganzes Leben lang (er starb mit 86 Jahren) war der Künstler von Arbeitseifer besessen. In den Penaten sieht man unikale Zeichnungen, die er mit der Feder, ja sogar mit einem Zündholz anfertigte, als seine Hände den Malpinsel nicht mehr halten konnten. Nachdem er auch die Palette nicht mehr halten konnte, befestigte er sie an seinem Gürtel. Diese Palette wird im Museum aufbewahrt.

Alle elf Räume der Penaten scheinen bewohnt. Der Lebensstil der Familie wird dem Besucher verständlich, und er erfährt, wie wahrhaft ergeben Repin der Kunst diente. „Die Kunst interessiert mich mehr als mein eigenes Leben", schrieb Repin einmal an Lew Tolstois Tochter.

In drei Räumen ist eine Schau untergebracht, die das Leben und Schaffen des Künstlers folgerichtig wiedergibt.

Beim Abzug der Hitlertruppen wurden die Penaten völlig eingeäschert. Von Repins Haus blieben nur verkohlte Holzstücke, ein Teil des Fundaments und die Schornsteine übrig. Es mußte nach Fotografien und den Erinnerungen von Menschen, die es kannten, rekonstruiert werden.

Gemälde, Skizzen, Zeichnungen, ein Teil des Mobiliars und Gegenstände aus dem Besitz des Künstlers — alles, was beim Näherrücken der Front evakuiert werden konnte, wurde zurückgebracht. Viele Leningrader stifteten dem Museum aus ihren Familienarchiven Fotos, Briefe und Zeichnungen, die sich irgendwie auf Repin und seinen großen Freundeskreis beziehen. Bei entfernten Verwandten des Künstlers konnte ein Teil der Einrichtung seiner Stadtwohnung ausfindig gemacht werden, der eine Ähnlichkeit mit der Einrichtung der Penaten hat. Aus Finnland traf ein alter Lederkoffer ein, den Repin einer einstmals im Hause beschäftigten Frau geschenkt hatte.

Auf dem Grundstück der Penaten befindet sich auch das Grab des Künstlers. An der Stelle, die sich Repin noch zu Lebzeiten ausgesucht hatte, pflanzte er Wacholdersträucher. Gemäß seinem Testament wurde neben dem Grab eine junge Eiche angepflanzt.

LENINGRADER U-BAHN
„W. I. LENIN"

Bei Ihren Wanderungen durch Leningrad haben Sie vielleicht die U-Bahn schon benutzt. In jedem Fall wäre eine Bekanntschaft mit den Sehenswürdigkeiten der Newastadt unvollständig, würde man nicht wenigstens kurze Zeit einer Fahrt mit der Untergrundbahn widmen.

Infolge der geologischen Eigenheiten Leningrads erwies sich der U-Bahnbau in geringer Tiefe komplizierter als eine Anlage in großer Tiefe.

Alle drei U-Bahnlinien verlaufen unter dem Grund der Newa, so daß über den Köpfen der Passagiere Schiffe fahren.

Durch die interessante Eigenart der technischen Lösungen und ihre baulichen und betrieblichen Errungenschaften steht die Leningrader U-Bahn verdientermaßen in gutem internationalem Ruf. Kollegen aus anderen Ländern kommen um Rat zu den Leningrader Fachleuten des U-Bahnbaus. Leningrader U-Bahnerbauer beteiligen sich in anderen Städten der UdSSR und im Ausland an ähnlichen Vorhaben.

Der Bau der Leningrader U-Bahn begann 1940, wurde aber durch den Krieg unterbrochen. Die Inbetriebnahme der ersten Strecke erfolgte 1955.

Die U-Bahnstrecken durchqueren das Stadtgebiet in drei Richtungen und kreuzen sich an den Umsteigestationen im Stadtzentrum. Ihre Gesamtlänge beträgt gegenwärtig mehr als 50 km und soll bis 1990 etwa das Dreifache erreichen.

Die architektonische Gestaltung jeder der heutigen 35 Stationen ist originell und bezieht sich irgendwie auf die Geschichte der entsprechenden Stelle der Stadt.

Wir empfehlen Ihnen zur Besichtigung folgende Stationen:

KIROW — WYBORG-STRECKE

Plostschadj Wosstanija (Platz des Aufstandes) (1955). Diese Station befindet sich vor dem Moskauer Bahnhof, auf einem Platz, der sowohl im Februar 1917 als auch bei der Vorbereitung der Oktoberrevolution die Stätte großer Ereignisse war. Zahlreiche Bronzereliefs zeigen W. I. Lenin sowie Episoden des revolutionären Geschehens. Die Säle sind mit rotem Marmor und Bronze verkleidet.

Eingang zum U-Bahnhof auf dem Newski-Prospekt

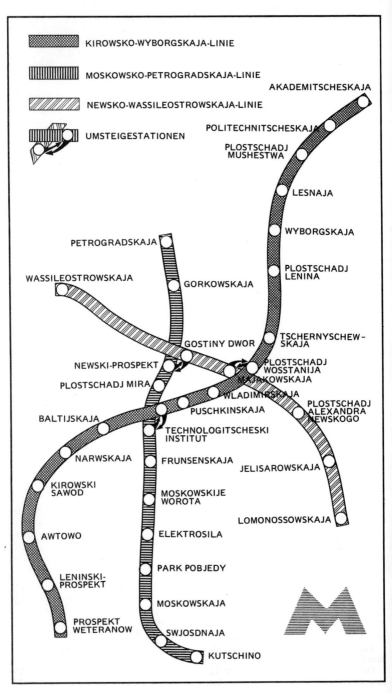

KIROWSKO-WYBORGSKAJA-LINIE

MOSKOWSKO-PETROGRADSKAJA-LINIE

NEWSKO-WASSILEOSTROWSKAJA-LINIE

UMSTEIGESTATIONEN

AKADEMITSCHESKAJA

POLITECHNITSCHESKAJA

PLOSTSCHADJ MUSHESTWA

LESNAJA

WYBORGSKAJA

PETROGRADSKAJA

WASSILEOSTROWSKAJA

GORKOWSKAJA

PLOSTSCHADJ LENINA

TSCHERNYSCHEW–SKAJA

GOSTINY DWOR

NEWSKI-PROSPEKT

PLOSTSCHADJ MIRA

PLOSTSCHADJ WOSSTANIJA

MAJAKOWSKAJA

WLADIMIRSKAJA

PUSCHKINSKAJA

PLOSTSCHADJ ALEXANDRA NEWSKOGO

BALTIJSKAJA

TECHNOLOGITSCHESKI INSTITUT

NARWSKAJA

FRUNSENSKAJA

JELISAROWSKAJA

KIROWSKI SAWOD

MOSKOWSKIJE WOROTA

LOMONOSSOWSKAJA

AWTOWO

ELEKTROSILA

LENINSKI-PROSPEKT

PARK POBJEDY

MOSKOWSKAJA

PROSPEKT WETERANOW

SWJOSDNAJA

KUTSCHINO

M

254

U-Bahnhof „Puschkinskaja"

Unterirdische Gänge verbinden diese Station mit den Bahnsteigen des Moskauer Bahnhofs und der Station Majakowskaja.

Puschkinskaja (1956)

Die Eingangshalle wurde in ein dreigeschossiges Gebäude eingebaut. Die Station befindet sich neben dem Witebsker Bahnhof. Diese Zweiglinie der Eisenbahn verbindet Leningrad mit der Stadt Puschkin, was für die Gestaltung der Station bestimmend war. Am Saalende sieht man gegenüber der Rolltreppe eine Bronzeplastik A. Puschkins (der Bildner M. Anikuschin schuf auch das Puschkin-Denkmal auf dem Platz der Künste) in einer flachen Nische vor einer elegischen Landschaft des Lyzeumsparks. Für die Gestaltung der Station wurden heller Marmor, geschwärztes Metall, vergoldete Bronze und weiße Kacheln verwendet. Es entsteht ein festlicher Gesamteindruck.

Technologitscheski Institut (Erste Station 1955, zweite Station 1960)

Die wichtigste Umsteigestation der Leningrader U-Bahn, bestehend aus zwei Stationen mit gemeinsamem oberirdischem Vestibül.

Die Station befindet sich neben einer der ältesten und größten Lehranstalten der Stadt, dem Technologischen Institut „Lensowjet" (Sagorodny projesd 49. 1820—1831. Architekten A. Postnikow und E. Annert). Damit ist auch die Gestaltung der unterirdischen Säle verbunden: Bronzemedaillons mit Reliefbildern hervorragender russischer Forscher in dem einen und Inschriften auf poliertem weißem Marmor in dem anderen erinnern an die Bezwingung des Nordpols, die Inbetriebnahme des ersten Atomkraftwerks der Welt, die Auflassung des ersten künstlichen Erdtrabanten und andere Errungenschaften der sowjetischen Wissenschaft und Technik.

Baltijskaja (1955)

Die Eingangshalle grenzt an den Baltischen Bahnhof und bildet auf dem Platz davor einen imposanten Portikus aus sechs Säulen.

Für die Gestaltung der unterirdischen Räume wurden Motive der Geschichte Leningrads als Hafenstadt verwendet. Die mit blaugrauem Marmor bedeckten Wölbungen erinnern an windgeblähte Segel. Auf Bronzemedaillons sieht man Bildnisse hervorragender russischer Flottenführer. Ein Mosaikbild „Das Jahr 1917" ist den revolutionären baltischen Matrosen gewidmet.

AWTOWO (1955)

Während des Krieges verlief unweit der heutigen U-Bahnstation die vorderste Verteidigungslinie der Stadt, was in den Flachreliefs zu beiden Seiten des Eingangs und in der Gestaltung der unterirdischen Räume seine Widerspiegelung fand.

MOSKAU—PETROGRAD-STRECKE

Park Pobedy (Siegespark) (1960)

Diese architektonisch streng gestaltete Station ist dem Sieg des Sowjetvolks über die faschistischen Landräuber im Großen

U-Bahnhof „Swjosdnaja"

Vaterländischen Kriege 1941—1945 gewidmet. Die Eingangshalle befindet sich im Moskowski-Siegespark.

Moskowskije Worota (Moskauer Tor) (1960)

Für die Innengestaltung diente rötlicher Marmor unter schneeweißen Gewölben. Der plastische Dekor bildet eine Komposition aus Kriegstrophäen, welche den Moskauer Triumphbogen schmücken, neben dem sich die U-Bahnstation befindet.

Newski-Prospekt (1960)

Eine Umsteigestation, deren Eingangshalle in der Hauptstraße der Stadt steht. Ihre Eigenheit und ihr festliches Gepräge erhält sie durch das Farbenspiel der Werkstoffe: weiße Pylonen, applizierte Streifen aus poliertem Aluminium und tiefrote Wände, die mit durchsichtigen Glasplättchen bedeckt sind.

NEWSKI—WASSILI-INSEL-STRECKE

Majakowskaja (1967)

Der Eingang befindet sich in einem Haus auf dem Newski-Prospekt, gegenüber der Majakowski-Straße. Das Mosaikbildnis des sowjetischen Dichters Wladimir Majakowski im unterirdischen Saal stammt von der Künstlerin M. Engelke.

Plostschadj Alexandra Newskogo (Alexander-Newski-Platz) (1967)

Diese Station ist interessant durch ihre Lichtgestaltung und hat als Schmuck ein Flachrelief „Alexander Newski mit seinen Mannen".

NAMENVERZEICHNIS

SACHREGISTER

KLEINER SPRACHFÜHRER

ANKUNFT

Träger!	Носильщик!	Nassílstschik!
Sagen Sie bitte, wo ist hier ein Taxistand?	Скажите, пожалуйста, где стоянка такси?	Skashíti, pashálusta, gde stajánka taksí?
Wo ist hier die „Intourist"-Vertretung?	Где представитель (отделение) Интуриста?	Gde predstavítel (atdilénije) inturísta?
Wie komme ich zum Hotel ...?	Как проехать в гостиницу ...?	Kak prajéchatj w gastínizu ...?
Ich bin Ausländer(-in)	Я иностранец (иностранка)	Ja inastrániz (inastránka)
Ich bin Tourist	Я турист	Ja turíst

IM ZOLLAMT

Ich habe nichts Zollpflichtiges	У меня нет ничего, что подлежит пошлинной оплате	U minjá net nitschewó, schto padlishít póschlinnoi apláti
Das sind meine persönlichen Sachen	Это вещи личного пользования	Éta wéstschi lítschnawa pólsawanija
Das sind meine Devisen	Вот моя валюта	Éta majá waljúta
Dieses ganze Gepäck gehört mir	Весь этот багаж мой	Wessj état bagásh moi
Wo findet die Zollabfertigung statt?	Где будет таможенное оформление?	Gde búdit tamóshennoje afarmlénije?
Das ist mein Koffer	Эта моя валюта	Éta moi tschimadán
Das ist nicht mein Koffer	Это чужой чемодан	Éta tschushói tschimadán
Wieviel Zoll habe ich zu zahlen?	Какую пошлину я должен заплатить?	Kakúju póschlinu ja dólshen uplatítj?
Ist die Zollabfertigung zu Ende?	Досмотр окончен?	Dasmótr akóntschin?
Haben meine Koffer Übergewicht?	Есть ли лишний вес?	Jestj li líschni wes?
Was habe ich für das Übergewicht zu zahlen?	Сколько я должен уплатить за лишний вес?	Skólka ja dólshin uplatítj sa líschni wes?

IM HOTEL

Ich möchte ein Einbettzimmer, mit Bad (Dusche)	Мне нужен номер для одного человека, с ванной (с душем)	Mne núshen nómer dlja adnowó tschilavéka, s wánnoi (s dúschem)

271

Meine Frau und ich möchten ein Zweibettzimmer	Нам с женой нужен один номер на двоих	Nam s shinói núshen adín nómer na dwaích
Geben Sie mir bitte die Zimmerschlüssel!	Дайте мне, пожалуйста, ключ от номера	Dáiti mne, pashálusta, klútsch at nómira
Bringen Sie bitte mein Gepäck ins Zimmer!	Доставьте, пожалуйста, мой багаж в номер	Dastáftje, pashálusta, moi bagásh w nómer
Welche Zimmernummer habe ich?	Какой номер моей комнаты?	Kakói nómer majéj kómnaty?
Wo kann ich frühstücken (zu Mittag, zu Abend essen)?	Где я могу позавтракать (пообедать, поужинать)?	Gdé ja magú pasáwtrakatj (paabédatj, paúshinatj)?
Wo kann man ausländische Zeitungen kaufen?	Где можно купить иностранные газеты?	Gdé móshna kupitj inastránnyje gaséty?
Wecken Sie mich bitte um ... Uhr ... Minuten	Разбудите меня, пожалуйста, в ... часов ... минут	Rasbudíti minjá, pashálusta, w ... tschassóf ... minút
Ich bin im Hotel ... abgestiegen	Я остановился в гостинице ...	Ja astanowilssa w gastinízi ...
Wo ist hier der Aufzug (das Service Büro, das Restaurant, das Café)?	Где находится лифт (бюро обслуживания, ресторан, кафе)?	Gde nachódiza lift (büro abslúshiwanija, ristarán, kafé)?
Ich wohne im Zimmer ... im ... Stock	Я живу в ... номере на ... этаже	Ja shiwú w nómiri ... na ... etashé
Ein Moment bitte!	Одну минуту!	Adnú minútu!
Herein!	Войдите!	Wajdíti!
Kann ich hier Devisen umtauschen?	Можно ли здесь обменять валюту?	Móshna li sdés abminját waljútu?
Wo kann ich telefonieren?	Где можно позвонить по телефону?	Gde móshna paswanítj pa telefónu?
Kaufen Sie mir bitte eine Theaterkarte (zwei Karten) für morgen für die Vorstellung ...	Купите, пожалуйста, мне билет (два билета) в театр на завтра, на спектакль ...	Kupíti, pashálusta, mne bilét (dwa biléta) w teátr na sáwtra, na spiktákl ...
Ist Post für mich da?	Нет ли для меня корреспонденции?	Net li dlja minjá karrispandénzii?

IN DER BANK

Ist eine Bank hier in der Nähe?	Где находится ближайший банк?	Gde nachódiza blisháischi bank?
Ich möchte Devisen und einen Scheck umtauschen	Я хотел бы обменять валюту и один чек	Ja chatél by abminját waljútu i adin tschek
Welche Papiere muß man vorlegen, um Devisen umzutauschen?	Какие требуются документы, чтобы обменять валюту?	Kakíje patrébujuza dakuménty, schtóby abminját waljútu?

272

Wechseln Sie mir bitte zehn (fünf) Rubel, drei Rubel	Разменяйте, пожалуйста, десять (пять) рублей, три рубля	Rasminjáiti mne, pashálusta, déssjatj (pjatj) rubléj, tri rubljá

GRUSS. BEKANNTSCHAFT. VERWANDTSCHAFT. BERUF

Guten Tag!	Здравствуйте!	Sdrástwujte!
Guten Morgen!	Доброе утро!	Dóbraje útra!
Guten Tag!	Добрый день!	Dóbry den!
Guten Abend!	Добрый вечер!	Dóbry wétscher!
Auf Wiedersehen!	До свидания!	Da swidánija!
Herr ...	Господин ...	Gaspadín ...
Frau ...	Госпожа ...	Gaspashá ...
Genosse ...	Товарищ ...	Tawáristsch ...
Darf ich mich vorstellen, mein Name ist, ...	Разрешите представиться, меня зовут ...	Rasrischíti pretstáwiza, minjá sawút ...
Wie heißen Sie?	Как Вас зовут?	Kak was sawút?
Wie alt sind Sie?	Сколько Вам лет?	Skólka wam let?
Ich bin aus ... gekommen	Я приехал из ...	Ja prijéchal is ...
Vater	Отец	Atéz
Mutter	Мать	Matj
Bruder	Брат	Brat
Schwester	Сестра	Sestrá
Sohn	Сын	Syn
Tochter	Дочь	Dotsch
Junge	Мальчик	Máltschik
Mädchen	Девочка	Déwatschka
Mädchen, Fräulein	Девушка	Déwuschka
Mann	Мужчина	Mustschína
Frau	Женщина	Schénstschina
Mann, Gatte	Муж, супруг	Musch, suprúk
Frau, Gattin	Жена, супруга	Shená, suprúga
Arbeiter (Arbeiterin)	Рабочий (работница)	Rabótschi (rabótniza)
Bauer (Bäuerin)	Крестьянин (крестьянка)	Kristjánin (kristjánka)
Angestellter	Служащий	Slúshastschi
Persönlichkeit des öffentlichen Lebens	Общественный деятель	Abstschéstwinny déjatil

Journalist	Журналист	Shurnalíst
Schriftsteller	Писатель	Pissátel
Lehrer (Lehrerin)	Учитель (учительница)	Utschítel (utschítilniza)
Schauspieler (Schauspielerin)	Актёр (актриса)	Aktjór (aktríssa)
Student (Studentin)	Студент (студентка)	Studént (studéntka)
Ingenieur	Инженер	Inshinér
Arzt	Врач	Wratsch
Kumpel	Шахтер	Schachtjór
Mechaniker	Механик	Michánik
Maler	Художник	Chudóshnik
Dolmetscher	Переводчик	Piriwótschik
Gruppe	Группа	Grúppa
Exursion	Экскурсия	Ekskúrsia

BITTE. DANK. ENTSCHULDIGUNG. WUNSCH

Rufen Sie bitte den Dolmetscher!	Позовите, пожалуйста, переводчика!	Pasawíti, pashálusta, piriwótschika!
Helfen Sie bitte!	Помогите, пожалуйста!	Pamagíti, pashálusta!
Ich bitte Sie, mich zu begleiten (abzuholen)	Прошу вас проводить (встретить) меня	Praschú was prawadítj (wstrétitj) minjá
Ich danke Ihnen!	Благодарю Вас!	Blagadarjú was!
Danke!	Спасибо!	Spassíba!
Ich bitte um Verzeihung!	Извините, пожалуйста!	Iswiníti, pashálusta!
Entschuldigung!	Простите!	Prastíti!
Ich möchte ausruhen (essen, trinken, schlafen)	Я хочу отдохнуть (есть, пить, спать)	Ja chatschú atdachnútj (jestj, pitj, spatj)
Ich möchte die Stadt (die Ausstellung, das Museum) besichtigen	Я хочу осмотреть город (выставку, музей)	Ja chatschú asmatrétj górat (wýstawku, muséj)
Ich möchte ins Theater (ins Kino, in den Park)	Я хочу пойти в театр (в кино, в парк)	Ja chatschú paití f tiátr (f kinó, f park)
Ich möchte ein Souvenir kaufen	Я хочу купить что-нибудь на память	Ja chatschú kupítj schtónibutj na pamjátj
Ich bin einverstanden	Я согласен (согласна)	Ja saglássin (saglássna)
Ich habe nichts dagegen!	Не возражаю	Ni wasrasháju
Ja, natürlich!	Да, конечно!	Da, kanéschna!
Mit Vergnügen!	С удовольствием!	S udawólstwijem!

Ich will nicht	Я не хочу	Ja ni chatschú
Ich kann nicht	Я не могу	Ja ni magú
Danke, nein!	Нет, спасибо!	Net, spassibá
Leider bin ich beschäftigt	К сожалению, я занят (занята)	K sashaléniju ja sánjat (sanjatá)
Ich bin mit Ihnen nicht einverstanden	Я не согласен (не согласна) с Вами	Ja ni saglássin (ni saglássna) s wámi
Ich gratuliere Ihnen	Поздравляю Вас!	Pasdrawljáju was!
Auf Ihr Wohl!	За Ваше здоровье!	Sa wásche sdarówje!
Ich wünsche Ihnen viel Glück (Gesundheit, Erfolg)	Желаю счастья (здоровья, успеха)	Shiláju stschástja (sdarówja, uspécha)
Ich verstehe Sie nicht	Я не понимаю Вас	Ja ni panimáju was
Ich spreche (nur) . . .	Я говорю (только) по- . . .	Ja gawarjú (tólka) pa- . . .
Wiederholen Sie es bitte noch einmal	Повторите, пожалуйста, еще раз	Paftaríte, pashálusta, istschó ras
Sprechen Sie bitte langsamer	Говорите, пожалуйста, медленнее	Gawaríte, pashálusta, médlineje

WOCHENTAGE. MONATE. JAHRESZEITEN

Welcher Tag ist heute?	Какой сегодня день?	Kakói siwódnja den?
Montag	Понедельник	Panidélnik
Dienstag	Вторник	Ftórnik
Mittwoch	Среда	Sridá
Donnerstag	Четверг	Tschitwérk
Freitag	Пятница	Pjátniza
Samstag (Sonnabend)	Суббота	Subóta
Sonntag	Воскресенье	Waskrissénje
Arbeitstag (Ruhetag)	Рабочий (нерабочий) день	Rabótschi (nirabótschi) den
Woche	Неделя	Nidélja
Monat	Месяц	Méssjaz
Januar	Январь	Janwár
Februar	Февраль	Fiwrál
März	Март	Mart
April	Апрель	Aprél
Mai	Май	Mai
Juni	Июнь	Ijún

Juli	Июль	Ijúl
August	Август	Ávgust
September	Сентябрь	Sintjábr
Oktober	Октябрь	Aktjábr
November	Ноябрь	Najábr
Dezember	Декабрь	Dikábr
Winter	Зима	Simá
Frühjahr	Весна	Wisná
Sommer	Лето	Léta
Herbst	Осень	Óssin
Feiertag	Праздник	Prásnik
Neujahr	Новый год	Nowý got

ZEIT

Wie spät ist es?	Который час?	Katóry tschas?
Es ist jetzt neun Uhr morgens (abends)	Девять часов утра (вечера)	Déwjatj tschassóf utrá (wétschira)
Halb zehn	Половина десятого	Palawína dissjátawa
Um sieben Uhr	В семь часов	F sem tschassóf
Um ... Uhr ... Minuten	В ... часов ... минут	W ... tschassóf ... minút
Morgen, am Morgen	Утро, утром	Útro, útrom
Abend, am Abend	Вечер, вечером	Wétscher, wétscherom
Tag, am Tage	День, днём	Den, dnjóm
Nacht, in der Nacht	Ночь, ночью	Notsch, nótschju
Minute	Минута	Minúta
Stunde	Час	Tschas
Eine halbe Stunde	Полчаса	Poltschassá
Heute	Сегодня	Siwódnja
Morgen	Завтра	Sáftra
Gestern	Вчера	Wtschirá
Vorgestern	Позавчера	Pasaftschirá
Übermorgen	Послезавтра	Poslisáftra
Vorige (nächste) Woche	На прошлой (следующей) неделе	Na próschloi (slédujustschej) nidéli
Im kommenden Monat (Jahr)	В будущем месяце (году)	W búdustschim méssjazi (gadú)

276

ZAHLEN

Wieviel?	Сколько?	Skólka?
1 — eins	один	adín
2 — zwei	два	dwa
3 — drei	три	tri
4 — vier	четыре	tschitýri
5 — fünf	пять	pjatj
6 — sechs	шесть	schestj
7 — sieben	семь	sem
8 — acht	восемь	wóssim
9 — neun	девять	déwjatj
10 — zehn	десять	déssjatj
11 — elf	одиннадцать	adínazatj
12 — zwölf	двенадцать	dwinázatj
13 — dreizehn	тринадцать	trinázatj
14 — vierzehn	четырнадцать	tschitýrnazatj
15 — fünfzehn	пятнадцать	pitnázatj
16 — sechzehn	шестнадцать	schisnázatj
17 — siebzehn	семнадцать	simnázatj
18 — achtzehn	восемнадцать	wassimnázatj
19 — neunzehn	девятнадцать	diwitnázatj
20 — zwanzig	двадцать	dwázatj
30 — dreißig	тридцать	trízatj
40 — vierzig	сорок	sórak
50 — fünfzig	пятьдесят	pidissját
60 — sechzig	шестьдесят	schisdissját
70 — siebzig	семьдесят	sémdissjat
80 — achtzig	восемьдесят	wóssimdissjat
90 — neunzig	девяносто	diwinósta
100 — einhundert	сто	sto
200 — zweihundert	двести	dwésti
300 — dreihundert	триста	trísta
400 — vierhundert	четыреста	tschitýrista
500 — fünfhundert	пятьсот	pitsót
600 — sechshundert	шестьсот	schissót

700 — siebenhundert	семьсот	simssót
800 — achthundert	восемьсот	wassimssót
900 — neunhundert	девятьсот	diwitssót
1000 — eintausend	тысяча	týssjatscha

PREISE

1 (eine) Kopeke	одна копейка	adná kapéjka
2 (zwei) Kopeken	две копейки	dwe kapéjki
3 (drei)	три копейки	tri kapéjki
5 (fünf)	пять копеек	pjatj kapéjek
10 (zehn)	десять	déssjatj
15 (fünfzehn)	пятнадцать	pitnázatj
20 (zwanzig)	двадцать	dwázatj
1 (ein) Rubel	один рубль	adín rubl
3 (drei)	три рубля	tri rubljá
5 (fünf)	пять рублей	pjatj rubléj
10 (zehn)	десять	déssjatj
25 (fünfundzwanzig)	двадцать пять	dwázatj pjatj
50 (fünfzig)	пятьдесят	pidissját
100 (hundert)	сто	sto
Was kostet das?	Сколько стоит?	Skólka stóit?
Schreiben Sie bitte den Preis auf!	Напишите, пожалуйста, цену!	Napischíti, Pashálusta, zénu!
Restgeld	сдача	Sdátscha

EIGENSCHAFTEN

Gut/er (-e, -es)	хорош/ий (-ая, -ое)	charósch/i (-aja, -oje)
Schlecht/er (-e, -es)	плох/ой (-ая, -ое)	plach/ói (-ája, -óje)
Schön/er (-e, -es)	красив/ый (-ая, -ое)	krassíw/y (-aja, -oje)
Häßlich/er (-e, -es)	некрасив/ый (-ая, -ое)	nikrassíw/y (-aja, -oje)
Interessant/er (-e, -es)	интересн/ый (-ая, -ое)	intiréssn/y (-aja, -oje)
Teuer/er (-e, -es)	дорог/ой (-ая, -ое)	darag/ói (-ája, -óje)
Billig/er (-e, -es)	дешёв/ый (-ая, -ое)	dischów/y (-aja, -oje)
Schnell/er (-e, -es)	быстр/ый (-ая, -ое)	býstr/y (-aja, -oje)
Langsam/er (-e, -es)	медленн/ый (-ая, -ое)	médlenn/y (-aja, -oje)
Lustig/er (-e, -es)	весёл/ый (-ая, -ое)	wessjól/y (-aja, -oje)
Langweilig/er (-e, -es)	скучн/ый (-ая, -ое)	skútschn/y (-aja, -oje)

ÜBERSCHRIFTEN. AUSHÄNGESCHILDER

Achtung!	Внимание!	Wnimánije!
Halt!	Стоп!	Stop!
Überführung!	Переход!	Pirichót!
Bus-, Obus-, Straßenbahnhaltestelle	Остановка автобуса (троллейбуса, трамвая)	Astanófka aftóbussa (traléjbussa, tramwája)
Vorsicht! Auto!	Берегись автомобиля!	Birigís aftamabílja!
Taxistand	Стоянка такси	Stajánka taksí
Öffentlicher Fernsprecher	Телефон-автомат	Tilifón-aftamát
Auskunftsbüro	Справочное бюро	Spráwatschnoe büró
Toilette (H) (D)	Туалет (м) (ж)	Tualét
Abort (H) (D)	Уборная (м) (ж)	Ubórnaja
Apotheke	Аптека	Aptéka
Post- und Telegraphenamt	Почта. Телеграф	Pótschta. Tiligráf
Frisiersalon	Парикмахерская	Parikmáchirskaja
Theaterkasse	Театральная касса	Tiatrálnaja kássa
Gaststätte	Ресторан	Ristarán
Café	Кафе	Kafé
Bäckerei	Булочная	Búlotschnaja
Konditorei	Кондитерская	Kandítirskaja
Lebensmittelladen	Гастроном	Gastranóm
Fleisch- und Fischwaren	Мясо-рыба	Mjásso-rýba
Geschlossen	Закрыто	Sakrýto
Geöffnet	Открыто	Atkrýto
Mittagspause	Перерыв на обед	Pirirýf na abét
Selbstbedienung	Самообслуживание	Samaapslúshiwanje
Eingang (Ausgang)	Вход (выход)	Fchot (Wýchot)
Kein Eingang	Входа нет	Fchóda net
Milch	Молоко	Malakó
Bier und alkoholfreie Getränke	Пиво-воды	Píwo-wódy
Fruchtsäfte und andere alkoholfreie Getränke	Соки-воды	Sóki-wódy
Weine und Spirituosen	Вина-ликеры, алкогольные напитки	Wína-likjóry, alkagólnyi napítki
Obst und Gemüse	Овощи-фрукты	Ówastschi-frúkty
Blumen	Цветы	Zwitý

Kosmetikwaren	Парфюмерия	Parfüméria
Tabakwaren	Папиросы, табак, сигареты	Papióssy, tabak, sigaréty
Buchhandlung	Книги	Knígi
Möbel	Мебель	Mébel
Konfektion	Одежда	Adéshda
Schuhwaren	Обувь	Óbuf
Hüte und Mützen	Головные уборы	Galawnýi ubóry
Kurzwaren	Галантерея	Galantiréja
Kinderwelt	Детский мир	Détski mir
Kaufhaus	Универмаг	Uniwirmák

IN DER U-BAHN

Eingang	Вход	Fchot
Ausgang (Ausgang in die Stadt)	Выход (выход в город)	Wýchat (wýchat w górat)
Kein Ausgang	Нет выхода	Net wýchada
Kassen	Кассы	Kássy
5 Kopeken hineinwerfen	Опустите 5 копеек	Apustíte pjatj kapéjek
Rechts stehen bleiben, links vorgehen	Стойте справа, проходите слева	Stóite spráwa, prachadíte sléwa
Zu den Zügen	К поездам	K pajesdám
Übergang zu den Stationen ...	Пересадка на станции ...	Pirichót na stánzii ...

IM KAUFHAUS

Ist hier ein Warenhaus in der Nähe?	Где ближайший магазин?	Gde blisháischi magasín?
Zeigen Sie mir bitte!	Покажите, пожалуйста!	Pakashíte, pashálusta!
Haben Sie ...?	У Вас есть ...?	U was jéstj ...?
Eine andere Farbe?	Другого цвета?	Drugówa zwéta?
Ein anderes Modell?	Другой фасон?	Drugói fassón?
Etwas größer (kleiner)	Больший (меньший) размер	Bólschi (ménschi) rasmér
Ich nehme das	Я это куплю	Ja éta kupljú
Wo kann ich meinen Einkauf bezahlen?	Где я могу оплатить покупку?	Gde ja magú aplatítj pakúpku?

280

ÄRZTLICHE HILFE

Ich fühle mich nicht wohl	Я нездоров (нездорова)	Ja nisdaróf (nisdarówa)
Mir ist nicht gut	Я плохо себя чувствую	Ja plócha sibjá tschústwuju
Holen Sie bitte einen Arzt (die Erste Hilfe)	Вызовите, пожалуйста, врача (Скорую помощь)	Wýsawiti, pashálusta, wratschá (skóruju pómastsch)
Ich habe Fieber	У меня температура	U menjá timpiratúra
Ich habe Kopfschmerzen (Herzschmerzen, Magenschmerzen, Halsschmerzen, Augenschmerzen, Armschmerzen, Fußschmerzen)	У меня болит голова (сердце, желудок, горло, глаз, рука, нога)	U minjá balít galawá (sérze, shilúdak, górla, glas, ruká, nagá)
Haben Sie etwas gegen Erkältung?	Есть ли у Вас что-нибудь от простуды?	Jestj li u was tschtónibutj at prastúdy?

IN DER GASTSTÄTTE. IM CAFÉ

Geben Sie mir bitte die Speisekarte	Дайте мне, пожалуйста, меню	Dáiti mne, pashálusta, minjú
Bringen Sie bitte eine Portion (zwei Portionen)	Принесите, пожалуйста, одну порцию (две порции)	Prinissíti, pashálusta, adnú pórziju (dwe pórzii)
Bringen Sie bitte eine Flasche Bier (Wein, Mineralwasser, Weinbrand, Sekt, Wodka)	Принесите, пожалуйста, бутылку пива (вина, минеральной воды, коньяку, шампанского, водки)	Prinissíte, pashálusta, adnú butýlku píwa (winá, minirálnoi wadý, kanjakú, schampánskowa, wótki)
Glas	Стакан	Stakán
Weinglas	Рюмка	Rjúmka
Teller	Тарелка	Tarélka
Messer	Нож	Nosch
Gabel	Вилка	Wílka
Löffel	Ложка	Lóschka
Serviette	Салфетка	Salfétka
Tischtuch	Скатерть	Skátertj
Salz	Соль	Solj
Pfeffer	Перец	Pérez
Senf	Горчица	Gartschíza
Zucker	Сахар	Sáchar
Butter	Сливочное масло	Slíwatschnoje máslo

Zigaretten	Сигареты	Sigaréty
Streichholz	Спички	Spítschki
Die Rechnung bitte!	Дайте, пожалуйста, счёт!	Dáite, pashálusta, stschót!

AUF DER STRASSE

Sagen Sie bitte, wie komme ich zum Hotel ...?	Скажите, пожалуйста, как пройти к гостинице ...?	Skashíti, pashálusta, kak praití k gastínizi ...?
Geradeaus (rechts, links, vorwärts, zurück)	Прямо (направо, налево, вперёд, назад)	Prjáma (napráwa, naléwa, fperjót, nasát)
Straße, Platz, Gasse, Straßenkreuzung, Allee	Улица, площадь, переулок, перекрёсток, проспект	Úliza, plóstschatj, piriúlak, pirikrjóstak, praspékt
Chaussee	шоссе	schassé
Sagen Sie bitte, welcher Bus (Obus, welche Straßenbahnlinie) führt zum Stadtzentrum (zum Hotel, zum Bahnhof)?	Скажите, пожалуйста, каким автобусом (троллейбусом, трамваем) я могу доехать до центра города (гостиницы, вокзала)?	Skashíti, pashálusta, kakím awtóbussam (traléjbussam, tramwájem) ja magú dajéchatj da zéntra górada (da gastínizy, waksála)?
Sagen Sie bitte, wo ist hier eine Trolleybushaltestelle?	Скажите, пожалуйста, где остановка троллейбуса?	Skashíti, pashálusta, gde astanófka traléjbussa?
Wo ist hier ein Taxistand?	Где стоянка такси?	Gde stajánka taksí?
Zeigen Sie bitte auf der Karte, wo ich mich jetzt befinde?	Покажите, пожалуйста, на карте, где я нахожусь?	Pakashíti, pashálusta, na kárti, gde ja nachashús?
Ich habe mich verlaufen	Я заблудился (заблудилась)	Ja sabludílssa (sabludílas)
Milizionär	Милиционер	Milizianér
Wie fahre ich zu ...?	Как мне доехать до ...?	Kak mne dajéchatj do ...?
Wo muß man nach ... umsteigen?	Где пересадка на ...?	Gde pirissátka na ...?
Wieviel Stationen sind es bis ...?	Сколько остановок до ...?	Skólka astanówak do ...?

ABREISE

Ich fahre morgen um ... Uhr ab.	Я уезжаю завтра в ... часов	Ja ujesháju sáwtra w ... tschassóf
Geben Sie mir bitte die Rechnung	Приготовьте мне, пожалуйста, счёт	Prigátófti mne, pashálusta, stschot

Wann fährt der Zug nach ... ab?	Когда отходит поезд на ...?	Kagdá atchódit pójist na ...
Wo ist hier ein Fahrplan?	Где можно посмотреть расписание?	Gde móshna pasmatrétj rasspissánije?
Wann fliegt die Maschine Nummer ... nach ... ab	Когда вылет самолёта на ... рейс ...?	Kogdá wýlet samaljóta na ... rejs ...?
Rufen Sie bitte ein Taxi!	Вызовите, пожалуйста, такси!	Wýsawiti, pashálusta, taksi!
Wo hält der Zug Nummer ... nach ...?	Где посадка на поезд номер ... до ...?	Gde passátka na pójist nómir ... do ...?
Wie komme ich zur Maschine Nummer ... nach ...?	Где посадка на самолёт рейс ... до ...?	Gde passátka na samaljót rejs ... do ...?
Von welchem Bahnsteig fährt der Zug Nummer ... nach ... ab?	С какой платформы отходит поезд номер ... до ...?	S kakói platfórmy atchódit pójist nómir ... do ...?

FÜR NOTIZEN

FÜR NOTIZEN

FÜR NOTIZEN